글 읽기 능력 향상을 위한

초등국어 **독해왕**

4 단계

이룸이앤비
Education & Books

모든 공부를 잘하기 위한 첫걸음
국어 독해(글 읽기)

왜? 초등학생에게 국어 독해(글 읽기)가 중요할까요?

우리에게 전달되는 정보는 국어(문자)로 이루어져 있고 그 정보를 이해하고 습득하는 능력은 독해 능력과 깊이 연관되어 있습니다. 초·중·고교생, 더 나아가 어른이 되어서도 학습 능력의 기본은 독해 능력이라고 해도 무방할 정도입니다. 따라서 독해 능력이 뛰어난 학생은 많은 양의 학습 정보를 다른 학생보다 훨씬 쉽고 빠르게 습득할 수 있습니다.

글 읽기 능력은 **국어뿐 아니라, 사회·과학·수학·영어 등 다른 과목의 학습 능력에도 지대한 영향을 끼친다고 합니다.** 많은 전문가들은 어릴 때 자연스럽게 형성된 독서 습관이 모든 학습의 첫걸음이라고 말합니다.

초등학생 때 글을 읽고 이해하고 문제를 해결하는 능력, 즉 국어 독해 능력은 모든 공부의 큰 힘이며 평생을 좌우할 학습 능력의 첫걸음이자 디딤돌입니다.

"초등국어 독해왕" 시리즈는
학부모님들의 의견을 충분히 반영하였습니다

의견 1 → 다양한 글을 읽히고 싶어요. 설명문, 논설문, 전기문, 동화, 동시, 생활문, 기행문 등 다양한 종류의 글과 인문, 사회, 과학, 예술 등 다양한 분야의 글이 모여 있는 책이 있었으면 좋겠어요.

의견 2 → 평소 책을 좋아하지 않는 아이도 쉽고 재미있게 글 읽기 훈련을 할 수 있는 책이 있었으면 좋겠어요.

의견 3 → 글 읽기를 20~30분 정도 짧게 집중해서 하고 글을 잘 이해했는지를 점검할 수 있는 문제집이 있었으면 좋겠어요.

의견 4 → 글 읽기에서 어떤 부분이 부족한지, 또 어떤 종류의 글 읽기를 좋아하고 싫어하는지를 판단할 수 있었으면 좋겠어요.

의견 5 → 글의 주제나 요지 파악, 제목 찾기 등을 쉬운 수준부터 차근차근 단계별로 훈련할 수 있는 책이 필요해요.

의견 6 → 아이 혼자 스스로 조금씩 꾸준하게 공부할 수 있도록 학습 계획(스케줄)을 쉽게 짤 수 있는 교재가 있었으면 좋겠어요.

의견 7 → 학부모가 아이를 지도하기 쉽게 해설이 자세한 독해 연습서가 있었으면 좋겠어요.

구성과 특징

❶ 일차별·단계별 구성

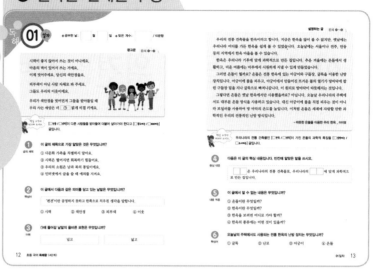

하루의 학습량을
초등학생이 집중력을
유지할 수 있는 약 20~30분
분량, 2~3개 지문으로
구성하였습니다.

❷ 다양한 종류의 글

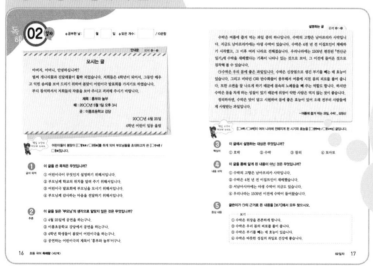

재미와 흥미를 유발할 수
있는 문학(동시, 동화, 기행문,
전기문 등)과 비문학(설명문, 논설문,
안내문, 소개문, 실용문 등) 등
다양한 종류의 글로 구성
하였습니다.

❸ 다양한 문제

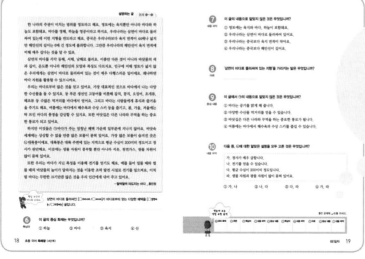

글의 중심 내용, 핵심어, 주제,
목적 등을 정확하게 이해하는지를 묻는
사실적 이해 문항과 이를 바탕으로
다른 상황에 적용, 추론할 수 있는지를
묻는 다양한 문제로 구성하여
효율적인 독해 훈련이
가능하도록 하였습니다.

❹ 핵심 요약 체크 / 한눈에 보는 약점 유형 분석

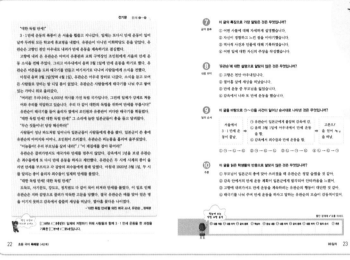

글의 핵심 정보와 글의 목적, 종류 등을 파악하여 체크하도록 하였습니다. 또 자기 점검을 통해 학생이 틀린 문제 유형을 한눈에 파악할 수 있도록 하였습니다.

❺ 어휘 학습 및 테스트

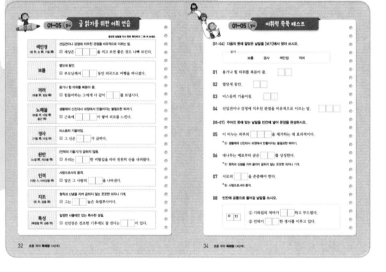

5일 동안 공부한 지문 중에서 주요 어휘들을 골라 다시 써 보고 간단한 문제로 반복 학습을 할 수 있도록 하였습니다. 어휘력은 국어 능력의 주요 지표 중 하나입니다.

❻ 정답 및 해설

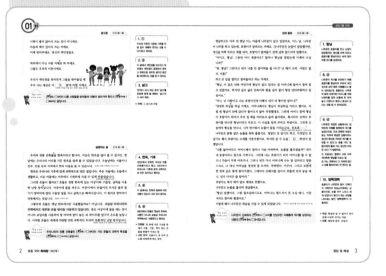

모든 문제는 해설을 통해 자세하고 친절하게 설명하였습니다. 스스로 공부하는 학생에게는 자기 주도 학습의 길잡이가 되고 학부모님과 선생님께는 학습 지도 자료로 활용될 수 있도록 하였습니다.

차례 및 학습 계획

하루의 학습량을 초등학생이 집중력을 유지할 수 있는
약 20~30분 분량, 2~3개 지문으로 구성하였습니다.

공부한 날

01일차
당신의 색안경을 벗어 주세요	광고문	12쪽
따뜻한 온돌을 이용한 우리 한옥	설명하는 글	13쪽
호랑이 형님	전래 동화	14쪽

월 일

02일차
봄맞이 어린이극 발표회	안내문	16쪽
여름에 즐겨 먹는 과일, 수박	설명하는 글	17쪽
철썩철썩 파도치는 바다	설명하는 글	18쪽

월 일

03일차
뮤지컬 『피노키오』를 보고	공연 감상문	20쪽
혼이 깃든 초상화	설명하는 글	21쪽
'대한 독립 만세'를 외친 애국 소녀, 유관순	전기문	22쪽

월 일

04일차
수원 화성	설명하는 글	24쪽
스핑크스의 수수께끼	설명하는 글	25쪽
지금보다 훨씬 더 잘 말할 수 있어요	강연	26쪽

월 일

05일차
친구들과 서로 책을 바꾸어 읽어요	주장하는 글	28쪽
우리말과 우리글을 아끼고 사랑하자	주장하는 글	29쪽
공공시설을 어떻게 사용해야 할까?	설명하는 글	30쪽

월 일

01~05일차 글 읽기를 위한 어휘 연습		32쪽
01~05일차 어휘력 쑥쑥 테스트		34쪽
01~05일차 십자말 풀이		35쪽

월 일

06일차
'아나바다 장터'가 열리는 날	일기	38쪽
관중과 습붕의 지혜	옛이야기	39쪽
운명이 문을 두드리는 소리를 표현한 교향곡	설명하는 글	40쪽

월 일

07일차
도서관에서 지켜야 할 약속	안내문	42쪽
스티브 잡스	전기문	43쪽
겨울에 가장 빛나는 별자리, 오리온	배경 신화	44쪽

월 일

08일차
한석봉의 전기문을 읽고	독서 감상문	46쪽
오존층은 지구의 초대형 양산이야	설명하는 글	47쪽
우리나라 국민 스포츠, 야구	설명하는 글	48쪽

월 일

				공부한 날

09 일차	독도를 다녀와서	기행문	50쪽	월
	바르셀로나에서 가우디를 만나다	안내 방송	51쪽	
	불과 바퀴, 인류의 위대한 발명	설명하는 글	52쪽	일
10 일차	봉숭아 씨 관찰	일기	54쪽	월
	용돈 관리 비법	설명하는 글	55쪽	
	함흥차사	옛이야기	56쪽	일
06~10일차	글 읽기를 위한 어휘 연습		58쪽	월
06~10일차	어휘력 쑥쑥 테스트		60쪽	일

11 일차	자동심장충격기의 사용법	설명하는 글	64쪽	월
	여럿이 모여 함께 살아가는 것	설명하는 글	65쪽	
	파도를 잠재우는 만파식적 이야기	옛이야기	66쪽	일
12 일차	여러분의 의견을 듣고 싶습니다	매체 자료	68쪽	월
	작은 씨 속의 놀라운 세상	설명하는 글	69쪽	
	재미있는 돈 이야기	설명하는 글	70쪽	일
13 일차	수아의 봉사 활동	일기	72쪽	월
	좋은 만화책을 골라 읽자	주장하는 글	73쪽	
	화석이란 뭘까?	설명하는 글	74쪽	일
14 일차	잘못을 돌아보다, 사천왕	설명하는 글	76쪽	월
	한글봇을 아세요	설명하는 글	77쪽	
	커피는 왜 슬픈 열매일까?	설명하는 글	78쪽	일
15 일차	한국의 5대 상징물	설명하는 글	80쪽	월
	새로운 길로 출발, 탐험가 콜럼버스	전기문	81쪽	
	방울토마토 관찰 일기	관찰 일기	82쪽	일
11~15일차	글 읽기를 위한 어휘 연습		84쪽	월
11~15일차	어휘력 쑥쑥 테스트		86쪽	일
11~15일차	십자말 풀이		87쪽	

16 일차	아빠, 미안해하지 마세요	동화	90쪽	월
	목판에 새긴 우리 땅, 대동여지도	설명하는 글	91쪽	
	『아낌없이 주는 나무』를 읽고	독서 감상문	92쪽	일
17 일차	'코치'라는 단어가 만들어진 사연	설명하는 글	94쪽	월
	사람의 손으로 일군 자연, 논과 밭	설명하는 글	95쪽	
	국립광주박물관을 다녀와서	기행문	96쪽	일

공부한 날

18일차	직업에는 귀천이 없다	일기	98쪽	월
	석굴암과 불국사	설명하는 글	99쪽	
	세상을 움직이는 회의	설명하는 글	100쪽	일
19일차	『니모를 찾아서』를 보고	영화 감상문	102쪽	월
	은행이 생긴 이유	설명하는 글	103쪽	
	물에서 도망친 물, '수증기'	설명하는 글	104쪽	일
20일차	지구 온난화로 빙하가 녹아내리다	설명하는 글	106쪽	월
	피겨 여왕, 김연아	전기문	107쪽	
	땅에 묻은 돈	동화	108쪽	일
16~20일차	글 읽기를 위한 어휘 연습		110쪽	월
16~20일차	어휘력 쑥쑥 테스트		112쪽	일

21일차	존 워커의 발명품, 성냥	전기문	116쪽	월
	「모나리자」	설명하는 글	118쪽	일
22일차	『갈매기의 꿈』을 읽고	독서 감상문	120쪽	월
	살기 위해 꼭 필요한 옷	설명하는 글	122쪽	일
23일차	확대가족과 핵가족	설명하는 글	124쪽	월
	사이버 중독을 피해 안전하게 생활하는 법	설명하는 글	126쪽	일
24일차	첨단 종이의 개발과 쓰임	설명하는 글	128쪽	월
	갯벌도 보이고 염전도 보였다	기행문	130쪽	일
25일차	내가 모르는 것을, 내가 이미 알고 있다고?	설명하는 글	132쪽	월
	슬기로운 아이	동화	134쪽	일
21~25일차	글 읽기를 위한 어휘 연습		136쪽	월
21~25일차	어휘력 쑥쑥 테스트		138쪽	일

■ 정답 및 해설
(자기 주도 학습 또는 학습 지도를 위한 별책)

학부모 및 선생님을 위한
초등국어 독해왕의 공부 지도법

"자기 주도 학습을 실천하도록 돕는 것이 중요합니다!!!"

이 책의 공부 지도법

01 조금씩 꾸준히 공부하도록 합니다.
생각날 때마다 공부하는 것은 좋지 않습니다. 매일매일 하지는 않더라도 월수금, 화목 등등처럼 규칙적인 계획을 세워서 공부하도록 지도합니다.

▼

02 20~30분 집중하여 학습하도록 합니다.
한 번에 2~3지문을 20~30분 동안 지도합니다. 초등학생에게 조금 긴 시간일 수도 있지만 집중해서 공부하도록 하는 것이 중요합니다.

▼

03 글의 핵심을 잘 이해했는지 점검합니다.
글을 읽고 어떤 내용인지 말해 보게 합니다. 잘 모르는 경우에는 다시 읽어 보게 합니다. 그래도 이해가 되지 않는다면 나중에 반복 학습을 할 수 있도록 지도합니다.

▼

04 맞은 문제와 틀린 문제를 표시하도록 합니다.
맞은 문제 중에는 대충 찍어서 맞힌 문제도 있습니다. 실제로 정확하게 이해한 문제를 제외하고 다시 한번 글을 읽고 풀어 보도록 합니다.

▼

05 어떤 유형의 문제를 자주 틀리는지 확인하도록 합니다.
독해 문제에는 여러 유형들이 있습니다. 주제 찾기, 내용 파악, 적용하기 등에서 학생이 자주 틀리는 문제 유형이 무엇인지를 파악하여 가장 적절한 해결 방법을 안내하도록 합니다.

01~05 일차

01 일차	당신의 색안경을 벗어 주세요	광고문
	따뜻한 온돌을 이용한 우리 한옥	설명하는 글
	호랑이 형님	전래 동화
02 일차	봄맞이 어린이극 발표회	안내문
	여름에 즐겨 먹는 과일, 수박	설명하는 글
	철썩철썩 파도치는 바다	설명하는 글
03 일차	뮤지컬 『피노키오』를 보고	공연 감상문
	혼이 깃든 초상화	설명하는 글
	'대한 독립 만세'를 외친 애국 소녀, 유관순	전기문
04 일차	수원 화성	설명하는 글
	스핑크스의 수수께끼	설명하는 글
	지금보다 훨씬 더 잘 말할 수 있어요	강연
05 일차	친구들과 서로 책을 바꾸어 읽어요	주장하는 글
	우리말과 우리글을 아끼고 사랑하자	주장하는 글
	공공시설을 어떻게 사용해야 할까?	설명하는 글
01~05 일차	글 읽기를 위한 어휘 연습	
01~05 일차	어휘력 쑥쑥 테스트	
01~05 일차	십자말 풀이	

광고문 　 문제 ①~③

시력이 좋지 않아서 쓰는 것이 아니에요.

마음의 벽이 있어서 쓰는 거예요.

이제 벗어 주세요. 당신의 색안경을요.

피부색이 아닌 사람 자체로 봐 주세요.

그들도 우리의 이웃이에요.

우리가 색안경을 벗어던져 그들을 받아들일 때

우리 사는 세상은 더 　 ㉠ 　 밝게 바뀔 거예요.

 핵심 요약에 체크해 보세요.

[□인종 / □성격]이 다른 사람들을 받아들여 더불어 살아가야 한다고 [□광고하는 / □회의하는] 글입니다.

1 이 글의 제목으로 가장 알맞은 것은 무엇입니까?

글의 제목

① 다문화 가족을 차별하지 말아요.

② 시력은 떨어지면 회복하기 힘들어요.

③ 우리의 소원은 남과 북의 통일이에요.

④ 인터넷에서 글을 쓸 때 예의를 지켜요.

2 이 글에서 다음과 같은 의미를 담고 있는 낱말은 무엇입니까?

핵심어

'편견'이란 공정하지 못하고 한쪽으로 치우친 생각을 말합니다.

① 시력 　 　 ② 색안경 　 　 ③ 피부색 　 　 ④ 이웃

3 ㉠에 들어갈 낱말의 올바른 표현은 무엇입니까?

어휘

| 넙고 | 넓고 |

우리의 전통 건축물을 한옥이라고 합니다. 지금은 한옥을 많이 볼 수 없지만, 옛날에는 우리나라 어디를 가든 한옥을 쉽게 볼 수 있었습니다. 오늘날에는 서울이나 전주, 안동 등의 지역에서 한옥 마을을 볼 수 있습니다.

한옥은 우리나라 기후에 맞게 과학적으로 만든 집입니다. 추운 겨울에는 온돌에서 생활하고, 더운 여름에는 마루에서 시원하게 지낼 수 있게 만들었습니다.

그러면 온돌이 뭘까요? 온돌은 전통 한옥에 있는 아궁이와 구들장, 굴뚝을 이용한 난방 장치입니다. 아궁이에 불을 피우고, 아궁이에서 만들어진 뜨거운 불의 열기가 방바닥에 깔린 구들장 밑을 지나 굴뚝으로 빠져나갑니다. 이 원리로 방바닥이 따뜻해지는 것입니다.

그렇다면 온돌은 옛날 한옥에서만 사용했을까요? 아닙니다. 오늘날 우리나라의 주택에서도 대부분 온돌 방식을 사용하고 있습니다. 대신 아궁이에 불을 직접 피우는 것이 아니라 보일러를 사용하여 방 바닥의 온도를 높입니다. 이처럼 온돌은 세계에 자랑할 만한 과학적인 우리의 전통적인 난방 방식입니다.

– 따뜻한 온돌을 이용한 우리 한옥 _ 이미영

핵심 요약에 체크해 보세요.

우리나라의 전통 건축물인 [□ 한옥 / □ 양옥]이 가진 온돌의 과학적 특징을 [□ 설명하는 / □ 조사하는] 글입니다.

---

❹ 다음은 이 글의 핵심 내용입니다. 빈칸에 알맞은 말을 쓰시오.

중심 내용

> □□은 우리나라의 전통 건축물로, 우리나라의 □□에 맞게 과학적으로 만든 집입니다.

---

❺ 이 글에서 알 수 <u>없는</u> 내용은 무엇입니까?

내용 적용

① 온돌이란 무엇일까?

② 한옥이란 무엇일까?

③ 한옥을 보려면 어디로 가야 할까?

④ 한옥의 종류에는 어떤 것들이 있을까?

---

❻ 오늘날의 주택에서도 사용되는 전통 한옥의 난방 장치는 무엇입니까?

핵심어

① 굴뚝   ② 난로   ③ 아궁이   ④ 온돌

옛날하고도 아주 먼 옛날 어느 마을에 나무꾼이 살고 있었어요. 어느 날, 나무꾼이 나무를 하고 있는데, 호랑이가 달려오는 거예요. ㉠나무꾼은 눈앞이 캄캄했지만, 정신을 바짝 차리고 꾀를 내어, 호랑이가 달려들기 전에 넙죽 엎드리며 말했어요.

"아이고, 형님! 그동안 어디 계셨어요? 얼마나 형님을 찾았는데 이제야 오십니까?"

"뭐, 형님? 그런다고 내가 너를 안 잡아먹을 줄 아니? 난 배가 고파. 어림도 없지, 어흥!"
하고 큰 입을 벌리고 덤벼들려고 하는 거예요.

"형님, 이 깊은 산속 어딘가에 형님이 살고 있다는 걸 어머니께 들어서 벌써 알고 있었어요. 하지만 깊고 넓은 산속이라 찾을 길이 없어 항상 안타까워하고 있었어요."

"아니, 넌 사람이고 나는 호랑이인데 어째서 내가 네 형이란 말이냐?"

"당연히 의심을 하실 거예요. 어머니께서도 형님이 의심하실 거라고 했어요. 어릴 때 형님이 산에 갔다가 돌아오지 않아 걱정했대요. 그런데 어머니 꿈에 형님이 호랑이가 되어서 우리 집 쪽을 바라보고 슬피 울더래요. 혹시라도 산에서 호랑이를 만나면 형님이라고 부르고, 이 사실을 알려 주라고 하셨어요. 그런데 오늘에야 형님을 만나니, 너무 반가워서 눈물이 앞을 가리는군요. 흐흐흑……."

나무꾼은 닭똥 같은 눈물을 뚝뚝 흘렸지요. 정말인 것 같기도 하고, 거짓말인 것 같기도 해서 호랑이는 고개를 갸웃거렸어요. 하지만 곧 두 눈을 [㉡]하면서 말했답니다.

"나를 잃어버리고 어머니께서 얼마나 가슴 아파하며, 눈물을 흘리셨을까? 네가 내 동생이라니 참으로 기쁘구나. 그런데 나는 호랑이가 되어 어머니를 뵐 수 없으니 가슴이 무척 아프구나. 그러니 네가 가서 어머니께 나는 잘 있더라고 말씀드리고, 나 대신 어머님을 정성껏 잘 모셔라. 부탁한다, 아우야. 그리고 보름에 한 번씩 깊은 밤에 찾아가겠다. 그때마다 산돼지를 잡아서 뒤뜰에 던져 놓을 테니, 내가 다녀간 줄 알아라."
호랑이는 목이 메어 말도 제대로 못했어요.

나무꾼도 눈물을 흘리며 대답했어요.

"형님! 알겠어요. 그럼 몸조심하시고요. 어머니는 힘드셔서 못 오실 테니, 가끔 저라도 찾아와 뵙겠어요."
이렇게 해서 나무꾼은 목숨을 건질 수 있게 되었답니다.

핵심 요약에 체크해 보세요.

나무꾼이 산속에서 [□호랑이 / □사자]를 만났지만 지혜롭게 위기를 넘겼다는 내용의 [□전래 동화 / □동시]입니다.

7 중심 내용

다음은 이 글의 핵심 내용입니다. 빈칸에 알맞은 말을 쓰시오.

> 나무꾼은 호랑이에게 ▢▢이라고 부르며 잡아먹힐 위기를 지혜롭게 넘겼습니다.

8 내용 파악

다음 중, 이 글에 나오는 인물에 대한 설명으로 알맞은 것은 무엇입니까?

> 가. 나무꾼은 호랑이를 속일 정도로 지혜가 뛰어났어요.
> 나. 호랑이는 나무꾼의 말을 아무런 의심 없이 믿어 버렸어요.
> 다. 나무꾼은 호랑이로 변해 버린 형님을 만나 진심으로 기뻤어요.
> 라. 호랑이는 어머니를 위해 산돼지를 갖다 놓을 정도로 효심이 깊어요.

① 가, 나   ② 나, 다   ③ 다, 라   ④ 가, 라

9 내용 적용

㉠의 상황에 가장 어울리는 속담은 무엇입니까?

① 호랑이 담배 먹을 적.
② 호랑이도 제 말 하면 온다.
③ 호랑이 굴에 가야 호랑이 새끼를 잡는다.
④ 호랑이에게 물려 가도 정신만 차리면 산다.

10 어휘

㉡에 들어갈 알맞은 낱말은 무엇입니까?

| 첨벙첨벙 | 껌뻑껌뻑 |

한눈에 보는
약점 유형 분석

틀린 문제에 ✔표를 하세요.

❶ 글의 제목	❷ 핵심어	❸ 어휘	❹ 중심 내용	❺ 내용 적용	❻ 핵심어	❼ 중심 내용	❽ 내용 파악	❾ 내용 적용	❿ 어휘

안내문   문제 ❶~❷

모시는 글

아버지, 어머니, 안녕하십니까?

벌써 개나리꽃과 진달래꽃이 활짝 피었습니다. 저희들은 4학년이 되어서, 그동안 배우고 익힌 솜씨를 보여 드리기 위하여 봄맞이 어린이극 발표회를 가지기로 하였습니다.

부디 참석하셔서 저희들의 작품을 보아 주시고 격려해 주시기 바랍니다.

제목 : 흥부와 놀부

때 : 20○○년 5월 1일 오후 3시

곳 : 이룸초등학교 강당

20○○년 4월 25일

4학년 어린이 일동 올림

핵심 요약에 체크해 보세요.

어린이들이 봄맞이 [☐발표회 / ☐운동회]를 하게 되어 부모님들을 초대하고자 쓴 [☐안내문 / ☐동화]입니다.

1 글의 목적

이 글을 쓴 목적은 무엇입니까?

① 어린이극이 무엇인지 설명하기 위해서입니다.

② 부모님께 학교의 위치를 알려 주기 위해서입니다.

③ 어린이극 발표회에 부모님을 모시기 위해서입니다.

④ 부모님께 감사하는 마음을 전달하기 위해서입니다.

2 추론

이 글을 읽은 '부모님'의 생각으로 알맞지 않은 것은 무엇입니까?

① 4월 25일에 공연을 하는구나.

② 이룸초등학교 강당에서 공연을 하는구나.

③ 4학년 학생들이 봄맞이 어린이극을 하는구나.

④ 공연하는 어린이극의 제목이 '흥부와 놀부'이구나.

수박은 여름에 즐겨 먹는 과일 중의 하나입니다. 수박의 고향은 남아프리카 사막입니다. 지금도 남아프리카에는 야생 수박이 있습니다. 수박은 4천 년 전 이집트인이 재배하기 시작했고, 그 이후 여러 나라로 전해졌습니다. 우리나라에는 1509년 편찬된 『연산군일기』에 수박을 재배했다는 기록이 나타나 있는 것으로 보아, 그 이전에 들어온 것으로 짐작해 볼 수 있습니다.

㉠수박은 우리 몸에 좋은 과일입니다. 수박은 신장염으로 생긴 부기를 빼는 데 효능이 있습니다. 그리고 비타민 C와 탄수화물이 풍부해서 여름에 지친 몸의 피로를 풀어 줍니다. 또한 소변을 잘 나오게 하기 때문에 몸속의 노폐물을 빼 주는 역할도 합니다. 하지만 수박은 몸을 차게 하는 성질이 있기 때문에 위장이 약한 사람은 먹지 않는 것이 좋습니다.

정리하자면, 수박은 맛이 달고 시원하며 몸에 좋은 효능이 있어 오래 전부터 사람들에게 사랑받는 과일입니다.

– 여름에 즐겨 먹는 과일, 수박 _ 김정신

핵심 요약에 체크해 보세요.

[□수박 / □호박]이 여러 나라에 전해지게 된 시기와 효능을 [□설명하는 / □광고하는] 글입니다.

❸ 이 글에서 설명하는 대상은 무엇입니까?

핵심어

① 호박   ② 수박   ③ 참외   ④ 토마토

❹ 이 글을 통해 알게 된 내용이 <u>아닌</u> 것은 무엇입니까?

내용 파악

① 수박의 고향은 남아프리카 사막입니다.

② 수박은 4천 년 전 이집트인이 재배했습니다.

③ 서남아시아에는 야생 수박이 지금도 있습니다.

④ 우리나라는 1509년 이전에 수박이 들어왔습니다.

❺ 글쓴이가 ㉠의 근거로 든 내용을 [보기]에서 모두 찾으시오.

중심 내용

보기
① 수박은 위장을 튼튼하게 합니다.
② 수박은 우리 몸의 피로를 풀어 줍니다.
③ 수박은 부기를 빼는 데 효능이 있습니다.
④ 수박은 따뜻한 성질의 과일로 건강에 좋습니다.

한 나라의 주권이 미치는 범위를 영토라고 해요. 영토에는 육지뿐만 아니라 바다와 하늘도 포함돼요. 바다를 영해, 하늘을 영공이라고 하지요. 우리나라는 삼면이 바다로 둘러싸여 있는데 이런 지형을 반도라고 해요. 중국은 우리나라보다 육지 면적이 44배나 넓지만 해안선의 길이는 6배 긴 정도에 불과합니다. 그만큼 우리나라의 해안선이 육지 면적에 비해 매우 길다는 것을 알 수 있죠.

삼면의 바다를 각각 동해, 서해, 남해로 불러요. 이름만 다른 것이 아니라 바닷물의 색과 깊이, 온도뿐 아니라 해안선의 모양과 특징도 다르지요. 인구에 비해 영토가 넓지 않은 우리에게는 삼면이 바다로 둘러싸여 있는 것이 매우 다행스러운 일이에요. 왜냐하면 바다 자원을 활용할 수 있으니까요.

우리는 바다로부터 많은 것을 얻고 있어요. 가장 대표적인 것으로 바다에서 나는 다양한 수산물을 들 수 있지요. 등 푸른 생선인 고등어를 비롯해 갈치, 꽁치, 오징어, 조개류, 해조류 등 수많은 먹거리를 바다에서 얻어요. 그리고 바다는 사람들에게 휴식과 즐거움을 주기도 해요. 여름에는 바다에서 해수욕과 수상스키 등을 즐기고, 봄, 가을, 겨울에는 탁 트인 바다의 풍경을 감상할 수 있지요. 또한 바닷길은 다른 나라와 무역을 하는 중요한 통로가 되고 있어요.

하지만 이것들은 ㉠바다가 주는 엄청난 혜택 가운데 일부분에 지나지 않아요. 바닷속 세계에는 상상할 수 없을 만큼 많은 보물이 묻혀 있어요. 가장 많은 보물이 숨겨진 곳은 ㉡대륙붕이에요. 대륙붕은 대륙 주변에 있는 지역으로 평균 수심이 200미터 정도이고 경사가 완만해요. 이곳에는 생물자원이 풍부할 뿐만 아니라 석유, 천연가스, 광물자원이 많이 묻혀 있어요.

또한 우리는 바다가 지닌 특성을 이용해 전기를 얻기도 해요. 예를 들어 밀물 때와 썰물 때의 바닷물의 높이가 달라지는 것을 이용한 조력 발전 시설로 전기를 일으켜요. 이처럼 바다는 무한한 크기만큼 많은 것을 우리 인간에게 내어 주고 있어요.

– 철썩철썩 파도치는 바다 _ 홍민정

핵심 요약에 체크해 보세요.

삼면이 바다로 둘러싸인 [□우리나라 / □아시아]가 바다로부터 얻는 다양한 혜택을 [□설명하는 / □주장하는] 글입니다.

6 이 글의 중심 화제는 무엇입니까?

핵심어

① 하늘   ② 바다   ③ 육지   ④ 산

7 이 글의 내용으로 알맞지 <u>않은</u> 것은 무엇입니까?

내용 파악

① 영토에는 육지와 바다, 하늘이 포함돼요.

② 우리나라는 삼면이 바다로 둘러싸여 있어요.

③ 우리나라는 중국보다 육지 면적이 작아요.

④ 우리나라는 중국보다 해안선이 길어요.

8 '삼면이 바다로 둘러싸여 있는 지형'을 가리키는 말은 무엇입니까?

어휘

_____

9 ㉠의 내용으로 알맞지 <u>않은</u> 것은 무엇입니까?

중심 내용

① 바다는 공기를 맑게 해 줍니다.

② 다양한 수산물 먹거리를 얻을 수 있습니다.

③ 바닷길은 다른 나라와 무역을 하는 중요한 통로가 됩니다.

④ 여름에는 바다에서 해수욕과 수상스키를 즐길 수 있습니다.

10 다음 중, ㉡에 대한 알맞은 설명을 모두 고른 것은 무엇입니까?

내용 파악

> 가. 경사가 매우 급합니다.
> 나. 전기를 얻을 수 있습니다.
> 다. 평균 수심이 200미터 정도입니다.
> 라. 생물자원과 광물자원이 많이 묻혀 있어요.

① 가, 나   ② 나, 다   ③ 다, 라   ④ 가, 라

한눈에 보는
약점 유형 분석

틀린 문제에 ✔표를 하세요.

❶ 글의 목적	❷ 추론	❸ 핵심어	❹ 내용 파악	❺ 중심 내용	❻ 핵심어	❼ 내용 파악	❽ 어휘	❾ 중심 내용	❿ 내용 파악

공연 감상문 문제 ❶~❷

- 공연 제목: 뮤지컬, 『피노키오』
- 나오는 사람들: 피노키오, 제페토 할아버지, 요정, 여우, 극장 단장, 고래, 귀뚜라미 등
- 줄거리: 제페토 할아버지가 만든 나무 인형 피노키오 앞에 요정이 나타나 생명을 불어넣어 주자, 피노키오는 사람처럼 움직이고 말을 할 수 있게 된다. 어느 날 피노키오는 여우의 유혹에 빠져 극장에 갔다가 단장에게 붙잡히고 만다. 피노키오는 겨우 극장에서 도망치고 힘든 모험을 한다. 그러다 고래 먹이가 되고, 그 안에서 할아버지를 만난다는 이야기로 끝이 난다.
- 기억나는 장면: 피노키오는 나무로 만든 인형이다. 그런데 거짓말을 할 때마다 코가 자꾸자꾸 길어졌다. 코에 물을 주면 새싹이 자라날 수 있을 것 같았다. 내가 새였다면 피노키오의 코에 앉아 봤을 것이다.
- 느낀 점: 책에서만 봤던 주인공들이 직접 노래도 부르고 춤도 추어 나도 덩달아 즐거워져 함께 춤을 췄다. 참 재미있는 공연이었다.

 핵심 요약에 체크해 보세요.

[☐뮤지컬 / ☐인형극]을 보고 줄거리와 기억나는 장면, 느낀 점 등을 적은 [☐공연 감상문 / ☐공연 안내문]입니다.

1

내용 적용

이 글을 통해 알 수 없는 것은 무엇입니까?

① 뮤지컬의 내용 ② 나오는 사람들 ③ 공연 시간 ④ 보고 느낀 점

2

내용 파악

이 글의 내용으로 알맞지 않은 것은 무엇입니까?

① 나는 공연을 보면서 신이 나서 춤을 추었어요.

② 거짓말을 하면 피노키오의 코는 자꾸 길어져요.

③ 피노키오는 할아버지가 나무로 만든 인형이에요.

④ 피노키오는 늑대의 유혹을 뿌리치고 모험을 해요.

우리 조상들은 초상화를 그리는 원칙이 매우 엄격했어요. 그래서 생겨난 말이 '터럭 한 올이라도 잘못되면 그 사람이 아니다.'라는 거예요. 초상화를 그릴 때 그만큼 공을 들여 대상과 똑같게 그리려고 애썼지요. 하지만 무조건 겉모습만 같게 그린다고 되는 것이 아니라, 그 사람의 성품, 기질, 인격까지 담겨 있어야 훌륭한 초상화로 인정해 주었어요.

조선 시대 초상화 가운데서도 뛰어난 걸작은 ㉠'송시열 초상화'예요. 이 초상화는 1651년, 송시열이 45세가 되던 무렵에 그려진 것으로, 송시열의 글과 정조 임금의 글이 나란히 쓰여 있어 더욱 유명하답니다. 그의 초상을 보면, 복건을 쓰고 학창의라는 옷을 입은 모습이에요. 거대한 몸집에 가느다란 눈매, 울퉁불퉁한 광대뼈, 뭉툭한 코, 고집스런 입매 등에서 지조가 곧으면서도 남들과 타협을 모르는 과단성 있는 성품을 읽을 수 있어요.

그림 오른쪽에는 스스로 적은 글도 있어요. '사슴을 벗 삼고 쑥대로 집을 엮고, 밝은 창에 기대 앉아 끼니를 잊고 책을 보네.'라는 내용이에요. 이 글을 통해 청빈한 생활 속에서 학문에 힘쓰는 선비의 모습을 그려 볼 수 있답니다.

－혼이 깃든 초상화 _ 장세현

핵심 요약에 체크해 보세요.

송시열의 [□초상화 / □산수화]를 통해 알 수 있는 그의 성품, 기질, 인격 등을 [□설명하는 / □광고하는] 글입니다.

❸ 핵심어
이 글의 중심 화제는 무엇입니까?

_____

❹ 중심 내용
이 글의 '초상화'에 대한 설명으로 가장 알맞은 것은 무엇입니까?

① 초상화는 무조건 겉모습만 대상과 똑같이 그려야 한다.

② 초상화는 그 사람의 특성을 빠르게 잡아내어 그려야 한다.

③ 초상화는 겉모습보다는 그 사람의 정신을 그리는 것이 중요하다.

④ 초상화는 그 사람의 겉모습과 성품, 기질, 인격까지 담아내야 한다.

❺ 내용 파악
㉠에 대한 설명으로 옳지 <u>않은</u> 것은 무엇입니까?

① 송시열의 글과 정조의 글이 나란히 쓰여 있습니다.

② 1651년, 송시열이 45세가 되던 무렵에 그려졌습니다.

③ 지조가 있고 과단성 있는 성품을 읽을 수 있습니다.

④ 부유한 생활을 누리는 선비의 모습을 느낄 수 있습니다.

"대한 독립 만세!"

3·1 만세 운동의 폭풍이 온 서울을 휩쓸고 지나갔다. 일제는 또다시 만세 운동이 일어날까 두려워 모든 학교에 휴교령을 내렸다. 유관순이 다니던 이화학당도 문을 닫았다. 유관순은 고향인 천안 아우내로 내려가 만세 운동을 계속하기로 결심했다.

고향에 내려 온 유관순은 아버지 유종관과 교회 구역장인 조인원에게 서울의 만세 운동 소식을 전해 주었다. 그리고 아우내에서 음력 3월 1일에 만세 운동을 하기로 했다. 유관순은 어른들을 도와 태극기를 만들고 여기저기로 다니며 사람들에게 소식을 전했다.

마침내 음력 3월 1일(양력 4월 1일), 유관순은 아우내 장터로 나갔다. 소식을 듣고 모여든 사람들로 장터는 발 디딜 틈이 없었다. 유관순은 사람들에게 태극기를 나눠 주고 쌓여 있는 가마니 위로 올라갔다.

"여러분! 우리나라는 4,000년 역사를 가진 독립 국가입니다. 그런데 일제가 강제로 쳐들어와 우리를 억압하고 있습니다. 우리 다 같이 대한의 독립을 위하여 만세를 부릅시다!"

유관순이 태극기를 들어 올리자 옆에서 조인원과 유종관이 커다란 태극기를 휘둘렀다.

"대한 독립 만세! 대한 독립 만세!" 그 소리에 놀란 일본군들이 총을 들고 달려왔다.

"무슨 짓들이냐! 당장 해산하라!"

사람들이 성난 파도처럼 일어나자 일본군들이 사람들에게 총을 쐈다. 일본군이 쏜 총에 유관순의 아버지와 어머니, 조인원이 쓰러졌다. 유관순은 피눈물을 흘리며 울부짖었다.

"이놈들아! 우리 부모님을 살려 내라!" / "이 계집애를 잡아 묶어라!"

유관순은 끌려가면서도 애국가와 만세를 멈추지 않았다. 감옥에서 1년을 보낸 유관순은 죄수들에게 또 다시 만세 운동을 하자고 제안했다. 유관순은 두 시에 시계의 종이 울리면 만세를 부르자고 각 감방의 죄수들에게 몰래 알렸다. 마침내 1920년 3월 1일, 두 시를 알리는 종이 울리자 죄수들이 일제히 만세를 불렀다.

"대한 독립 만세! 대한 독립 만세!"

도둑도, 사기꾼도, 강도도, 정치범도 다 같이 목이 터져라 만세를 불렀다. 이 일로 인해 유관순은 지하 감방으로 끌려가 악독한 고문을 당했다. 결국 유관순은 매를 맞아 얻은 병을 이기지 못하고 감옥에서 쓸쓸히 세상을 떠났다. 열아홉 꽃다운 나이였다.

- '대한 독립 만세'를 외친 애국 소녀, 유관순 _ 정제광

핵심 요약에 체크해 보세요.

[□유관순 / □윤봉길]이 일제에 저항하기 위해 사람들과 함께 3·1 만세 운동을 한 과정을 기록한 [□전기문 / □광고문]입니다.

6

글의 종류

이 글의 특징으로 가장 알맞은 것은 무엇입니까?

① 어떤 사물에 대해 자세하게 설명했습니다.

② 자신이 경험하고 느낀 점을 이야기했습니다.

③ 역사적 사건과 인물에 대해 기록하였습니다.

④ 어떤 일에 대한 자신의 주장을 작성했습니다.

7

내용 파악

'유관순'에 대한 설명으로 알맞지 <u>않은</u> 것은 무엇입니까?

① 고향은 천안 아우내입니다.

② 열아홉 살에 세상을 떠났습니다.

③ 만세 운동 중 부모님을 잃었습니다.

④ 감옥에서 나와 또 만세 운동을 했습니다.

8

일의 순서

이 글을 바탕으로 ㉠~㉢을 사건이 일어난 순서대로 나타낸 것은 무엇입니까?

| 서울에서 3·1 만세 운동이 끝남. | → | ㉠ 유관순이 일본군에게 붙잡혀 감옥에 감.
㉡ 음력 3월 1일에 아우내에서 만세 운동을 함.
㉢ 감옥에서 죄수들과 만세 운동을 함. | → | 고문으로 병을 얻어 세상을 떠남. |

① ㉠ → ㉡ → ㉢   ② ㉠ → ㉢ → ㉡   ③ ㉡ → ㉠ → ㉢   ④ ㉡ → ㉢ → ㉠

9

추론

이 글을 읽은 학생들의 반응으로 알맞지 <u>않은</u> 것은 무엇입니까?

① 부모님이 일본군의 총에 맞아 쓰러졌을 때 유관순은 정말 슬펐을 것 같아.

② 감옥 안에서의 만세 운동 계획이 일본군에게 발각되어 안타까움을 느꼈어.

③ 고향에 내려가서도 만세 운동을 계속하려는 유관순의 행동이 대단한 것 같아.

④ 태극기를 나눠 주며 만세 운동을 하자고 말하는 유관순의 모습이 감동적이었어.

한눈에 보는
약점 유형 분석

틀린 문제에 ✔표를 하세요.

❶ 내용 적용	❷ 내용 파악	❸ 핵심어	❹ 중심 내용	❺ 내용 파악	❻ 글의 종류	❼ 내용 파악	❽ 일의 순서	❾ 추론

설명하는 글 문제 ❶~❷

우리나라의 역사적 유산을 잘 살펴보면 목판활자본인 무구정광대다라니경, 금속활자인 직지심경, 강우량 측정기인 측우기 등 세계에서 최초인 것들이 생각보다 많아서 놀라게 됩니다.

1796년 정조에 의해 만들어진 ㉠수원 화성은 세계 최초의 계획도시에 세워진 성곽으로, 1997년에 유네스코에서 선정한 세계 문화 유산에 당당히 등록되기도 했습니다. 사적 제3호인 수원 화성의 6km에 이르는 성벽 안에는 팔달문(보물 제402호), 화서문(보물 제403호), 장안문, 공심돈 등 다양한 문화재가 보존되어 있습니다.

수원 화성은 18세기 만들어져 그리 오래된 역사적 유산은 아니지만, 우리나라의 성곽뿐만 아니라 외국 성곽의 장점만을 받아들여 만들었다는 점에서 그 가치가 높습니다. 과학적 · 합리적 · 실용적으로 만들어진 성곽으로서의 기능뿐만 아니라, 자연과 어우러진 아름다움 또한 뛰어나 세계 문화 유산에 등록되었습니다.

핵심 요약에 체크해 보세요.

세계 문화 유산에 등록된 [☐ **수원 화성** / ☐ **남한산성**]의 가치에 대해 [☐ **설명하는** / ☐ **주장하는**] 글입니다.

1 이 글을 쓴 목적은 무엇입니까?

글의 목적

① 수원 화성이 만들어진 과정을 설명하기 위해서입니다.

② 직지심경 등 세계 최초인 우리의 문화재들을 설명하기 위해서입니다.

③ 세계 문화 유산에는 어떤 공통점들이 있는지 설명하기 위해서입니다.

④ 세계 최초의 계획도시에 세워진 수원 화성을 설명하기 위해서입니다.

2 ㉠에 대한 설명으로 알맞지 <u>않은</u> 것은 무엇입니까?

내용 적용

① 정조에 의해 만들어졌습니다.

② 측우기가 함께 보관되어 있습니다.

③ 1997년에 세계 문화 유산에 등록되었습니다.

④ 과학적 · 합리적 · 실용적으로 만들어졌습니다.

옛날 이집트의 테베라는 도시 근처에 한 괴물이 살고 있었습니다. 그 괴물은 머리는 사람이고 몸은 사자였습니다. 괴물은 지나가는 사람들을 붙잡고 수수께끼를 냈습니다. 이 수수께끼를 풀지 못하면, 괴물은 곧바로 그 사람을 잡아먹어 버렸습니다. 그래서 사람들은 그 괴물이 사는 곳에는 얼씬도 하지 않았습니다.

그때 마침 오이디푸스라는 용기 있고 지혜로운 젊은이가 그곳을 지나가게 되었습니다. 괴물은 오이디푸스를 붙들고 역시 똑같은 수수께끼를 냈습니다.

"아침에는 네 개의 다리로, 낮에는 두 개, 저녁에는 세 개의 다리로 걷는 것이 무엇이냐?"

"그야 ⃞ ㉠ ⃞이지!" / "아니, 어떻게 알았지?"

"그야, 간단하지. 사람은 태어나서는 두 팔과 두 다리로 기어 다니다가, 크면 두 다리로 걸어 다니지. 그러다가 나이가 들어 노인이 되면 지팡이를 짚으니까 세 개의 다리로 걸어 다니는 것이지." / "아, 내 수수께끼를 풀다니!"

괴물은 외마디 비명을 지르며 그만 골짜기 아래로 몸을 던져 죽고 말았습니다. 바로 이 전설 속의 괴물이 '스핑크스'입니다. 현재 스핑크스 상은 이집트에 있습니다. 230만 개의 돌을 차곡차곡 쌓아 올려 만든 거대한 무덤인 피라미드 앞에 앉아 무덤을 지키고 있습니다.

핵심 요약에 체크해 보세요.

이집트의 [⃞스핑크스 / ⃞디오니소스]에 대한 전설을 [⃞설명하는 / ⃞주장하는] 글입니다.

❸ 이 글의 중심 화제는 무엇입니까?

핵심어

_____

❹ '스핑크스'에 대한 설명으로 알맞지 <u>않은</u> 것은 무엇입니까?

내용 파악

① 머리는 사람이고 몸은 사자였습니다.

② 이집트의 테베라는 도시 근처에 살았습니다.

③ 230만 개의 돌을 쌓아 만든 거대한 무덤입니다.

④ 지나가는 사람들을 붙잡고 수수께끼를 냈습니다.

❺ ㉠에 들어갈 말로 가장 알맞은 것은 무엇입니까?

추론   ① 아기   ② 노인   ③ 어른   ④ 사람

수업 시간에 발표를 해 본 경험이 있나요? 수업 시간에 많은 친구들 앞에서 발표하려고 하면 왜 그렇게 망설여지고, 생각처럼 잘 되지 않을까요? 심장은 왜 또 그렇게 쿵쾅쿵쾅 뛰고요. 친구들 앞에서 멋지게 발표하려고 했는데, 막상 하고 나니 후회와 아쉬움만 남았던 적이 있나요? 조별 토론을 하자는 선생님의 말씀을 들으면 괜히 가슴이 벌렁거리고 피하고 싶나요?

괜찮아요! 초등학생이라면 누구나 이런 문제로 고민을 하니까요. 어른들이라고 다를까요? 똑같아요. 회사에 들어가서도 발표할 일이 많답니다. 어른들도 덜덜 떨면서 발표를 해요.

그렇다면 말을 잘하기로 유명한 위인들은 어땠을까요? 놀라지 마세요. 위인들도 처음에는 우리처럼 벌벌 떨었답니다. 명연설로 유명한 링컨, 루즈벨트 같은 대통령들은 물론이고 무대에서 사람들을 웃기고 울리던 찰리 채플린 같은 유명 배우도 처음에는 덜덜 떨었답니다. 연설을 하거나, 대사를 하다가 말을 더듬기까지 했다네요. 하지만 실망하지 않고 열심히 노력해서 역사에 이름을 남기는 말의 달인이 될 수 있었지요.

아나운서인 저도 방송을 시작할 때에는 카메라를 쳐다볼 엄두조차 내지 못했답니다. 웃음 짓는 입가가 다 떨릴 정도였으니까요. 너무 떨어서 밤새도록 외운 원고를 까먹기도 했어요. 그러나 지금은 완전히 달라졌답니다. 카메라를 사랑스러운 눈으로 쳐다보고, 원고 내용을 잊어 버리면 순발력을 발휘해 자연스럽게 다음 이야기로 넘어가거든요.

어떻게 해서 그렇게 되었냐고요? 간단해요. 실수를 두려워하지 않고 계속 도전했기 때문이죠. 그리고 카네기 아저씨처럼 말을 잘하기 위해 노력했어요. 발표 때문에 고민하는 어린이 여러분도 저처럼 노력하면 말을 잘할 수 있어요.

자, 그럼 지금 거울 앞에 서 볼래요? 어깨를 활짝 펴 보세요. 그리고 고개를 당당히 들고 두 눈에 힘을 주고요. 눈빛이 반짝반짝 빛날 정도로요. 그렇게 했나요? 그렇다면, 큰 소리로 이렇게 외쳐 보세요.

"난 발표를 잘할 수 있어!"

– 지금보다 훨씬 더 잘 말할 수 있어요 _ 장진주

핵심 요약에 체크해 보세요.

[□발표 / □발명]하는 것을 두려워하는 학생들에게 노력하면 누구나 잘할 수 있다고 [□격려하는 / □광고하는] 강연입니다.

6 다음은 이 글의 목적입니다. 빈칸에 알맞은 말을 쓰시오.

글의 목적

> □□ 하는 것을 두려워하는 학생들에게 이를 극복할 수 있는 방법을 알려 주고 용기를 주기 위함입니다.

7 다음 중, 이 글에 드러난 말하기 방식을 모두 고른 것은 무엇입니까?

설명 방식

> 가. 듣는 이에게 경험을 물어보는 방식을 사용했어요.
> 나. 유명한 위인들의 일을 예로 들어 설명하고 있어요.
> 다. 동화를 들려주듯이 이해하기 쉽게 빗대어 설명했어요.
> 라. 말하는 이가 자신의 경험을 직접 이야기해 주었어요.

① 가, 나, 다　　　② 가, 나, 라　　　③ 가, 다, 라　　　④ 나, 다, 라

8 다음은 이 글의 주제입니다. 빈칸에 알맞은 말을 쓰시오.

글의 주제

> 발표를 할 때 □□ 를 두려워하지 말고 계속 □□ 하자.

9 이 글의 '말하는 이'에 대한 설명으로 알맞지 <u>않은</u> 것은 무엇입니까?

내용 파악

① 말하는 이는 아나운서입니다.

② 말하는 이는 지금도 카메라를 잘 쳐다보지 못합니다.

③ 말하는 이는 카네기 아저씨처럼 말을 잘하기 위해 노력했습니다.

④ 말하는 이는 방송을 처음 시작할 때 원고를 까먹기도 했습니다.

한눈에 보는
약점 유형 분석

틀린 문제에 ✔표를 하세요.

❶ 글의 목적	❷ 내용 적용	❸ 핵심어	❹ 내용 파악	❺ 추론	❻ 글의 목적	❼ 설명 방식	❽ 글의 주제	❾ 내용 파악

독해

주장하는 글　문제 ❶～❷

　　친구들과 서로 책을 바꾸어 읽어 봅시다. 자신이 읽었던 책 가운데에서 재미있었거나 감동적인 책들을 서로 교환하여 읽는 것입니다. 이렇게 하면 여러 가지 책을 많이 읽을 수 있어서 좋습니다. 또 친구들끼리 책을 추천함으로써 좋은 책을 선택할 수 있고, 책에 대하여 함께 대화를 나눌 수 있으며 친구들과 더욱 친해질 수도 있습니다.

　　책은 음식과 같습니다. 음식은 너무 적게 먹어도 좋지 않고, 한 가지만 많이 먹어도 좋지 않습니다. 책도 마찬가지입니다. 자신이 가진 책을 서로 바꾸어 읽으면 여러 종류의 책을 골고루 읽을 수 있습니다. 좋은 책도 읽고, 친구와의 우정도 키우는 ㉠책 바꾸어 읽기를 오늘부터 함께 실천합시다.

 핵심 요약에 체크해 보세요.

친구들과 [□그림 / □책]을 바꾸어 읽을 때의 좋은 점들을 말하면서 이를 실천하자고 [□설명하는 / □주장하는] 글입니다.

1

글의 주제

이 글에서 글쓴이가 말하고자 하는 것은 무엇입니까?

① 한 가지 종류의 책을 읽자.

② 책을 읽고 느낀 점을 기록하자.

③ 친구들과 서로 책을 바꾸어 읽자.

④ 책을 읽고 정리하는 습관을 갖자.

2

중심 내용

다음 중, ㉠의 좋은 점을 [보기]에서 모두 고른 것은 무엇입니까?

┤ 보기 ├

가. 좋은 책을 선택할 수 있습니다.

나. 책을 싸게 구입할 수 있습니다.

다. 여러 가지 책을 읽을 수 있습니다.

라. 친구들과 더욱 친해질 수 있습니다.

① 가, 나, 다　　② 가, 나, 라　　③ 가, 다, 라　　④ 나, 다, 라

요즈음 일상생활에서는 우리말보다 외래어나 외국어, 줄임말이 지나치게 사용되고 있습니다. 이렇게 오염되고 사라져 가는 우리말을 아끼고 사랑하는 일은 우리나라 국민으로서 꼭 해야 할 일입니다. 그러면 우리말과 글을 아끼고 사랑하기 위해서는 어떤 노력을 해야 할까요?

첫째, 뜻을 모르는 우리말이 나오면 그냥 지나치지 말고 그 낱말을 찾고 직접 사용해 봅니다. 자주 사용하다 보면 우리말과 글을 사랑하는 마음이 저절로 생기게 될 것입니다.

둘째, 우리말의 바른 표현을 찾아 올바르게 사용해야 합니다. SNS가 발달하면서 맞춤법이나 표준어 규정에 어긋난 말들이 인터넷상에서 많이 쓰이고 있습니다. 소중한 우리말과 글을 지켜 나가기 위해서는 올바른 표현법을 알고 사용하려는 노력이 필요합니다.

말과 글은 그 사람의 생각과 인격을 대신한다고 하였습니다. 우리 민족의 정신을 지켜 가기 위해서는 우리말과 글의 소중함을 깨닫고 사랑하는 마음을 먼저 가져야 할 것입니다.

– 우리말과 우리글을 아끼고 사랑하자 _ 류창기

핵심 요약에 체크해 보세요.

우리 민족의 [□정신 / □건강]을 지키기 위해서 우리말과 글의 소중함을 깨닫고 사랑하는 마음을 가져야 한다고 [□설명하는/ □주장하는] 글입니다.

---

❸ 글쓴이가 주장하는 내용으로 가장 알맞은 것은 무엇입니까?

글의 주제

① 우리말과 글을 아끼고 사랑해야 한다.

② 이웃을 사랑하는 마음을 가져야 한다.

③ 인터넷상에서 주로 쓰는 줄임말은 표준어로 인정해야 한다.

④ 세계가 가까워짐에 따라 외국어에 대한 관심을 가져야 한다.

❹ 이 글의 '글쓴이'가 [보기]의 '영희'에게 한 말로 가장 알맞은 것은 무엇입니까?

내용 적용

┤ 보기 ├

영희는 '시나브로'라는 말을 몰라서 국어사전을 찾아보았다. '모르는 사이에 조금씩 조금씩'이라는 우리말이었다. 영희는 이 말을 이용해 문장을 만들어 보았다.

우리의 우정은 **시나브로** 가까워지고 있다.

① 외국어를 무분별하게 사용했군요.

② 맞춤법에 맞은 말을 사용하지 않았군요.

③ 표준어 규정에 맞지 않은 말을 사용했군요.

④ 우리말의 뜻을 사전에서 찾아보고 직접 사용해 보았군요.

⊙공공시설은 국가나 공공 단체에서 국민들의 편안하고 안전한 생활을 위해 세금으로 만들고 관리하는 시설들을 말해요. 도서관, 지하철, 가로등, 공원, 보건소, 학교, 박물관 등 우리가 살아가는 데 필요한 시설들은 아주 많아요. 이러한 시설들 중 국민들이 만들 수 없는 것들은 국가나 공공 단체에서 대신 계획하고 만들어요. 문화재를 관리하는 것도 국가가 세금으로 하는 일이랍니다.

그런데 여러 사람들이 이용한다고 해서 모두 공공시설은 아니에요. 정부나 공공 단체에서 시민들이 낸 세금으로 만들고 관리하는 것을 공공시설이라고 하는 것이에요. 따라서 극장이나 백화점은 공공시설이라고 할 수 없어요.

공공시설의 특징은 대부분 무료로 이용할 수 있거나, 아주 적은 이용료만 내면 된다는 것이에요. 돈이 없는 사람들도 마음 놓고 이용할 수 있도록 말이에요. 또한 지역마다 자연환경, 생활환경, 주민의 수, 생산물 등이 다르기 때문에 각 지역에 필요한 공공시설은 다를 수 있어요. 예를 들어 도시에서는 지하철, 도서관, 체육관, 공원 등이 주로 필요하지만, 농촌에서는 마을 회관, 보건소, 농산물 저장 창고 등의 공공시설이 필요해요.

우리는 알게 모르게 여러 가지 공공시설들을 이용하며 살아가고 있어요. 그런데 자기 것이 아니라고 함부로 사용하는 사람들이 많아서 공공시설들이 만들어진 지 얼마 되지도 않아 부서지거나 더러워지는 경우가 발생하기도 해요. 공공시설이 부서지거나 더러워지면 그것을 이용해야 하는 다른 사람들이 불편을 겪을 뿐만 아니라, 다시 세금을 걷어 새로 설치해야 해요. 그러므로 공공시설을 사용할 때는 우리 모두 질서를 지켜 깨끗이 사용해야 해요.

– 공공시설을 어떻게 사용해야 할까? _ 고민순

핵심 요약에 체크해 보세요.

[□개인 시설 / □공공시설]의 의미와 특징을 말하고, 이를 사용할 때 주의할 점 등을 [□설명하는 / □주장하는] 글입니다.

5

핵심어

다음은 이 글의 핵심어에 대한 설명입니다. 빈칸에 알맞은 말을 쓰시오.

☐☐☐☐ 은 국가나 공공 단체에서 국민들의 편안하고 안전한 생활을 위해 ☐☐ 으로 만들고 관리하는 시설을 말합니다.

6

내용 파악

㉠에 해당하는 것이 <u>아닌</u> 것은 무엇입니까?

① 도서관　　　　② 공원　　　　③ 지하철　　　　④ 백화점

7

중심 내용

'공공시설'에 대한 설명으로 알맞지 <u>않은</u> 것은 무엇입니까?

① 많은 사람들이 함께 이용해요.

② 국가나 공공 단체에서 계획하고 만들어요.

③ 지역마다 필요한 공공시설이 다를 수 있어요.

④ 돈이 없는 사람들이 이용하기에는 부담스러울 수 있어요.

8

추론

이 글을 읽고 [보기]의 영수가 철수에게 할 수 있는 말로 알맞지 <u>않은</u> 것은 무엇입니까?

┤ 보기 ├

　영수는 친구들과 함께 ○○호수 공원에 놀러 갔어요. 호수 주변을 산책하던 중 철수가 호수에 쓰레기를 던지려고 하는 것을 목격했어요. 그래서 철수에게 이렇게 말했어요.

　"철수야, ☐☐☐☐☐☐☐☐☐☐☐☐☐☐☐☐ "

① 네 것이 아니라고 함부로 사용하면 안 돼.

② 호수가 깊으니까 빠지지 않도록 조심해야 해.

③ 공공시설은 질서를 지켜 깨끗이 사용해야 해.

④ 호수가 더러워지면 다른 사람들이 불편을 겪게 돼.

한눈에 보는
약점 유형 분석

틀린 문제에 ✔표를 하세요.

❶ 글의 주제	❷ 중심 내용	❸ 글의 주제	❹ 내용 적용	❺ 핵심어	❻ 내용 파악	❼ 중심 내용	❽ 추론

중요한 낱말을 다시 한번 확인하고 □에 써 보세요.

색안경 (빛 色, 눈 眼, 거울 鏡)	선입견이나 감정에 치우친 관점을 비유적으로 이르는 말. 예 세상은 〔 〕〔 〕〔 〕을 끼고 보면 좋은 것도 나빠 보인다.
보름	열닷새 동안. 예 부모님께서 〔 〕〔 〕 동안 외국으로 여행을 떠나셨다.
격려 (흐를 激, 힘쓸 勵)	용기나 힘 따위를 북돋아 줌. 예 힘들어하는 그에게 다 같이 〔 〕〔 〕를 보냅시다.
노폐물 (늙을 老, 버릴 廢, 물건 物)	생물체의 신진대사 과정에서 만들어지는 불필요한 찌꺼기. 예 근육에 〔 〕〔 〕〔 〕이 쌓여 피로를 느낀다.
경사 (기울 傾, 비낄 斜)	비스듬히 기울어짐. 예 그 산은 〔 〕〔 〕가 급하다.
완만 (느릴 緩, 게으를 慢)	(언덕의 기울기가) 급하지 않음. 예 우리는 〔 〕〔 〕한 비탈길을 따라 천천히 산을 내려왔다.
인격 (사람 人, 바로잡을 格)	사람으로서의 품격. 예 말은 그 사람의 〔 〕〔 〕을 나타낸다.
지조 (뜻 志, 잡을 操)	원칙과 신념을 지켜 굽히지 않는 꿋꿋한 의지나 기개. 예 그는 〔 〕〔 〕 높은 독립투사이다.
특성 (특별할 特, 성품 性)	일정한 사물에만 있는 특수한 성질. 예 선인장은 건조한 기후에도 잘 견디는 〔 〕〔 〕이 있다.

외래어 (바깥 外, 올 來, 말씀 語)	외국에서 들어온 말로 국어처럼 쓰이는 단어. 예 ⬚⬚⬚ 의 지나친 사용은 피해야 한다.
외국어 (바깥 外, 나라 國, 말씀 語)	다른 나라의 말. 예 그들은 알아들을 수 없는 ⬚⬚⬚ 로 이야기했다.
표준어 (우듬지 標, 법도 準, 말씀 語)	한 나라에서 공용으로 쓰는 규범으로서의 언어. 예 지방에서 올라온 지 얼마 되지 않았는데 벌써 ⬚⬚⬚ 를 완벽하게 구사한다.
과단성 (실과 果, 끊을 斷, 성품 性)	일을 딱 잘라 결정하는 성질. 예 철수는 ⬚⬚⬚ 이 부족하여 무슨 일을 할 때 망설이 는 일이 많다.
무역 (바꿀 貿, 바꿀 易)	나라와 나라 사이에 서로 물품을 매매하는 일. 예 우리나라는 일본과 ⬚⬚ 이 활발하다.
무분별 (없을 無, 나눌 分, 나눌 別)	분별이 없음. 예 ⬚⬚⬚ 한 개발로 자연이 많이 훼손되고 있다.
순발력 (눈깜빡일 瞬, 필 發, 힘 力)	어떠한 일에 순간적으로 빨리 대처할 수 있는 능력. 예 대형 화재가 발생하자 소방관들이 ⬚⬚⬚ 있게 대 처했다.
발휘 (필 發, 떨칠 揮)	재능이나 능력 따위를 떨치어 나타냄. 예 그녀는 이번 영화로 자신의 연기력을 ⬚⬚ 했다.

[01~04] 다음의 뜻에 알맞은 낱말을 [보기]에서 찾아 쓰시오.

| 보기 |
| 보름   경사   색안경   격려 |

01 용기나 힘 따위를 북돋아 줌.

02 열닷새 동안.

03 비스듬히 기울어짐.

04 선입견이나 감정에 치우친 관점을 비유적으로 이르는 말.

[05~07] 주어진 뜻에 맞는 낱말을 빈칸에 넣어 문장을 완성하시오.

05 이 비누는 피부의 ⬚⬚⬚을 제거하는 데 효과적이다.

＊뜻: 생물체의 신진대사 과정에서 만들어지는 불필요한 찌꺼기.

06 대나무는 예로부터 곧은 ⬚⬚를 상징한다.

＊뜻: 원칙과 신념을 지켜 끝까지 굽히지 않는 꿋꿋한 의지나 기개.

07 서로의 ⬚⬚을 존중해야 한다.

＊뜻: 사람으로서의 품격.

08 빈칸에 공통으로 들어갈 낱말을 쓰시오.

| ㅇ ㅁ | ① 기와집의 처마가 ⬚⬚하고 부드럽다. |
| | ② 언덕이 ⬚⬚한 경사를 이루고 있다. |

01~05 일차 십자말 풀이

		1			2 2			
1								
		5				4 4		
3	3							

🗝 가로 열쇠

1. 일을 딱 잘라 결정하는 성질.

2. 다른 나라의 말.

3. 어떠한 일에 순간적으로 빨리 대처할 수 있는 능력.

4. 나라와 나라 사이에 서로 물품을 매매하는 일.

5. 한 나라에서 공용으로 쓰는 규범으로서의 언어.

🗝 세로 열쇠

1. 일정한 사물에만 있는 특수한 성질.

2. 외국에서 들어온 말로 국어처럼 쓰이는 단어.

3. 재능이나 능력 따위를 떨치어 나타냄.

4. 분별이 없음.

06~10 일차

06 일차	'아나바다 장터'가 열리는 날	일기
	관중과 습붕의 지혜	옛이야기
	운명이 문을 두드리는 소리를 표현한 교향곡	설명하는 글
07 일차	도서관에서 지켜야 할 약속	안내문
	스티브 잡스	전기문
	겨울에 가장 빛나는 별자리, 오리온	배경 신화
08 일차	한석봉의 전기문을 읽고	독서 감상문
	오존층은 지구의 초대형 양산이야	설명하는 글
	우리나라 국민 스포츠, 야구	설명하는 글
09 일차	독도를 다녀와서	기행문
	바르셀로나에서 가우디를 만나다	안내 방송
	불과 바퀴, 인류의 위대한 발명	설명하는 글
10 일차	봉숭아 씨 관찰	일기
	용돈 관리 비법	설명하는 글
	함흥차사	옛이야기
06~10 일차	글 읽기를 위한 어휘 연습	
06~10 일차	어휘력 쑥쑥 테스트	

일기 문제 ❶~❷

2○○○년 ○월 ○일, 날씨 맑음

오늘은 우리 아파트 '아나바다 장터'가 열리는 날이다. 평소 잘 읽지 않던 책이랑 작아진 옷, 싫증난 헤어밴드를 챙겨서 장터로 갔다. 좋은 위치는 사람들이 벌써 자리를 잡고 있었다. 나는 햇빛 때문에 나무 밑으로 가려다가 사람들이 많아서 그냥 중앙 광장에 자리를 폈다. 그곳은 너무 덥고 짜증이 났다. 아이스크림이 먹고 싶어서 부모님께 사 달라고 하였더니 내가 번 돈으로 사 먹으라고 하셨다.

나는 그때까지 물건을 하나도 못 팔아서 아이스크림을 사 먹지 못했다. 한 시간이 지나도 물건이 팔리지 않아서 동화책 가격을 500원씩 내렸다. 그때 혜진이 언니가 와서 『무지개 물고기』랑 『마법천자문』을 사 주었다. 500원에 파는 게 아까웠지만 돈이 생겨서 기뻤다. 나와 동생은 얼른 아이스크림을 사 먹었다. 내가 가지고 나온 물건이 다 팔릴 줄 알았는데 그렇지 않아 실망스러웠다. 한 시간 만에 겨우 1,000원을 벌었다. 정말 돈 벌기가 힘들었다. 앞으로 [　　　　　　⊙　　　　　　] 생각했다.

핵심 요약에 체크해 보세요.

[☐아나바다 장터 / ☐전통 시장]에서 물건을 판 경험과 느낌을 쓴 [☐광고문 / ☐일기]입니다.

1 이 글의 내용으로 알맞지 <u>않은</u> 것은 무엇입니까?

내용 파악

① 나는 가지고 나온 물건을 다 팔아 기뻐했어요.

② 나는 중앙 광장에 자리를 펴고 물건을 팔았어요.

③ 나는 팔고 있던 동화책 가격을 500원씩 내렸어요.

④ 나는 아나바다 장터에 책과 옷, 헤어밴드를 챙겨 갔어요.

2 ⊙에 들어갈 말로 가장 알맞은 것은 무엇입니까?

추론

① 내가 가진 물건을 소중히 다루어야겠다고

② 부모님께서 주시는 용돈을 아껴 써야겠다고

③ 다른 사람과 필요한 물건을 바꿔 써야겠다고

④ 부모님께 용돈을 더 많이 달라고 말씀드려야겠다고

중국 제나라에 환공이라는 군주가 있었어요. 어느 날 환공은 유명한 재상인 관중과 대부인 습붕을 데리고 고죽국을 치러 나섰어요. 전쟁은 생각보다 길어져 그해 겨울이 되어서야 끝이 났지요. 환공은 군사들을 이끌고 지름길을 이용해 고국으로 돌아오던 중 그만 길을 잃고 말았어요. 추위와 매서운 바람 때문에 군사들은 모두 죽을 고비를 맞았어요. 그때 관중이 늙은 말 한 마리를 행렬 앞에 풀어 놓았어요.

"전군은 늙은 말을 따르라!"

관중의 말에 군사들은 모두 의아했지만 따를 수밖에 없었어요. 늙은 말을 따라간 지 얼마 되지 않자 큰 길이 나왔어요. 그동안 수많은 길로 행군했던 늙은 말은 길을 쉽게 찾을 수 있었던 거예요. 군사들은 환호성을 지르며 길을 계속 갔어요.

하지만 얼마 못 가 식수가 다 떨어져 군사들이 힘을 잃고 말았어요. 그러자 이번에는 습붕이 말했어요.

㉠"개미집을 찾으시오."

얼마 후 개미집을 찾자 그로부터 얼마 떨어지지 않은 곳에서 샘물을 찾을 수 있었어요. 습붕은 개미집 아래에는 물이 있다는 것을 알고 있었어요. 관중과 습붕의 지혜 덕분에 군사들은 살아 돌아올 수 있었답니다.

핵심 요약에
체크해 보세요.

중국 제나라의 군사들이 관중과 습붕의 [□용맹 / □지혜] 덕분에 위기에서 무사히 살아 돌아올 수 있었음을 [□전해 주는 / □주장하는] 이야기입니다.

❸ 다음은 이 글의 중심 내용입니다. 빈칸에 알맞은 말을 쓰시오.

중심 내용

□□과 □□의 지혜 덕분에 환공과 군사들이 무사히 살아 돌아올 수 있었어요.

❹ ㉠의 이유로 알맞은 것은 무엇입니까?

추론

① 개미집 아래에는 물이 있다는 것을 알았기 때문입니다.

② 개미집 근처에 큰 길이 있다는 것을 알았기 때문입니다.

③ 개미들이 움직이면 비가 온다는 것을 알았기 때문입니다.

④ 개미들은 물 냄새를 싫어한다는 것을 알았기 때문입니다.

"다다다, 다―. 다다다, 다―."

짧은 음 세 개와 긴 음 하나로 시작되는 웅장한 소리는 세상을 깜짝 놀라게 했어요.

"마치 운명이 문을 두드리는 소리 같아."

음악을 듣는 사람들은 심장이 멎는 것 같았어요. 무언가 거대한 운명의 그림자가 파도처럼 밀려오는 느낌이 들었어요. 이렇게 세상을 놀라게 한 곡은 바로 베토벤의 「운명」이었어요.

베토벤은 악상이 떠오르지 않을 때면 산책을 하는 버릇이 있었어요. 그날도 베토벤은 집 근처에 있는 숲속의 오솔길을 천천히 걷고 있었지요. 베토벤의 머릿속은 온통 절망뿐이었어요. 귓병을 앓고 있던 그는 '운명에 자신을 맡길 것이냐', 아니면 '운명과 싸워 승리할 것이냐.'의 갈림길에서 괴로워하고 있었던 거예요. 그때 어디선가 영롱한 새 소리가 들려왔어요.

"삐삐삐, 삐―." / "맞다! 그거야!"

베토벤은 걸음을 멈추었어요. 그리고 집으로 달려가 악보를 꺼내고는 단숨에 '솔솔솔미'의 네 개의 음을 적어 내려갔어요. 다가온 운명이 인생의 문을 두드리는 소리를 표현한 것이지요. 베토벤은 이 곡에 「교향곡 5번」이라는 번호를 붙였어요. 잔인한 운명에 맞서는 인간의 투쟁과 승리가 30분이 조금 넘는 짧은 곡 속에 강렬하게 스며들어 있어요. 그래서 사람들은 이 곡에 '운명'이라는 별명을 ⊙붙였어요. 「운명」이라는 제목은 베토벤이 지은 제목이 아니라 사람들이 지은 거예요.

교향곡 「운명」은 네 개의 악장으로 이루어졌어요. 제1악장에서 시작할 때 나오는 유명한 '솔솔솔, 미'의 네 음은 전쟁 때 승리의 신호로 사용되기도 했어요. 제2악장의 조용하면서도 부드럽게 흘러가는 선율은 마치 폭풍이 몰아친 후의 고요함을 연상하게 해요. 제3악장의 제법 빠른 템포는 명랑함과 슬픔을 동시에 느껴지게 해요. 제4악장은 고된 운명을 극복한 승리의 기쁨을 표현하고 있어요.

사람들은 「운명」에 대해 "나폴레옹이 대포 소리로 세상을 놀라게 하더니, 베토벤은 새 소리로 인류를 놀라게 했다."라고 말했어요. 베토벤은 귀가 들리지 않는 시련 속에서도 「영웅」, 「전원」 등 주옥같은 명곡들을 많이 작곡했답니다.

- 운명이 문을 두드리는 소리를 표현한 교향곡 _ 유미선

핵심 요약에 체크해 보세요.

[□귓병 / □눈병]을 앓고 있던 베토벤이 교향곡 「운명」과 같은 명곡을 만들어 낸 과정을 [□주장하는 / □설명하는] 글입니다.

5 중심 내용

다음은 이 글의 중심 내용입니다. 빈칸에 알맞은 말을 쓰시오.

□□□은 자신의 □□과 싸워 이겨 내어 「교향곡 5번」을 만들었어요.

6 내용 파악

이 글의 '베토벤'에 대해 다음과 같이 정리할 때, 알맞지 않은 것은 무엇입니까?

〈위대한 음악가, 베토벤〉

• 귓병을 앓고 있었음. ·· ①
• 악상이 떠오르지 않으면 산책을 함. ·· ②
• 「교향곡 5번」에 '운명'이라는 제목을 붙임. ·· ③
• 「영웅」, 「전원」 등 주옥같은 명곡들을 작곡함. ·· ④

7 내용 파악

'교향곡 「운명」'에 대한 설명으로 알맞지 않은 것은 무엇입니까?

① 네 개의 악장으로 이루어졌어요.
② 베토벤이 새 소리를 듣고 나서 만들었어요.
③ 대포 소리로 세상 사람들을 놀라게 했어요.
④ 제3악장에서는 명랑함과 슬픔을 동시에 느낄 수 있어요.

8 어휘

㉠과 같은 의미로 쓰인 것은 무엇입니까?

① 그녀는 땔감에 불을 붙였어요.
② 전신주에 광고 쪽지를 붙였어요.
③ 그는 편지 봉투에 우표를 붙였어요.
④ 선생님에게 '딸깍발이'라는 이름을 붙였어요.

한눈에 보는
약점 유형 분석

틀린 문제에 ✔표를 하세요.

❶ 내용 파악	❷ 추론	❸ 중심 내용	❹ 추론	❺ 중심 내용	❻ 내용 파악	❼ 내용 파악	❽ 어휘

07 일차

♣ 공부한 날: ☐ 월 ☐ 일 ♣ 맞은 개수: ☐ / 9문항

안내문 문제 ❶~❸

1. 도서관의 시설과 자료를 소중하게 다루어 주세요.

- 책을 찢거나 낙서하면 안돼요. 내 책처럼 아껴 주세요.

2. 책 읽는 분위기 조성에 동참해 주세요.

- 도서관에서는 [㉠   ] 걸어 다니고 소곤소곤 작은 목소리로 말해요.

- 졸리다고 자리를 차지한 채 잠을 자고 있나요? 그러면 자리에 앉지 못한 다른 친구들이 책을 볼 수 없어요. 책을 읽지 않을 때에는 자리를 양보해야 해요.

3. 쾌적한 도서관 환경을 지켜 주세요.

- 도서관 안에서 음식물을 먹지 않도록 해요.

- 애완동물은 도서관에 데려 오지 말아요. 다른 친구들에게 불쾌감을 줄 수 있어요.

4. 그 밖에 지켜야 할 것들이에요.

- 유행성 질병에 걸렸을 때에는 다 나은 후에 도서관에 오세요.

핵심 요약에 체크해 보세요.

[☐ 공원 / ☐ 도서관]에서 지켜야 할 약속을 항목을 나누어 [☐ 광고하는 / ☐ 안내하는] 글입니다.

1 글의 제목

다음은 이 글의 제목입니다. 다음의 빈칸에 알맞은 말을 쓰시오.

☐☐☐ 에서 지켜야 할 약속

2 추론

이 글로 보아 도서관에서 지켜야 할 행동이 아닌 것은 무엇입니까?

① 작은 목소리로 말하고 이리저리 뛰지 않는다.

② 도서관 안에서는 과자나 음식을 먹지 않는다.

③ 책을 읽을 때에는 자신감 있게 큰 소리로 읽는다.

④ 책을 읽지 않을 때에는 다른 친구들에게 자리를 양보한다.

3 어휘

㉠에 들어갈 말로 가장 알맞은 것은 무엇입니까?

① 사뿐사뿐   ② 엉금엉금   ③ 성큼성큼   ④ 쿵쾅쿵쾅

소형 컴퓨터와 같은 모바일 기기를 손에 들고 다니면서 간편하게 사용할 수 있게 된 데에는 누구보다 스티브 잡스의 공로가 크다고 할 수 있습니다.

컴퓨터가 처음 만들어졌을 때에는 국가나 기업 같은 커다란 조직에서만 사용했습니다. 크기도 컸지만 사용 방법도 어려워 전문가가 아니면 사용할 수 없었습니다. 그러다가 1976년 지금의 컴퓨터와는 조금 다른 개인용 컴퓨터가 처음 판매되었습니다. 바로 스티브 잡스가 만든 '애플 I'이라는 컴퓨터입니다. 스티브 잡스가 만든 전자 제품들은 디자인이 예쁘고 누구라도 쉽게 쓸 수 있도록 간편하게 만들어진 것이 특징입니다. 손바닥보다 작은 기계에서도 컴퓨터 기능을 이용할 수 있게 되면서 사람들의 생활은 크게 바뀌었습니다. 아이팟을 비롯해 아이패드, 아이폰을 줄줄이 개발해 내놓은 스티브 잡스는 복잡하고 어려운 컴퓨터를 누구라도 쉽게 사용할 수 있게 만든 혁신의 아이콘이 되었습니다.

그러나 안타깝게도 스티브 잡스는 2011년 췌장암으로 세상을 떠나고 말았습니다. 곧 죽게 될지도 모른다는 생각이 스티브 잡스가 중요한 결정을 할 때 큰 도움이 되었다고 합니다. 죽음 앞에서 실패나 두려움 같은 것에 흔들리지 않고 핵심을 잘 판단하고 결정할 수 있었던 것입니다.

– 스티브 잡스 _ 서지원

핵심 요약에 체크해 보세요.

[□자동차 / □컴퓨터]를 쉽게 사용할 수 있게 만든 스티브 잡스의 [□전기문 / □일기]입니다.

 4 내용 파악

'스티브 잡스'에 대한 설명으로 알맞지 <u>않은</u> 것은 무엇입니까?

① 췌장암으로 세상을 떠났어요.

② '애플 I'이라는 개인용 컴퓨터를 만들었어요.

③ 인터넷을 사용하기 쉽고 편리하게 만들었어요.

④ 컴퓨터를 누구나 사용하기 쉽고 간편하게 만들었어요.

 5 중심 내용

다음은 이 글을 요약한 것입니다. 빈칸에 알맞은 말은 무엇입니까?

곧 [ ][ ]을 맞게 될지도 모른다는 생각은 스티브 잡스가 핵심을 잘 판단하고 중요한 결정을 하는 데 도움이 되었습니다.

① 죽음　　　② 희망　　　③ 성공　　　④ 가족

　　겨울철은 일 년 중 별빛이 가장 아름답게 빛나는 계절이에요. 겨울철의 별자리 찾기는 ㉠오리온자리에서부터 출발해요. 오리온자리는 겨울철 남쪽 하늘의 별자리로, 별자리의 생김새는 꼭 용감한 용사 오리온이 곤봉과 방패를 들고 황소를 노려보는 듯한 모습이에요. 허리띠에는 세 개의 푸른 별이 나란히 빛을 내뿜으며 그 위용과 용맹성을 돋보이게 하지요.

　　오리온자리에는 ㉡그리스 신화의 슬픈 이야기가 깃들어 있답니다. 오리온은 바다의 신 포세이돈의 아들이에요. 들짐승을 잡으러 다니는 사냥꾼이었지요. 오리온은 달의 여신 아르테미스를 사랑하였어요. 그런데 아르테미스의 오빠 아폴론은 여동생이 오리온과 결혼하는 것이 몹시 못마땅했어요. 그래서 계략을 꾸몄어요. 아폴론이 바다에서 수영을 하고 있는 오리온을 눈부신 햇빛으로 가리우고는 여동생 아르테미스에게 말했어요.

　　"아르테미스야, 저기 사슴이 바다를 헤엄쳐 건너고 있구나. 네 활 솜씨라면 문제없이 잡을 수 있겠지?"

　　"저런 것쯤이야 문제없지요."

　　분명 그 물체는 금빛나는 사슴처럼 보였어요. 아폴론의 속셈을 알 리가 없는 아르테미스는 단번에 화살을 명중시켰어요. 아폴론은 껄껄 웃으며 아르테미스를 칭찬했어요.

　　"과연 너는 사냥의 여신이로구나. 아주 훌륭했어."

　　며칠 후, 아르테미스는 바닷가를 산책하다가 사람들이 모여서 웅성거리는 모습을 보았어요. 거기에는 자신이 그토록 사랑하는 오리온이 누워 있었어요. 머리에는 며칠 전 자기가 쏘았던 화살이 꽂혀 있었어요. 아르테미스는 그제서야 자신이 오빠에게 속았음을 깨달았지요.

　　"이럴 수가, 이럴 수가……."

　　아르테미스가 제우스 신을 찾아가 비통함을 하소연했어요. 이야기를 듣고 난 제우스 신은 그녀의 슬픔을 위로하기 위해 오리온을 하늘의 별자리로 만들어 주었답니다.

– 겨울에 가장 빛나는 별자리, 오리온 _ 예종화

핵심 요약에 체크해 보세요.

그리스 신화에 나오는 별자리인 [□처녀자리 / □오리온자리]에 대한 배경 이야기를 알려 주는 [□기행문 / □배경 신화]입니다.

❻ 이 글에서 글쓴이가 설명하고자 하는 것은 무엇입니까?

핵심어
　① 오리온 별자리　　　　　② 제우스신의 능력
　③ 아르테미스의 활솜씨　　④ 아폴론의 계략

7

내용 파악

㉠에 대한 설명으로 알맞지 <u>않은</u> 것은 무엇입니까?

① 겨울철 남쪽 하늘의 별자리예요.

② 용감한 용사 오리온의 모습이 담겨 있어요.

③ 아폴론의 부탁으로 제우스 신이 만들었어요.

④ 그리스 신화의 슬픈 이야기가 깃들어 있어요.

8

일의 순서

㉡을 이야기의 흐름에 따라 바르게 나타낸 것은 무엇입니까?

> ⓐ 오리온과 아르테미스는 사랑에 빠져 결혼하려고 함.
>
> ⓑ 아르테미스가 자기가 쏜 화살에 오리온이 죽게 된 것을 앎.
>
> ⓒ 아르테미스의 오빠인 아폴론이 결혼을 반대하여 계략을 꾸밈.
>
> ⓓ 제우스 신이 아르테미스를 위해 오리온을 별자리로 만들어 줌.
>
> ⓔ 아폴론이 아르테미스를 꼬드겨 헤엄치고 있는 사슴을 활로 쏘게 함.

① ⓐ → ⓑ → ⓒ → ⓓ → ⓔ   ② ⓐ → ⓒ → ⓔ → ⓑ → ⓓ

③ ⓑ → ⓐ → ⓓ → ⓒ → ⓔ   ④ ⓑ → ⓓ → ⓒ → ⓐ → ⓔ

9

추론

이 글을 읽은 학생들의 반응으로 알맞지 <u>않은</u> 것은 무엇입니까?

① 제우스가 아르테미스의 슬픔을 달래 주어 위로가 되었어.

② 동생을 속여 연인을 죽게 만든 아폴론이 나쁘다고 생각해.

③ 사랑하는 연인을 잃게 된 아르테미스가 불쌍하다고 생각해.

④ 사냥꾼 오리온보다 아르테미스가 사냥을 더 잘한다고 생각해.

한눈에 보는
약점 유형 분석

틀린 문제에 ✔표를 하세요.

① 글의 제목	② 추론	③ 어휘	④ 내용 파악	⑤ 중심 내용	⑥ 핵심어	⑦ 내용 파악	⑧ 일의 순서	⑨ 추론

독서 감상문 문제 **1**~**2**

몹시 무더운 여름이다. 밖에 나가 놀고 싶은 마음이 굴뚝같다. 공부를 중단해서는 안 된다고 한 한석봉 어머니의 가르침이 생각났다. 한석봉의 전기를 꺼내 읽었다.

한석봉의 어머니는 3년간이나 절에 가서 공부하고 돌아온 석봉을 시험해 보고자 했다. 불을 끈 석봉의 어머니는 자신은 떡을 썰테니 석봉에게는 글씨를 쓰라고 하였다. 그런데 어둠 속에서 썬 어머니의 떡은 고른데 석봉의 글씨는 고르지 못했다. 어머니는 공부를 더 하고 오라며 그길로 석봉을 돌려보냈다. 어머니는 아들을 진정으로 사랑했기 때문에 돌려보낸 것이다. 그러한 어머니의 큰 사랑과 엄한 교육이 아니었다면 한석봉은 그토록 유명한 명필이 되지 못했을 것이다.

어머니의 꾸중을 듣고 그길로 다시 절로 들어가는 한석봉을 생각하면서 나는 게으른 내 모습을 반성하고, 어머니 말씀을 잘 들어야겠다고 다짐했다. 그리고 한석봉을 생각하면서 나도 어려움을 참고 꾸준히 노력해야겠다고 생각했다.

 핵심 요약에 체크해 보세요.

조선 시대 명필인 [□김정희 / □한석봉]의 전기를 읽고, 그 내용과 느낀 점을 쓴 [□**독서 감상문** / □**기행문**]입니다.

1 이 글의 내용으로 알맞지 <u>않은</u> 것은 무엇입니까?

내용 파악

① 한석봉은 3년간 절에서 공부하였습니다.

② 어머니는 어둠 속에서 떡을 고르게 썰었습니다.

③ 한석봉은 어둠 속에서 글씨를 고르게 잘 썼습니다.

④ 어머니의 사랑과 엄한 교육으로 한석봉은 명필이 되었습니다.

2 이 글의 글쓴이가 얻은 교훈으로 가장 알맞은 것은 무엇입니까?

중심 내용

① 어려움을 참고 꾸준히 노력하자.

② 어려운 친구를 도와주는 마음을 갖자.

③ 자기 자신보다는 남을 먼저 생각하자.

④ 부모님의 은혜에 감사하는 마음을 갖자.

　　외출을 할 때 양산을 쓰는 것은 햇빛에 피부가 상하는 것을 막기 위해서입니다. 피부가 햇빛에 심하게 노출되면, 검게 되고 기미가 생기며 탄력도 없어진다고 합니다.

　　㉠햇빛은 적외선, 가시광선, 자외선 등으로 나눌 수 있는데, 이 중 피부를 상하게 하는 것은 자외선입니다. 자외선에 오랫동안 노출되면 피부가 검게 되고 거칠어지며, 심하면 피부암에 걸릴 수도 있습니다.

　　하지만 다행히도 대기가 지구로 들어오는 대부분의 자외선을 막아 주고 있습니다. 마치 양산처럼 말입니다. 지구의 대기 중에서 해로운 자외선을 막아 주는 역할을 하는 것은 지구의 표면에서 약 15~30km가 떨어진 곳에 집중적으로 분포하고 있는 '오존층'입니다. 이 오존층은 태양에서 오는 강력한 자외선이 지구 표면에 직접 닿지 못하게 해 줍니다. 그러므로 오존층은 지구의 초대형 양산이라고 할 수 있습니다. 그런데 이 오존층이 환경오염으로 인해 파괴되고 있습니다. 우리 모두 오존층이 파괴되지 않도록 노력해야 합니다.

－오존층은 지구의 초대형 양산이야 _손영운

핵심 요약에
체크해 보세요.

지구의 보호막 역할을 하는 [□오존층 / □양산]에 대해 [□안내하는 / □설명하는] 글입니다.

③
글의 제목

다음은 이 글의 제목입니다. 빈칸에 알맞은 말을 쓰시오.

지구의 초대형 양산, ☐☐☐

④
내용 파악

㉠에 대한 설명으로 알맞지 않은 것은 무엇입니까?

① 자외선은 지구의 대기가 대부분 막아 줘요.

② 자외선은 피부를 상하게 하는 햇빛이에요.

③ 자외선에 오랫동안 노출되면 피부가 검게 돼요.

④ 적외선과 가시광선, 자외선은 모두 우리 눈에 잘 보여요.

⑤
내용 파악

이 글을 통해 알 수 있는 것은 무엇입니까?

① 자외선이 어떻게 해서 세포를 파괴할까?

② 오존층은 지구 표면에서 얼마나 떨어져 있을까?

③ 오존층이 어떻게 해서 자외선을 흡수할 수 있을까?

④ 오존층이 파괴되지 않도록 지키는 방법은 무엇이 있을까?

야구를 뜻하는 '베이스볼(baseball)'은 1루, 2루, 3루, 홈 모두 4개의 베이스를 사용한다고 해서 붙여진 이름이에요. 우리나라에 야구가 처음 들어온 것은 1905년 미국인 선교사 길레트가 기독교 청년회 회원들에게 가르치면서부터였어요. 1982년에는 프로 야구가 탄생했으며, 가장 널리 사랑받는 국민 스포츠 중 하나가 되었어요.

경기 방법은 다음과 같아요. 먼저 두 팀(각 9명)이 9회에 걸쳐 경기를 하며, 한 회에 공격과 수비를 번갈아 해요. 그리고 시간과 상관없이 회 단위로 진행해요. 득점은 타자가 안타나 홈런 등으로 진루하여 1, 2, 3루를 거쳐 홈까지 들어오면 1점을 얻어요. 타자는 스트라이크를 세 번 받으면 아웃이 되고, 아웃이 세 번이면 공격과 수비가 바뀌어요.

야구에서 주요 선수들은 다음과 같아요. 먼저 투수는 경기장 중앙에 있는 투수판에 서서 공을 던져요. 포수는 홈플레이트 뒤에 앉아 투수의 공을 받아요. 포수는 안전을 위해 헬멧과 보호대를 착용해요. 공을 치는 선수를 타자라고 해요. 타자는 1번부터 9번까지 순서에 따라 공격해요. 수비를 할 때 가까이 있는 수비수를 내야수라고 해요. 내야수에는 1루수, 2루수, 3루수, 유격수 이렇게 4명이 있어요. 반대로 멀리서 수비를 하는 선수를 외야수라고 하는데, 좌익수, 중견수, 우익수 이렇게 3명이 있어요. 야구에는 심판이 총 4명으로 구성되어 있어요. 투수가 던진 공이 스트라이크인지 볼인지 판정하는 주심 한 명과, 1루, 2루, 3루에서 판정하는 부심 3명이 있어요.

야구를 하기 위해 기본적으로 알아두어야 할 경기 용어는 다음과 같아요. 먼저 홈런이란, 타자가 살아서 홈까지 들어오게 친 안타를 말해요. 주로 공이 야구장 담장을 넘어가는 것을 말해요. 안타는 타자가 1, 2, 3루로 진루할 수 있게 친 타구예요. 스트라이크란 타자의 겨드랑이와 무릎 높이의 홈 베이스 위 공간을 통과한 공으로, 타자가 방망이를 잘못 휘둘러서 공을 맞히지 못하는 헛스윙과 타자가 친 공이 정해진 라인 바깥에 떨어지는 파울을 포함해요. 볼이란 스트라이크 공간을 벗어난 공을 말해요. 볼이 넷이면 타자가 1루로 나가요. 마지막으로 도루란 베이스에 있는 주자가 수비의 허술한 틈을 타 다음 베이스로 가는 것을 말해요. 도루를 하려면 달리기가 매우 빠르거나 민첩해야 해요.

자, 이제 야구에 대해 많이 알게 되었죠? 그럼 우리 다 같이 즐겁게 친구들과 야구를 즐겨 봐요.

핵심 요약에 체크해 보세요.

인기 스포츠인 [□축구 / □야구]의 명칭과 경기를 하는 방법, 경기 용어 등을 자세하게 [□광고하는 / □설명하는] 글입니다.

6 핵심어

이 글에서 설명하는 대상은 무엇입니까?

_____

7 중심 내용

이 글을 통해 알 수 <u>없는</u> 것은 무엇입니까?

① 야구라는 이름이 붙여진 이유

② 우리나라에 야구가 들어온 계기

③ 야구 경기에서 홈런을 잘 치기 위한 방법

④ 야구를 하기 위해 알아두어야 할 경기 용어

8 내용 파악

이 글을 읽고 정리한 내용으로 알맞지 <u>않은</u> 것은 무엇입니까?

① 홈런: 타자가 살아서 홈까지 들어오게 친 안타.

② 안타: 타자가 1, 2, 3루로 진루할 수 있게 친 타구.

③ 파울: 타자가 친 공이 정해진 라인 안쪽에 떨어지는 것.

④ 헛스윙: 타자가 방망이를 잘못 휘둘러서 공을 맞히지 못한 것.

9 글의 종류

이와 같은 종류의 글에 대한 설명으로 알맞은 것은 무엇입니까?

① 글을 통해 감동을 느낄 수 있도록 합니다.

② 글쓴이의 의견이나 주장을 알 수 있습니다.

③ 상품 판매를 위해 새 상품의 정보를 알려 줍니다.

④ 어떤 정보를 모르는 대상에게 자세하게 설명해 줍니다.

한눈에 보는
약점 유형 분석

틀린 문제에 ✔표를 하세요.

❶ 내용 파악	❷ 중심 내용	❸ 글의 제목	❹ 내용 파악	❺ 내용 파악	❻ 핵심어	❼ 중심 내용	❽ 내용 파악	❾ 글의 종류

기행문 문제 ❶~❷

　　지난 방학 때 나는 가족과 함께 독도에 다녀왔다. 평소에도 독도에 관심이 많아 독도에 대한 책도 읽고 사진도 찾아보았다. 그런데 마침 아버지께서 독도를 다녀오자고 하셨다. 책이나 인터넷으로만 보던 독도를 직접 가 보는 것도 좋겠다고 생각했다.

　　우리는 울릉도에 가서 다시 독도로 가는 배를 탔다. 한참을 지나 독도에 도착했다. 독도에 발을 내딛는 순간 이상하게 가슴이 떨렸다. 수많은 괭이갈매기가 우리를 반겨 주었다.

　　독도에는 괭이갈매기뿐만 아니라 슴새, 바다제비 같은 텃새도 산다고 했다. 또 멧도요, 물수리, 노랑지빠귀들은 독도를 휴식처로 삼아 철마다 머물다 간다고 했다. 책에서만 보던 슴새나 바다제비를 직접 보니 신기하기만 했다. 독도는 화산섬이라서 식물이 잘 자라기 힘든 곳이다. 이러한 자연 환경에서도 번행초, 괭이밥, 쇠비름 같은 풀이 잘 자라고 있었다.

　　독도에서 동해를 바라보니 가슴이 탁 트이는 것 같았다. 우리나라 동쪽 끝 섬인 독도를 아끼고 독도에 관심을 가져야겠다고 생각했다. 아름답고 생명력 넘치는 독도가 우리 땅이라는 것이 아주 자랑스러웠다.

 핵심 요약에 체크해 보세요.

[☐독도 / ☐제주도]에 직접 다녀 온 경험과 느낌을 기록한 [☐기행문 / ☐전기문]입니다.

 1 추론

글쓴이가 느낀 점이 아닌 것은 무엇입니까?

① 독도에 발을 내딛는 순간 가슴이 떨렸다.

② 책에서만 보던 새들을 직접 보니 신기했다.

③ 독도가 우리 땅이라는 것이 자랑스러웠다.

④ 독도에 번행초, 괭이밥, 쇠비름 같은 풀이 잘 자란다.

2 내용 파악

이 글에서 알 수 있는 내용이 아닌 것은 무엇입니까?

① 독도는 우리나라 동쪽 끝에 있습니다.

② 나는 지난 방학 때 가족과 함께 독도에 다녀왔습니다.

③ 독도는 화산섬이라서 식물이 잘 자라기 힘든 곳입니다.

④ 독도에는 물수리, 노랑지빠귀와 같은 텃새가 살고 있습니다.

　　반갑습니다, 학생 여러분! 지금부터 안토니오 가우디의 건축물 투어를 시작하겠습니다. 지금 여러분은 카롤리가 24번지를 지나고 있습니다. 왼쪽에 '㉠카사 비센스'가 보이는군요. 다듬지 않은 자연 석재와 붉은 벽돌과 채색 타일을 사용해 1883~1888년에 지은 건물이에요.

　　엘 카르멜 언덕에는 '구엘 공원'이 있어요. 아름다운 바르셀로나 시가지와 푸른 지중해가 한눈에 들어옵니다. 화려한 모자이크와 타일 장식, 나선형 층계, 구불구불한 길……. 어때요? 마치 환상의 세계에 온 것 같죠?

　　이번에는 악마가 지었다는 소문 때문에 세상을 떠들썩하게 한 '카사 밀라'가 보이는군요. 곡선으로 이어진 벽과 암벽 위에 동굴처럼 뚫린 창문, 공상 과학 영화에서 본 듯한 전사를 닮은 굴뚝……. 악마가 아니라 천사의 작품이 아닐까 하는 착각이 들지 않습니까?

　　이제 여러분은 가우디의 대표작인 '성가족 성당'을 관람할 것입니다. 가우디는 1883년에 책임을 맡아 1926년까지 공사에 매달렸지만, 일부만 완성하고 세상을 떠났습니다. 가우디는 성당의 지하 묘지에 잠들어 있는데, 그의 영혼이 지금 이 순간에도 공사 현장을 기웃거리는 것은 아닐까요?

– 바르셀로나에서 가우디를 만나다 _ 박현철

핵심 요약에 체크해 보세요.

스페인 바르셀로나에 있는 가우디의 [☐그림 / ☐건축물]을 학생들에게 [☐안내하는 / ☐광고하는] 내용입니다.

❸ 이 글에서 가우디의 건축물을 소개한 순서로 알맞은 것은 무엇입니까?

일의 순서

① 카사 비센스 → 구엘 공원 → 카사 밀라 → 성가족 성당

② 카사 비센스 → 카사 밀라 → 구엘 공원 → 성가족 성당

③ 카사 비센스 → 성가족 성당 → 카사 밀라 → 구엘 공원

④ 구엘 공원 → 카사 비센스 → 카사 밀라 → 성가족 성당

❹ ㉠에 대한 설명으로 알맞지 <u>않은</u> 것은 무엇입니까?

내용 파악

① 다듬지 않은 자연 석재를 사용했어요.

② 붉은 벽돌과 채색 타일을 사용했어요.

③ 1883년~1888년에 지은 건축물이에요.

④ 악마가 지었다는 소문이 떠들썩했어요.

아주 먼 옛날인 약 150만 년~200만 년 전에 발명된 손도끼를 시작으로 사람들은 직접 만든 도구를 사용해 사냥도 하고 농사도 지을 수 있게 되었어요. 그런데 손도끼의 발명만큼이나 중요한 발견과 발명이 더 있었어요. 바로 '불'과 '바퀴'랍니다. 불의 발견과 바퀴의 발명이 없었다면 지금처럼 인류가 발전할 수 없었을 거예요.

먼저 ㉠불에 대해 생각해 보세요. 불이 없던 시절 인간은 밤이 찾아오면 아무것도 볼 수 없었어요. 멀리서 들리는 맹수들의 소리를 두려워하며 동굴 속에서 날이 밝기만을 기다렸지요. 음식도 날것만을 먹었겠지요. 그러다가 아주 우연히 불을 만드는 법을 알게 되고, 다루는 법도 알게 된 거죠.

그 당시에는 바닥에 놓은 나무토막 위에 가느다랗고 둥그런 나무 막대를 대고 세게 비벼서 불을 만들었어요. 원시인들은 과학이나 수학과 같은 지식이 없으면서도 발견을 한 셈이지요. 기록에 따르면 약 4만 년 전의 네안데르탈인이 처음으로 불을 사용했다고 해요. 이후, 인류는 횃불을 만들기도 하고, 등잔을 만들기도 하며 불을 필요에 따라 자유롭게 쓸 수 있게 발전시켜 왔습니다. 불은 여러 가지 측면에서 과학이 발전하는 큰 계기가 되었지요.

불의 발견만큼이나 중요한 것이 바로 ㉡바퀴의 발명이에요. 동그란 바퀴가 지금 우리에게는 너무 당연한 것처럼 여겨지지만 바퀴는 인류의 발전을 가져온 엄청난 발명이었답니다. 바퀴가 없을 때에는 무거운 물건을 사람들이 고스란히 짊어지고 옮겨야만 했어요. 시간도 많이 걸렸고 힘들기도 했지요. 바퀴가 없었다면 지금의 자전거, 자동차, 비행기라는 편리한 이동 수단도 존재하기 어려웠을 거예요.

바퀴를 누가 언제 발명했는지에 대해서는 알려져 있지 않아요. 하지만 기원전 4세기에 그려진 그림에 네 개의 바퀴가 달린 손수레가 있는 걸 보면 그전에 발명된 것이 분명해요. 바퀴의 발명으로 인해 인류의 삶은 획기적으로 바뀌었어요. 아마 바퀴만큼 우리 인류가 발전하는 데 도움을 준 발명품도 없을 거예요.

– 불과 바퀴, 인류의 위대한 발명 _ 황진규

핵심 요약에
체크해 보세요.

불의 발견과 바퀴의 발명이 [☐남성 / ☐인류]에게 미친 영향을 [☐주장하는 / ☐설명하는] 글입니다.

5 핵심어

이 글에서 설명하는 두 가지 대상을 찾아 쓰시오.

_____, _____

6 글의 제목

신문 기사처럼 이 글에 제목을 붙인다고 할 때, 가장 알맞은 것은 무엇입니까?

① 인간이 발명한 최초의 물건
  – 손도끼의 특성과 사용 방법

② 인간에게 바퀴가 없었다면?
  – 바퀴가 있기 전과 후의 삶

③ 불이 위대할까? 바퀴가 위대할까?
  – 불과 바퀴의 장단점을 중심으로

④ 인간의 역사를 바꾸어 놓다
  – 불의 발견과 바퀴의 발명을 중심으로

7 내용 파악

이 글을 통해 알 수 <u>없는</u> 것은 무엇입니까?

① 바퀴는 기원전 4세기 이전에 발명되었다.

② 바퀴는 누가 언제 발명했는지 알려지지 않았다.

③ 옛날에는 나무토막과 나무 막대를 비벼서 불을 만들었다.

④ 원시인들은 과학적 지식을 바탕으로 불을 발견하였다.

8 추론

㉠과 ㉡의 공통점으로 가장 알맞은 것은 무엇입니까?

① 사냥도 하고 농사도 지을 수 있게 만들었다.

② 자동차와 같은 이동 수단을 존재하게 만들었다.

③ 오늘날과 같이 인류가 발전하는 데 도움이 되었다.

④ 4만 년 전의 네안데르탈인이 처음으로 사용하였다.

한눈에 보는
약점 유형 분석

틀린 문제에 ✔표를 하세요.

❶ 추론	❷ 내용 파악	❸ 일의 순서	❹ 내용 파악	❺ 핵심어	❻ 글의 제목	❼ 내용 파악	❽ 추론

일기   문제 ❶~❷

二○○○년 ○월 ○일, 날씨 맑음

㉠학교 화단에서 봉숭아 씨를 땄다. 꽃이 피었을 때는 싱싱한 잎이 빽빽하게 붙어 있어서 꽃이 잎 속에 숨어 있는 것 같았는데 이제는 작고, 길쭉한 잎이 끝에만 몇 개 남아 있고, 줄기에는 잎과 꽃이 붙어 있던 자리에 열매만 달려 있다. 그게 씨앗 주머니이다.

씨앗 주머니 모양은 아래쪽이 둥글고 끝 쪽은 뾰족하게 목이 약간 가늘고 긴 병 모양이다. ㉡씨앗 주머 니는 긴 자루 끝에 달려 있다. 씨앗을 딸 때 어떤 것은 손을 대니까 톡 하고 저절로 터지면서 속의 씨앗 을 사방으로 튕겨 냈다. 씨앗을 튕겨 낸 씨앗 주머니는 주먹을 쥔 아기 손 모양이 되었다.

씨앗 주머니가 씨앗을 튕겨 내는 것이 재미있어서 잘 익은 것만 골라 땄다. 손가락으로 가볍게 누르니 까, 톡 하고 터지면서 껍질이 도르르 말렸다. 껍질이 터질 때 손 안에 들어오는 ㉢씨앗이 손바닥을 간질 이는 것만 같았다. 내가 하는 걸 보더니, 지영이도 따라 했다. ㉣씨앗이 살아 움직이는 것 같았다. 왜 그 렇게 되는지 궁금했다.

핵심 요약에 체크해 보세요.

봉숭아를 관찰한 글쓴이의 [☐상상 / ☐경험]과 그에 대한 느낌을 담아 쓴 [☐일기 / ☐안내문] 입니다.

1 핵심어

이 글의 중심 화제는 무엇입니까?

① 학교 화단
② 봉숭아 씨
③ 지영이와의 우정
④ 봉숭아 물들이기

2 내용 적용

[보기]의 ㉮와 ㉯에 해당하는 것을 ㉠~㉣에서 골라 바르게 짝지은 것은 무엇입니까?

┤ 보기 ├

일기는 그날그날 ㉮실제 겪었던 일이나 사실에 대해 ㉯자신의 생각이나 느낌이 적절하게 드러나도록 씁니다.

	㉮	㉯		㉮	㉯
①	㉠, ㉡	㉢, ㉣	②	㉠, ㉢	㉡, ㉣
③	㉠, ㉣	㉡, ㉢	④	㉢, ㉣	㉠, ㉡

용돈은 여러 조각으로 쪼개어서 관리하는 게 중요해. 그래야 낭비 없이 내가 필요한 돈을 모을 수 있거든. 지금부터 용돈을 쪼개어 관리하는 조각에 대해서 설명해 줄게.

기부 조각은 어려운 이웃을 위한 조각이야. 내가 원하는 만큼 일정한 액수를 정하는 게 좋아. 꿈 조각은 내 꿈을 이루기 위해서 모으는 조각이야. 예를 들어, 20살이 되는 날 여행을 간다거나, 좋은 악기를 사는 것 등을 위한 거지. 투자 조각은 미래에 내가 투자할 수 있는 종잣돈을 만드는 조각이야. 종잣돈은 부자가 되기 위해 꼭 필요하다는 거 명심해 줘. 가족 조각은 가족들을 위해 모으는 조각이야. 엄마, 아빠 생신이나 크리스마스 등에 정성 어린 선물을 마련할 수 있지. 가족끼리 더욱 아끼고 사랑하기 위해 모으는 조각이란다.

바로 조각은 내가 그달에 쓰려고 남기는 조각이야. 필요한 준비물도 사고 간식도 사 먹을 수 있지. 비상금 조각은 '바로 조각'이나 '가족 조각'이 부족할 때 꺼내어 쓸 수 있는 조각이란다. 즉, ㉠'나만의 은행'이라고 할 수 있지. 명심해야 할 것은 꺼내 쓴 만큼의 돈을 다시 채워 놓아야 한다는 거야. 그렇지 않으면 '나만의 은행'이 텅 비어 버릴 테니까.

－용돈 관리 비법 _유혜정

핵심 요약에 체크해 보세요.

용돈을 낭비하지 않고 관리하는 방법으로 용돈 [☐**기입장 쓰기** / ☐**쪼개기**]를 자세히 [☐**주장하는** / ☐**설명하는**] 글입니다.

③ 중심 내용

다음은 이 글의 중심 내용입니다. 빈칸에 알맞은 말을 쓰시오.

용돈을 여러 ☐☐으로 쪼개어 관리하면 ☐☐ 없이 필요한 돈을 모을 수 있어요.

④ 내용 파악

㉠에 해당하는 조각은 무엇입니까?

① 가족 조각　　　② 기부 조각　　　③ 꿈 조각　　　④ 비상금 조각

⑤ 추론

이 글을 읽은 학생의 반응으로 알맞지 <u>않은</u> 것은 무엇입니까?

① 부자가 되려면 투자 조각의 크기를 늘려야겠군.

② 사람마다 용돈을 어떻게 쪼갤 것인지는 모두 다르겠군.

③ 기부 조각은 꿈 조각과 같이 나를 위해 필요한 것이겠군.

④ 가족 조각은 가족끼리 더욱 아끼고 사랑하기 위해 필요한 것이겠군.

조선을 세운 태조 이성계는 왕이 되려고 왕자들이 서로 해치는 일도 서슴지 않는 것을 보고, 맏아들만 왕의 자리를 물려받을 수 있도록 했습니다. 하지만 형인 정종의 뒤를 이어 태조의 다섯째 아들인 방원이 왕이 되었는데, 그가 바로 태종입니다.

그 소식을 들은 ㉠태조는 매우 노여워하여 임금의 도장인 옥새를 가지고 함흥으로 가 버렸습니다. 이 옥새가 없으면 아무리 임금의 자리에 올랐다고 하더라도 진정한 임금으로 인정받을 수 없었습니다. 그래서 태종은 중요한 임무를 띤 심부름꾼인 차사를 함흥으로 보내 옥새를 받아 오도록 했습니다.

함흥으로 들어서는 길목에 있던 두 사람이 요란한 말발굽 소리에 놀라 길 옆으로 비켜섰습니다.

"아이고, 먼지! 뭐가 바쁘다고 이 난리를 피우며 달려가누?"

한 사람이 옷에 묻은 흙먼지를 털어내며 투덜거렸습니다.

"보나마나 또 함흥차사지, 누구겠어? 저렇게 달려가 봐야 다시 되돌아올 길도 아닌데…… 쯧쯧."

염소수염을 한 사람이 곰방대에 불을 [㉡] 말했습니다.

"다시 되돌아올 길이 아니라니?"

"소문 못 들었나? 새 임금님이 임금임을 증명하는 옥새를 가져오라고 태조가 계신 함흥으로 차사를 보냈는데, 태조께서 차사가 오는 족족 잡아 가두거나 죽여 버린다더군."

흙먼지를 털어내던 사람이 손길을 멈추고 다시 물었습니다.

"지금 임금님이 왕이 되려고 형제들과 싸우는 바람에 태조께서 크게 노하셨다던데, 그 때문에 차사들을 죽이는 모양이지?"

"서로 왕이 되려고 형제끼리 피바람을 일으키는데 아비 된 심정이 오죽하겠나? 심부름꾼만 불쌍하지."

담배를 피우던 사람이 목소리를 낮추어 말했습니다.

그 뒤로, 어떤 일로 심부름을 보냈는데 아무 소식 없이 돌아오지 않거나 늦게 오는 경우를 가리켜 ㉢'함흥차사'라고 하게 되었답니다.

핵심 요약에 체크해 보세요.

아무 소식 없이 돌아오지 않거나 늦게 오는 경우를 가리키는 말인 [□ 홍익인간 / □ 함흥차사] 의 유래를 [□ 알려 주는 / □ 광고하는] 이야기입니다.

6

중심 내용

다음은 이 글의 중심 내용입니다. 빈칸에 알맞은 말을 쓰시오.

☐☐☐☐란 어떤 일로 심부름을 보냈는데, 아무 ☐☐ 없이 돌아 오지 않거나 늦게 오는 경우를 가리키는 말입니다.

7

내용 파악

이 글의 내용으로 알맞지 <u>않은</u> 것은 무엇입니까?

① 이성계는 맏아들만 왕의 자리를 이을 수 있도록 했어요.

② 태조는 함흥에 차사가 도착하면 가두거나 죽여 버렸어요.

③ 진정한 임금으로 인정받으려면 반드시 옥새가 필요했어요.

④ 태종은 옥새를 되돌려주기 위해 함흥으로 차사를 보냈어요.

8

추론

㉠의 이유로 가장 알맞은 것은 무엇입니까?

① 방원이 자신의 말을 어겼기 때문입니다.

② 왕자들과 공주들이 서로 싸웠기 때문입니다.

③ 자신에게 옥새를 받아 오라고 했기 때문입니다.

④ 함흥에 차사를 보내면 돌아오지 않았기 때문입니다.

9

어휘

㉡에 알맞은 낱말은 무엇입니까?

부치며	붙이며

10

추론

㉢과 비슷한 상황으로 볼 수 있는 것은 무엇입니까?

① 민수는 친구 집에 놀러 갔다가 친구가 없어 바로 돌아왔어요.

② 민희는 엄마 말을 듣지 않고 맨몸으로 밖에 나갔다가 비를 맞았어요.

③ 영희는 엄마에게 과자를 먹지 않았다고 거짓말을 하다가 들통이 났어요.

④ 철수가 엄마의 심부름을 잊고 놀이터에서 밤까지 놀다가 늦게 돌아왔어요.

한눈에 보는
약점 유형 분석

틀린 문제에 ✔표를 하세요.

❶ 핵심어	❷ 내용 적용	❸ 중심 내용	❹ 내용 파악	❺ 추론	❻ 중심 내용	❼ 내용 파악	❽ 추론	❾ 어휘	❿ 추론

중요한 낱말을 다시 한번 확인하고 □에 써 보세요.

군주
(임금 君, 주인 主)

세습적으로 나라를 다스리는 최고 지위에 있는 사람.

예 □□ 는 백성들을 자식처럼 사랑해야 한다.

악상
(노래 樂, 생각 想)

작곡을 하는 데 실마리가 되는 생각.

예 베토벤은 산책을 하면서 □□ 을 가다듬었다.

주옥
(구슬 珠, 구슬 玉)

구슬과 옥을 이름. 아름답고 귀한 것을 비유적으로 이르는 말.

예 그 소설가는 □□ 과 같은 단편을 발표했다.

조성
(만들 造, 이룰 成)

분위기 따위를 만듦.

예 우리는 학습 분위기 □□ 을 위해 노력하기로 했다.

동참
(한가지 同, 참여할 參)

어떤 모임이나 일에 같이 참가함.

예 지구 온난화를 막는 캠페인에 우리 모두 □□ 합시다.

위용
(위엄 威, 얼굴 容)

위엄이 있는 모습이나 모양.

예 백두산 천지의 □□ 에 모두들 감탄을 금치 못하였다.

비통
(슬플 悲, 아플 痛)

몹시 슬퍼서 마음이 아픔.

예 그는 은사님의 부고에 □□ 한 마음을 감추지 못했다.

노출
(이슬 露, 날 出)

보이거나 알 수 있도록 드러냄.

예 그는 이번에 자신의 약점을 □□ 했다.

판정 (판가름할 判, 정할 定)	판별하여 결정함. 예 양궁에서는 화살이 과녁의 경계선에 꽂혔을 때에 높은 점 수 쪽으로 ☐☐ 한다.
민첩 (재빠를 敏, 빠를 捷)	재빠르고 날쌤. 예 승희는 동작이 무척이나 ☐☐ 하다.
획기적 (그을 劃, 만날 期, 과녁 的)	이전의 것과 뚜렷이 구분되거나 두드러지는 것. 예 인류 역사에서 ☐☐☐ 인 발견은 우연에서 비롯된 것이 많다.
종잣돈 (씨 種, 어조사 子)	어떤 돈의 일부를 떼어 일정 기간 모아 묵혀 둔 것으로, 더 나은 투자나 구 매를 위해 밑천이 되는 돈. 예 그녀는 미래를 위해 ☐☐☐ 을 모았다.
명심 (새길 銘, 마음 心)	잊지 않도록 마음에 깊이 새겨 둠. 예 내 말을 깊이 ☐☐ 해라.
증명 (증거 證, 밝을 明)	진실인지 아닌지 증거를 들어서 밝힘. 예 그는 범인이 아님을 알리바이로 ☐☐ 했다.
고스란히	조금도 축나거나 변하지 않고 그대로 온전히. 예 2,000여 년 전의 유물들이 ☐☐☐☐ 남아 있다.
관람 (볼 觀, 볼 覽)	연극, 영화, 운동 경기, 미술품 따위를 구경함. 예 영화 ☐☐ 을 마치고 나왔을 때는 이미 어두워졌다.

[01~04] 다음의 뜻에 알맞은 낱말을 [보기]에서 찾아 쓰시오.

보기
노출   동참   조성   악상

01 작곡을 하는 데 실마리가 되는 생각.

02 분위기 따위를 만듦.

03 보이거나 알 수 있도록 드러냄.

04 어떤 모임이나 일에 같이 참가함.

[05~07] 주어진 뜻에 맞는 낱말을 빈칸에 넣어 문장을 완성하시오.

05 나이아가라 폭포의 ☐☐에 압도되어 모두 감탄사를 연발했다.

   ＊뜻: 위엄이 있는 모습이나 모양.

06 세종대왕은 백성을 진정으로 사랑한 ☐☐였다.

   ＊뜻: 세습적으로 나라를 다스리는 최고 지위에 있는 사람.

07 시인은 조국을 잃고 ☐☐한 심정을 시에 새겨 놓았다.

   ＊뜻: 몹시 슬퍼서 마음이 아픔.

08 빈칸에 공통으로 들어갈 낱말을 쓰시오.

ㅈ ㅇ	① 신윤복과 김홍도는 ☐☐ 같은 그림을 남겼다.
	② 그 소설가는 ☐☐ 같은 작품을 발표했다.

[09~12] 다음 밑줄 친 낱말의 뜻을 [보기]에서 찾아 쓰시오.

> ┤ 보기 ├
>
> ㉠ 잊지 않도록 마음에 깊이 새겨 둠.
> ㉡ 판별하여 결정함.
> ㉢ 조금도 축나거나 변하지 않고 그대로 온전히.
> ㉣ 이전의 것과 뚜렷이 구분되거나 두드러지는 것.

09 고향에는 내가 살던 동네의 모습이 <u>고스란히</u> 남아 있었다. (   )

10 너는 우리 집의 대들보란 걸 <u>명심</u>해야 한다. (   )

11 컴퓨터의 등장은 석기 시대에 철기가 등장한 것만큼이나 <u>획기적</u>인 발명이
었다. (   )

12 그는 심판의 <u>판정</u>에 불복하였다. (   )

[13~16] 다음 문장의 빈칸에 알맞은 낱말을 찾아 연결하시오.

13 우리 연구소에서 인삼의 약효를 과학적으로
    □□□□ 했다. • • ㉠ 관람

14 나는 그렇게 빠르고 □□□ 한 사람을
본 적이 없다. • • ㉡ 종잣돈

15 삼촌은 □□□ 을 만들어 새로운 사업을
시작했다. • • ㉢ 증명

16 노약자는 이 영화의 □□□ 을 삼가 주
십시오. • • ㉣ 민첩

11~15 일차

11 일차	자동심장충격기의 사용법	설명하는 글
	여럿이 모여 함께 살아가는 것	설명하는 글
	파도를 잠재우는 만파식적 이야기	옛이야기
12 일차	여러분의 의견을 듣고 싶습니다	매체 자료
	작은 씨 속의 놀라운 세상	설명하는 글
	재미있는 돈 이야기	설명하는 글
13 일차	수아의 봉사 활동	일기
	좋은 만화책을 골라 읽자	주장하는 글
	화석이란 뭘까?	설명하는 글
14 일차	잘못을 돌아보다, 사천왕	설명하는 글
	한글봇을 아세요	설명하는 글
	커피는 왜 슬픈 열매일까?	설명하는 글
15 일차	한국의 5대 상징물	설명하는 글
	새로운 길로 출발, 탐험가 콜럼버스	전기문
	방울토마토 관찰 일기	관찰 일기
11~15일차	글 읽기를 위한 어휘 연습	
11~15일차	어휘력 쑥쑥 테스트	
11~15일차	십자말 풀이	

설명하는 글   문제 ❶∼❷

환자에게 전기 충격을 주어 멈추었던 심장을 다시 정상 리듬으로 돌아오게 하는 도구인 자동심장충격기의 사용법을 알아보겠습니다.

먼저 전원을 켜고 음성 안내에 따릅니다. 전원을 켜면 모든 단계에서 음성 안내가 나옵니다. 환자의 상체를 노출시킨 후 패드를 부착합니다. 패드는 성인용과 8세 미만 소아용 두 가지로 구성되어 있습니다. 8세 이상의 어린이에게 소아용 패드를 부착하지 않게 주의합니다. 하나는 오른쪽 쇄골 아래에 패드를 부착하고, 다른 하나는 왼쪽 가슴 아래 겨드랑이 부분에 부착합니다. 패드의 부착 위치가 그림으로 표시되어 있으므로 참고하도록 합니다.

패드에 연결된 선을 기계에 꽂으면 '심장 리듬 분석 중'이라는 메시지가 나옵니다. 심장 충격이 필요한 경우에는 '제세동이 필요합니다.'라는 메시지가 나오면서 충전이 시작됩니다. 만일 제세동이 필요하지 않은 경우에는 '환자의 상태를 확인하고, 심폐소생술을 계속 하십시오.'라는 메시지가 나옵니다.

충전이 다 되어 제세동 버튼이 깜빡이면 즉시 누릅니다. 전기 충격을 가할 때에는 감전의 위험이 있으므로 주변 사람들은 모두 환자로부터 떨어져야 합니다.

핵심 요약에 체크해 보세요.

자동심장충격기의 사용법을 사용 [☐순서 / ☐장소]에 따라 [☐주장하는 / ☐설명하는] 글입니다.

❶ 이 글의 중심 내용입니다. 빈칸에 알맞은 말을 쓰시오.

핵심어

> 자동심장충격기는 환자에게 전기 충격을 주어 멈추었던 ☐☐이 정상 리듬으로 돌아오게 하는 도구입니다.

❷ 자동심장충격기의 사용법으로 잘못된 것은 무엇입니까?

내용 파악

① 충전이 다 되면 제세동 버튼을 즉시 누른다.

② 패드를 부착할 때에는 부착 위치에 주의한다.

③ 패드는 성인용과 8세 미만 소아용을 잘 구분한다.

④ 전기 충격을 가할 때에는 환자의 손을 잡고 가까이에서 지켜본다.

사람들이 생활하는 곳에서는 다양하고 복잡한 일들이 발생합니다. 왜냐하면 사람들은 저마다 생각도 다르고 성격도 다르기 때문입니다. 이것을 '개성'이라고 하지요. 이렇게 사람들에게는 저마다 다른 개성이 있기 때문에 어떤 일을 결정할 때 다툼이 일어나기도 합니다. 여행지를 정할 때, 엄마는 바다로 가자고 하시고 아빠는 산으로 가자고 하셔서 다툼이 일어나는 것처럼 말입니다. 그런데 이렇게 다툼이 일어나는데도 사람들이 모여서 사는 이유는 무엇일까요?

원시인들은 처음에는 농사짓는 방법을 몰라서 나무 열매를 따 먹거나, 사냥을 하면서 먹을거리를 찾아다니는 이동 생활을 했습니다. 그런데 혼자서 열매를 따 먹거나 사냥을 하는 것보다 여러 사람이 같이 할 때 훨씬 더 많은 먹을거리를 찾을 수 있고, 다른 동물들의 공격을 막아 내기도 쉽다는 것을 알게 되었습니다.

이처럼 같은 무리끼리 이루는 집단 또는 공동생활을 하는 모든 형태의 인간 집단을 '사회'라고 합니다. 이렇게 사람들이 사회를 이루며 모여 사는 이유는, 혼자서는 할 수 없는 일도 함께 할 때는 쉽게 이루어 낼 수 있는 경우가 많기 때문입니다.

- 여럿이 모여 함께 살아가는 것 _ 고민순

핵심 요약에 체크해 보세요.

다양한 사람들이 모여 [□학교 / □사회]를 이루며 살아가는 이유를 [□설명하는 / □주장하는] 글입니다.

❸

중심 내용

이 글의 중심 내용입니다. 빈칸에 알맞은 말을 쓰시오.

사람들이 [ ][ ]를 이루며 모여 사는 이유는, 혼자서는 할 수 없는 일도 함께 하면 쉽게 이루어 낼 수 있기 때문입니다.

❹

내용 적용

이 글을 통해 알 수 <u>없는</u> 것은 무엇입니까?

① 개성과 사회는 각각 어떠한 의미를 가지고 있습니까?

② 사람들이 사회를 이루며 모여 사는 이유는 무엇입니까?

③ 사람들이 저마다 생각도 다르고 성격도 다른 이유는 무엇입니까?

④ 사람들이 어떤 일을 결정할 때 다툼이 일어나는 이유는 무엇입니까?

7세기 말 통일신라 신문왕 때, 나라 안에 기이한 소문이 떠돌았어요.

"동쪽 바닷가에 거북 모양으로 생긴 작은 산이 생겼대요."

"그 산에 낮에는 둘로 갈라지고, 밤에는 하나로 합쳐지는 신기한 대나무가 자란대요."

이 이야기는 신문왕에게도 전해졌어요. 신문왕은 점을 치는 사람을 불러들였어요.

"기이한 일이로다. 어찌 된 일인지 점을 쳐 보도록 해라."

얼마 뒤 점을 치는 사람이 왕에게 아뢰었지요.

"바다의 용이 되신 문무왕과 하늘의 신이 된 김유신 장군이 왕께 ㉠큰 선물을 내리려 하시니, 어서 바닷가로 가 보시옵소서."

신문왕은 기뻐하며 신하들과 바닷가로 가서 산에 올랐어요. 그때 커다란 용이 나타나 검은 구슬의 띠를 왕에게 선물로 바쳤어요. 왕이 용에게 물었어요.

"이 산의 대나무가 둘로 갈라지기도 하고 하나로 합쳐지기도 하는 까닭이 무엇인가?"

"그것은 한쪽 손바닥을 치면 소리가 없고, 두 손을 마주치면 소리가 나는 것과 같은 이 치입니다. 이 대나무도 두 쪽이 서로 합쳐져야만 소리가 나니, 왕께서 소리로 천하를 다스릴 징조입니다. 대왕께서 이 대나무를 가지고 대금을 만들어 불면 나라가 평화로 워질 것입니다."

신문왕은 용의 대답에 크게 ⃞ ㉡ ⃞ 사람을 시켜 대나무를 베어 오게 했어요. 대나 무를 베어 내자 갑자기 산과 용도 사라졌어요. 신문왕은 그 대나무로 피리를 만들었어요. 용의 말대로 대금을 불면 신기한 일들이 일어났어요. 백성들을 괴롭히는 몹쓸 병이 사라 지고, 나라에 쳐들어온 적군들이 물러갔어요. 또 가뭄에는 비가 내리고 홍수 때는 비가 그쳤으며, 바다에서 바람이 잠잠해지고 파도가 가라앉았지요.

사람들은 이 신기한 악기를 '거센 파도를 잠재우는 대금.'이라는 뜻으로 '만파식적'이라 고 불렀어요. '만파식적'은 오랫동안 나라의 소중한 보물로 여겨졌고, 어려운 일이 일어날 때마다 아름다운 소리를 들려주며 나라를 평안하게 만들었답니다.

－파도를 잠재우는 만파식적 이야기 _ 청동말굽

핵심 요약에 체크해 보세요.

통일신라 때 아름다운 [☐노래 / ☐소리]로 나라를 평화롭게 만든 [☐만파식적 / ☐가야금]의 이 야기입니다.

5 핵심어

이 글의 중심 화제는 무엇입니까?

① 만파식적   ② 바다의 용   ③ 대나무   ④ 신문왕

6 중심 내용

이 글에서 알 수 <u>없는</u> 내용은 무엇입니까?

① 만파식적의 의미

② 만파식적의 재료

③ 만파식적이 사라진 이유

④ 만파식적을 불었을 때 생기는 일

7 내용 파악

이 글의 내용으로 알맞지 <u>않은</u> 것은 무엇입니까?

① 신문왕은 신기한 대나무로 피리를 만들었어요.

② 거북 모양의 산에는 신기한 대나무가 자랐어요.

③ 용은 왕에게 검은 구슬의 띠를 선물로 바쳤어요.

④ 신문왕은 사람을 시켜 대나무를 옮겨 심게 했어요.

8 추론

㉠이 의미하는 것은 무엇입니까?

① 병 없이 건강하게 오래 살게 되는 것

② 나라를 평화롭게 다스릴 수 있게 되는 것

③ 문무왕과 김유신 장군을 직접 만나게 되는 것

④ 두 손을 마주치면 소리가 나는 이치를 깨닫게 되는 것

9 어휘

㉡에 들어갈 말로 알맞은 것은 무엇입니까?

① 기뻐하며   ② 짜증 내며   ③ 화를 내며   ④ 슬퍼하며

한눈에 보는
약점 유형 분석

틀린 문제에 ✔표를 하세요.

❶ 핵심어	❷ 내용 파악	❸ 중심 내용	❹ 내용 적용	❺ 핵심어	❻ 중심 내용	❼ 내용 파악	❽ 추론	❾ 어휘

안녕하세요, 저는 반장 김주원입니다. 우리 학급 누리집 게시판에 건의 사항을 남겨 봅니다. 제가 이렇게 글을 쓰는 이유는 방과 후에 교실 청소를 안 하고 도망가는 친구들에 대해서 어떻게 해야 할지 서로 생각해 보기 위해서입니다. 매일 청소를 하는 친구들만 하게 되니 ☐ ㉠ 이 쌓이고, 청소를 안 하는 친구들은 끝까지 안 하려고 도망가는 경우가 있어요. 어떻게 해야 할까요? 여러분의 의견을 듣고 싶습니다.

댓글 3개 N | 등록 순 | 조회 수 25

└ 이○○ 20○○/07/19   19:40

맞아요. 고생하는 사람만 계속 고생하니, 청소를 안 하는 친구들은 이제부터는 벌로 두 배 더 청소를 했으면 좋겠어요.

└ 배○○ 20○○/07/19   19:50

뭐야? 청소하고 싶으면 혼자 하든가! 잘난 척 좀 하지마.

└ 김○○ 20○○/07/19   20:05

너나 두 배로 청소해.

 핵심 요약에 체크해 보세요.

교실 [☐청소 문제 / ☐급식 문제]에 대한 서로의 [☐감상 / ☐의견]을 나누고 있는 매체 자료입니다.

① 주원이가 학급 누리집에 글을 쓴 목적은 무엇입니까?

글의 목적

① 청소 구역을 공평하게 정하기 위해서

② 청소를 빠르게 할 수 있는 방법을 마련하기 위해서

③ 청소를 깨끗이 할 수 있는 방법을 마련하기 위해서

④ 청소를 안 하고 도망가는 친구들에 대한 대책을 세우기 위해서

② ㉠에 들어갈 말로 알맞은 것은 무엇입니까?

어휘

① 불만   ② 행복   ③ 믿음   ④ 자부심

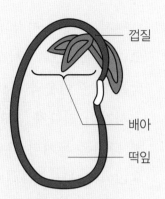

우리가 먹는 강낭콩의 씨앗 속에는 무엇이 있을까요? 강낭콩의 가장 바깥쪽은 껍질로 둘러싸여 있어요. 우리 몸이 피부로 둘러싸여 있는 것과 마찬가지이지요. 껍질 안에는 싹눈으로 자라날 배아(배), 곧 씨눈이 있고 떡잎이 들어 있어요. 씨앗 속의 떡잎은 어린 식물이 스스로 양분을 만들 때까지 생명을 이어 가고 자라는 데 꼭 필요한 최소한의 영양분을 간직하고 있어요.

— 껍질

— 배아

— 떡잎

▲ 강낭콩의 구조

㉠흔히 사람들은 콩을 '밭의 쇠고기'라고 해요. 그만큼 콩 속에는 단백질이 많다는 뜻이지요. 강낭콩에도 사람 몸에 꼭 필요한 단백질이 많이 들어 있어요. 또 강낭콩에는 단백질 외에도 탄수화물이 많이 들어 있어요. 색깔도 붉은색, 자주색, 흰색, 얼룩무늬 등으로 다양해서 떡이나 빵을 만들 때도 많이 사용해요. 이 밖에도 사람 몸에 꼭 필요한 비타민 B를 포함하고 있지요. 이런 점을 보면 씨앗은 작지만 생명을 잉태하고 있는 신비롭고 고귀한 것이에요.

– 작은 씨 속의 놀라운 세상 _ 예종화

핵심 요약에 체크해 보세요.

작지만 생명을 잉태하고 있는 [□뿌리 / □씨앗]의 구조와 영양분에 대해 강낭콩을 중심으로 [□설득하는 / □설명하는] 글입니다.

❸ 이 글의 내용으로 알맞지 <u>않은</u> 것은 무엇입니까?

내용 파악

① 강낭콩의 가장 바깥쪽은 껍질로 둘러싸여 있어요.

② 강낭콩 씨앗의 껍질 안에는 씨눈과 떡잎이 들어 있어요.

③ 강낭콩에는 사람 몸에 꼭 필요한 비타민 B가 포함되어 있어요.

④ 씨눈에는 어린 식물이 자라는 데 꼭 필요한 영양분이 포함되어 있어요.

❹ ㉠의 이유로 가장 알맞은 것은 무엇입니까?

추론

① 콩 속에는 단백질이 많이 들어 있기 때문입니다.

② 콩 속에는 탄수화물이 많이 들어 있기 때문입니다.

③ 콩 속에는 비타민이 풍부하게 들어 있기 때문입니다.

④ 콩 속에는 다양한 영양분이 많이 들어 있기 때문입니다.

원시 시대의 사람들은 필요한 것들을 자연에서 스스로 구했어요. 그러다가 농사를 짓고 가축을 기르기 시작하면서 필요한 만큼 쓰고 남는 것이 생기게 되었어요. 저마다 쓰고 남은 것은 이웃과 서로 바꾸어 새로운 것을 얻었지요.

시간이 지나자 필요한 물건을 찾으러 다니는 것이 불편해졌어요. 그래서 사람들은 귀한 물건을 돈처럼 사용하기 시작했어요. 오랜 옛날 중국에서는 조개껍데기나 옷감을, 아프리카에서는 소금이나 가축을 돈처럼 사용했어요.

얼마 뒤 단단한 금속이 발견되었어요. 사람들은 구하기 어려운 조개껍데기 대신 금속으로 조개껍데기 모양을 만들었어요. 또 물고기, 농기구, 작은 칼 등 귀한 물건의 모양도 만들어 돈으로 사용했지요. 금속으로 만든 돈은 오랫동안 보관할 수 있었고 쉽게 부서지지도 않았답니다.

우리나라에서는 놋쇠로 만든 엽전을 사용했어요. 엽전은 동글납작하게 생겼고 가운데에 네모난 구멍이 있었어요. 많은 돈이 필요할 때 네모난 구멍에 줄을 꿰면 쉽고 편리하게 가지고 다닐 수 있었어요.

오늘날에는 어떤 ㉠돈을 사용할까요? 금속으로 만든 동전과 종이로 만든 지폐를 함께 사용해요. 동전을 많이 가지고 다니면 무겁고 불편하기 때문에 여러 개의 동전과 값이 같은 지폐를 만들었지요. 천 원짜리 지폐 한 장은 백 원짜리 동전 열 개와 값이 같답니다. ㉡동전과 지폐에는 훌륭한 사람, 유명한 그림, 건축물, 동물, 식물 등이 새겨져 있어요.

다른 나라에서도 우리나라와 똑같은 돈을 사용할까요? 나라마다 돈에 새겨져 있는 그림, 색, 크기가 달라요. 또한 돈의 단위도 다르지요. 우리나라에서는 '원'이라는 단위를 사용하지만, 미국에서는 '달러', 일본에서는 '엔'이라는 단위를 사용한답니다. 다른 나라에 갈 때에는 우리나라의 돈을 그 나라의 돈으로 바꾸어 가야 해요.

요즘에는 지폐나 동전 대신 ㉢신용카드를 사용하기도 해요. 돈은 한번 잃어버리면 다시 찾기가 어렵지만 신용카드는 잃어버려도 다시 만들어 쓸 수 있어요. 또 세계 여러 나라에서 사용할 수도 있어요. 신용카드 한 장만 있으면 돈을 가지고 다니지 않아도 필요한 물건을 살 수 있답니다.

핵심 요약에 체크해 보세요.

[□금 / □돈]을 사용하게 된 이유와 옛날과 오늘날 돈의 형태를 비교하며 [□설명하는 / □광고하는] 글입니다.

5

핵심어

이 글에서 가장 중심이 되는 낱말은 무엇입니까?

① 돈   ② 조개껍데기   ③ 금속   ④ 신용카드

6

내용 파악

이 글에 대한 설명으로 알맞은 것을 모두 고르시오.

① 시간의 흐름에 따른 돈의 형태 변화를 설명했습니다.

② 우리나라와 다른 나라 돈의 단위를 비교하였습니다.

③ 돈이 많이 있을 때의 장점과 단점을 설명하였습니다.

④ 시간에 따라 돈의 가치가 떨어지는 이유를 설명하였습니다.

7

추론

시대에 따라 돈의 형태가 변화하게 된 이유로 가장 알맞은 것은 무엇입니까?

① 한꺼번에 많은 돈을 쓸 수 있도록 변화되었다.

② 쉽게 훼손되지 않도록 단단하게 변화되었다.

③ 그때그때 불편한 점을 해결하고 편리한 형태로 변화되었다.

④ 자연에서 쉽게 구할 수 없어서 구하기 쉬운 재료로 변화되었다.

8

어휘

㉠과 ㉡의 의미 관계와 비슷한 것은 무엇입니까?

① 과일 : 사과	② 남자 : 여자

9

내용 파악

㉢에 대한 내용으로 알맞지 <u>않은</u> 것은 무엇입니까?

① 지폐나 동전 대신 사용할 수 있어요.

② 잃어버려도 다시 만들어 쓸 수 있어요.

③ 세계 여러 나라에서 사용할 수 있어요.

④ 유명한 그림, 건축물, 동물, 식물 등이 새겨져 있어요.

한눈에 보는
약점 유형 분석

틀린 문제에 ✔표를 하세요.

❶ 글의 목적	❷ 어휘	❸ 내용 파악	❹ 추론	❺ 핵심어	❻ 내용 파악	❼ 추론	❽ 어휘	❾ 내용 파악

일기 문제 ❶~❷

ㅗㅇ○○년 ○월 ○일, 날씨 맑음

"수아야, 오늘이 가족 봉사 활동 가기로 한 날이잖아. 얼른 일어나."

나는 다시 이불을 뒤집어썼지만 곧 엄마에게 빼앗기고 말았다. 우리 가족이 간 곳은 요양원이었다. 무엇을 해야 할지 몰라 두리번거리고 있을 때 안경을 쓴 할머니께서 나에게 오라고 손짓을 하셨다.

"여기 책 좀 읽어 줄래? 요즘은 눈이 침침해서 글씨가 잘 안 보이는구나."

할머니는 눈을 감고 책 읽는 내 목소리에 귀를 기울이셨다.

"할머니, 다음에 올 때 재미있는 책을 가지고 올게요." 나는 할머니와 약속을 했다.

일주일 뒤, 요양원에 도착하자마자 할머니에게 달려갔다. 할머니는 나를 기다렸다며 서랍에서 사탕이랑 과자를 꺼내 주셨다. 나는 사양했지만 할머니께서는 내게 주려고 모으셨다며 호주머니에 사탕을 넣어 주셨다. 나는 가져간 책을 읽어 드렸다. 할머니는 내 이야기를 듣고 어린아이처럼 웃기도 하고 눈물을 글썽이기도 하셨다. 봉사 활동이 힘들어도 왜 계속하는지 이제 알 것 같다. 나를 기다리며 반가워하는 할머니 생각을 하면 일요일 아침이 기다려진다.

핵심 요약에 체크해 보세요.

[□체험 학습 / □봉사 활동]의 경험과 느낀 점을 솔직하게 쓴 [□일기 / □편지글]입니다.

1 다음은 이 글을 요약한 것입니다. 빈칸에 알맞은 말을 쓰시오.

중심 내용

> 수아는 요양원에서 할머니에게 책을 읽어 주는 □□□□을 했어요.

2 '수아'에 대한 내용으로 알맞지 <u>않은</u> 것은 무엇입니까?

추론

① 처음에는 봉사 활동 가는 것을 좋아하지 않았을 거예요.

② 요양원에 처음 갔을 때는 무척 어색하고 당황했을 거예요.

③ 할머니에게 사탕을 받고 싶어 계속 책을 읽어 드릴 거예요.

④ 봉사 활동을 하면서 보람을 느껴 힘들어도 계속 참여할 거예요.

만화책을 흔히 나쁜 책으로 여기는 경향이 있지만, 나름대로 장점이 있다. 우선 재미있고 쉽다는 것이 가장 큰 장점이다. 심지어 요즘에는 어려운 학교 공부를 재미있게 만화로 만든 책들이 유행하고 있다. 그리고 만화책은 주로 선과 악의 대결에서 선이 승리하는 구조로 되어 있어, 교훈적인 성격을 갖는다. 또 만화책은 풍부한 상상력을 길러줄 뿐만 아니라, 책을 읽는 습관도 기를 수 있도록 돕는다.

이러한 장점에 비해 단점도 있다. 우선 만화책은 헛된 생각이나 공상을 담고 있는 경우가 많아 우리들로 하여금 현실 감각을 떨어지게 만든다. 쉬운 만화책만 접하다 보면, 어려운 책은 읽지 않으려는 성향을 갖게 된다. 이러한 흥미 위주의 독서 습관은 깊이 있는 생각을 할 수 있는 기회를 차단한다. 만화책의 흥미에 너무 빠지다 보면 시간을 낭비하게 되는 것도 문제이다.

이제까지 만화책의 장단점에 대해 살펴보았다. 중요한 것은 만화책 자체가 좋고 나쁜 것이 아니라 그 안에 담긴 내용이 좋으면 우리에게 유익하고, 좋지 않으면 우리에게 해롭다는 것이다. 그러므로 우리는 좋은 내용의 만화책을 잘 골라 읽을 수 있도록 노력해야 한다.

핵심 요약에
체크해 보세요.

만화책의 장점과 단점을 살펴보고 [□재미있는 / □좋은] 내용의 만화책을 골라 읽도록 노력해야 한다고 [□주장하는 / □광고하는] 글입니다.

③ 이 글의 핵심어를 찾아 쓰시오.

핵심어

_____

④ 이 글의 중심 내용은 무엇입니까?

글의 주제

① 좋은 내용의 만화책을 골라 읽자.   ② 만화책은 읽으면 안 된다.

③ 만화책은 많은 장점을 갖고 있다.   ④ 만화책은 상상력을 길러 준다.

⑤ '만화책'에 대한 설명으로 알맞지 <u>않은</u> 것은 무엇입니까?

추론

① 만화책을 읽으면 책을 읽는 습관을 기를 수 없어요.

② 흥미 위주로 책을 읽어 깊이 있는 생각을 하지 못하게도 해요.

③ 만화책을 많이 읽으면 어려운 책을 읽지 않으려는 경향도 생겨요.

④ 최근에는 어려운 학교 공부를 재미있게 만화책으로 만들기도 해요.

화석이란 아주 옛날 지구 위에 살았던 생물의 유해나 흔적 또는 배설물 등을 말합니다. 예를 들어 조개껍데기, 동물의 뼈나 발자국 또는 공룡의 배설물 등이 화석이 됩니다. 배설물 화석이라고 해서 냄새가 나고 더러운 것은 아니며 단지 단단하게 굳어진 돌멩이일 따름입니다.

그럼 화석은 어떻게 만들어질까요? 생물이 죽은 다음 물속에 가라앉아 진흙으로 덮여 썩지 않거나 화산재에 급하게 덮이면 화석이 됩니다. 생물이 아무리 안 썩는다고 하더라도 살은 대부분 썩기 때문에 ㉠생물의 살이나 내장 등은 화석으로 발견되기 힘듭니다.

생물체는 물속에 가라앉거나 화산재로 덮인 다음 원래의 성분이 바뀌어 돌이 됩니다. 물론 돌이 된 다음에도 부서지거나 지하수에 녹지 않아야 합니다. 따라서 화석으로 주로 발견되는 것은 생물의 몸에서 단단한 부분들입니다.

그러나 예외적으로 단단하지 않은 박쥐의 위장 내용물이 화석으로 나오는 경우도 있습니다. 늪 위를 날던 박쥐가 늪에서 뿜어져 나온 이산화탄소에 중독되어 늪 속에 떨어져 가라앉았기 때문인 것으로 추측됩니다.

그럼 화석은 일반적으로 어떤 바위에서 나올까요? 화석은 원칙적으로 모래가 쌓인 사암, 진흙이 굳은 셰일, 석회질이 굳어진 석회암 등 퇴적암에서 나옵니다. 강원도에서 많이 나오는 고생대 화석은 주로 석회암과 셰일에서 나옵니다. 반면 남해안에서 많이 볼 수 있는 공룡 발자국 화석은 주로 셰일이나 가는 모래가 쌓인 사암에서 나옵니다.

화석은 마그마가 식은 화성암이나 열과 압력을 받은 변성암에서는 나오지 않습니다. 그러나 아주 예외적으로 용암에서 코뿔소 화석이나 말 발자국 화석이 나오는 경우도 있습니다. 이것은 코뿔소가 용암에 덮여 죽었거나 말이 덜 굳은 용암 위를 걸어가면서 남긴 흔적이 화석이 된 경우입니다.

– 화석이란 뭘까? _ 장순근

핵심 요약에 체크해 보세요.

화석의 개념과 화석이 [□사라지는 / □만들어지는] 조건, 화석이 발견되는 암석에는 어떠한 것이 있는지를 [□설명하는 / □주장하는] 글입니다.

⑥ 이 글에서 설명하고 있는 것을 모두 고르시오.

내용 파악

① 화석이 나오는 바위

② 화석과 돌멩이의 차이점

③ 화석이 만들어지는 조건

④ 화석이 만들어지는 시간

7 이 글의 설명 방식으로 알맞지 <u>않은</u> 것은 무엇입니까?

설명 방식

① 주요 단어를 풀어서 설명하고 있어요.

② 묻고 답하는 방식으로 설명하고 있어요.

③ 예를 들어 가며 이해하기 쉽게 설명하고 있어요.

④ 경험을 떠올리며 이해할 수 있도록 설명하고 있어요.

8 ㉠의 이유로 가장 알맞은 것은 무엇입니까?

내용 적용

① 냄새가 나고 더럽기 때문입니다.

② 대부분 썩어 없어지기 때문입니다.

③ 단단하여 보존하기가 쉽게 때문입니다.

④ 늪 속에 떨어져 가라앉았기 때문입니다.

9 이 글을 바탕으로 [보기]의 '공룡 발자국 화석'을 이해한 내용으로 알맞은 것은 무엇입니까?

추론

| 보기 |

　　　　영희는 아빠와 함께 경상남도 고성 해안에 있는 공룡 발자국 화석을 보았습니다. 공룡 발자국의 생김새를 보고 실제 공룡이 있었다면 그 모습이 어땠을지 생각해 보았습니다.

① 주로 마그마가 식은 화성암에서 나오는 화석입니다.

② 주로 석회질이 굳어진 석회암에서 나오는 화석입니다.

③ 주로 열과 압력을 받은 변성암에서 나오는 화석입니다.

④ 주로 셰일이나 가는 모래가 쌓인 사암에서 나오는 화석입니다.

한눈에 보는
약점 유형 분석

틀린 문제에 ✔표를 하세요.

❶ 중심 내용	❷ 추론	❸ 핵심어	❹ 글의 주제	❺ 추론	❻ 내용 파악	❼ 설명 방식	❽ 내용 적용	❾ 추론

설명하는 글 문제 ❶~❷

여러분은 사찰에 가 본 적이 있나요? 사찰 입구에 보면 사천왕이 서 있어요. 잔뜩 성난 인상에 탑을 들거나 칼이나 용을 잡고 있는, 힘이 무척 셀 것 같은 모습이지요. 이 힘상궂은 사천왕은 본격적으로 사찰에 들어서기 전에 꼭 지나게 되어 있어요.

사천왕은 하늘에 있는 4명의 왕을 뜻합니다. 이 4명의 사천왕은 각각 동서남북 네 방위를 상징합니다. 불교에서 말하는 세계에서 가장 높은 산은 수미산인데, 수미산 꼭대기에는 부처님이 있습니다. 사천왕은 수미산 중턱에서 부처님이 있는 공간을 지키고 있습니다.

동쪽을 지키는 지국천왕은 왼손에 칼을 쥐고 있고요. 서쪽을 지키는 광목천왕은 삼지창과 탑을 들고 있어요. 남쪽을 지키는 증장천왕은 오른손에는 용을 움켜쥐고 왼손에는 용의 입에서 빼낸 여의주를 쥐고 있답니다. 마지막으로 북쪽을 지키는 다문천왕은 왼손에 늘 비파를 들고 있답니다.

마음속에 욕심이나 질투 같은 나쁜 생각을 갖고 있다면 사천왕이 못 들어가게 입구를 막아요. 부처님이 있는 세계에 나쁜 마음을 가진 사람이 함부로 올 수 없다는 것이죠. 그래서 우리가 사찰에 갈 때 나쁜 마음을 갖고 있는지 되돌아보게 합니다.

– 잘못을 돌아보다, 사천왕 _ 박상용

  핵심 요약에 체크해 보세요.

[□교회 / □사찰] 입구를 지키는 사천왕에 대해 [□주장하는 / □설명하는] 글입니다.

① 이 글에서 설명하고 있는 대상은 무엇입니까?

핵심어

_____

② 이 글의 내용으로 알맞은 것은 무엇입니까?

내용 적용

① 사천왕은 동서남북 네 방위를 상징합니다.

② 사천왕은 수미산 꼭대기에서 부처님을 지킵니다.

③ 불교에서 말하는 가장 높은 산은 히말라야입니다.

④ 지국천왕은 남쪽을 지키며 왼손에는 용을 쥐고 있습니다.

한글봇은 외국인들에게 한글의 원리를 쉽고 빠르게 전달해 주기 위해 고안된 일종의 로봇이에요. 사람을 닮은 손과 발, 얼굴이 있는 로봇이 아니라, 블록과 비슷하게 생겼어요. 하지만 한글봇으로 한글 한 자를 만들면 그 글자를 소리로 표현할 줄 알아요.

예를 들어 한글봇의 'ㄱ'과 '_', '•' 블록으로 '고' 자를 만들면 스피커에서 '고'라는 소리가 나와요. 그뿐만이 아니에요. 여기서 'ㅗ'로 조립된 블록을 180도로 회전시키면 '구'가 되는데, 이때는 '구'라는 소리가 나온답니다. 블록 안에 내장된 광센서가 각각의 블록에서 나오는 빛을 포착해 어떤 글자인지 인식한 다음 블록의 스피커에서 해당 글자에 맞는 소리를 내는 원리랍니다. 정말 신기하죠? 생긴 것은 단순하지만 이와 같이 자음과 모음의 소리를 구별할 수 있어 로봇으로 불립니다.

한글봇을 본 외국인들은 단 3분이면 한글의 원리를 파악할 수 있었다고 합니다. 그리고 한글을 아직 모르는 어린이들이 한글봇을 갖고 놀다 보면, 저절로 한글을 배울 수 있고, 창의성이 높아질 수도 있답니다. 외국인들도 한글봇을 통해 한글을 쉽고 빠르게 배울 수 있었으면 좋겠네요.

– 한글봇을 아세요 _ KBS 한국어연구회

핵심 요약에 체크해 보세요.

외국인들에게 [□한문 / □한글]의 원리를 쉽고 빠르게 전달해 주기 위해 만들어진 한글봇에 대해 [□설명하는 / □주장하는] 글입니다.

 3

중심 내용

이 글의 '한글봇'에 대한 설명으로 알맞지 <u>않은</u> 것은 무엇입니까?

① 사람을 닮은 손과 발, 얼굴의 형태를 갖고 있는 로봇이에요.

② 한글봇으로 한글 한 자를 만들면 그 글자를 소리로 표현할 줄 알아요.

③ 외국인들에게 한글의 원리를 쉽고 빠르게 전달해 주기 위해 만들어졌어요.

④ 한글봇을 통해 어린이들은 글자를 배울 수 있고 창의성도 높일 수 있어요.

 4

내용 적용

[보기]의 빈칸에 들어갈 말로 알맞은 것은 무엇입니까?

| 보기 |

철수는 한글봇의 'ㅁ', '•', 'ㅣ', 'ㄱ' 블록으로 '먹'을 만들었더니 '먹'이라고 스피커에서 소리가 나왔어요. 그러다가 'ㅓ'로 조립된 블록을 180도 회전시켰더니 □ 이라는 글자가 만들어지고 그 글자의 소리가 났어요.

① 목　　　　② 먹　　　　③ 막　　　　④ 묵

커피는 강우량이 많으면서 덥고 습한 열대성 기후에서 잘 자란다. 하지만 커피가 기온이 높은 지역에서만 재배되는 것은 아니다. 예를 들어 세계 생산량의 70%를 차지하는 '아라비카'는 열대 고지대에서도 생산할 수 있다. 그리고 커피의 원산지로 알려진 곳도 바로 에티오피아의 고원 지역이다.

약 1000년 전 아프리카 에티오피아에서 어떤 목동이 염소들이 커피 열매를 먹는 것을 보고 그 열매를 씹어 보았는데 기분이 좋아지고 나른한 오후에도 졸리지 않았다. 커피에는 일반 차보다 5배가 넘는 카페인이 들어 있기 때문이다. 이렇게 커피는 아프리카에서 음료수나 식량이 되었고, 아라비아 사람들은 커피콩을 이용해 수프를 만들어 먹기도 했다.

수백 년이 지난 후 유럽 상인들이 아프리카에 들어와 커피 맛을 보고 이것을 상품으로 개발해 유럽으로 팔면 큰돈을 벌 것이라고 생각했다. 그렇게 해서 커피는 유럽으로 들어왔고, 다시 아메리카와 동남아시아에까지 전파되었다. 흥미롭게도 오늘날에는 브라질과 콜롬비아, 아시아의 베트남, 인도네시아가 세계적인 커피 생산국이 되었다.

오늘날 커피는 석유 다음으로 무역액이 크다. 그런데 이상하게도 커피콩을 따는 아프리카, 아시아, 라틴아메리카의 노동자들은 가난을 면치 못하고 있다. 왜 그럴까? 대부분 경사가 심한 산악 지대의 커피 농장에서 아침부터 늦은 저녁까지 커피 열매를 따는 사람들이 받는 돈은 기업의 가공비, 광고비, 이윤 등에 비해 턱없이 적기 때문이다. 런던, 뉴욕 등의 카페에서는 커피 값이 올라도 아프리카 노동자들의 임금은 오르지 않는 것이 현실이다.

이런 불공정한 거래는 커피뿐만 아니라 대부분의 기업적 농업 작물에서 나타난다. 1989년 세계커피기구가 조직되었지만 아직 ⊙문제를 해결하지 못하고 있다. 오히려 1990년대 들어 커피 재배 면적이 다른 지역으로 확대되면서 커피콩의 가격이 급락하였을 때도 선진국의 기업들은 더 많은 돈을 벌었다.

　　　　　　　　　　　　　　　　　　　　　　　　– 커피는 왜 슬픈 열매일까? _ 조지욱

핵심 요약에 체크해 보세요.　식품으로서의 [□녹차 / □커피]의 유래와 재배지 등을 살펴보고 관련 기업과 노동자들의 불공정한 관계에 대해 [□광고하는 / □설명하는] 글입니다.

5 이 글의 설명 방식으로 알맞지 <u>않은</u> 것은 무엇입니까?

설명 방식

① 맛에 따라 커피의 종류를 구분하여 설명하고 있다.

② 커피의 거래에서 나타나는 문제점을 지적하고 있다.

③ 커피를 재배하기 유리한 기후에 대해 소개하고 있다.

④ 커피가 상품으로 개발된 과정에 대해 설명하고 있다.

6 이 글에서 커피의 원산지라고 말한 곳은 어디입니까?

내용 파악

① 유럽

② 브라질

③ 베트남

④ 에티오피아

7 ㉠의 의미로 가장 알맞은 것은 무엇입니까?

추론

① 카페인이 적은 커피를 개발하지 못하는 현실

② 커피 노동자들이 가난을 면치 못하는 현실

③ 다양한 나라에서 커피를 즐길 수 없는 현실

④ 더 많은 나라에서 커피를 재배할 수 없는 현실

8 이 글의 제목으로 가장 어울리는 것은 무엇입니까?

글의 제목

① 슬픈 열매로 불리는 커피

② 커피를 재배하기 유리한 기후

③ 세계적인 기호 식품이 된 커피

④ 세계 모든 나라로 확산되는 커피 재배

한눈에 보는
약점 유형 분석

틀린 문제에 ✔표를 하세요.

❶ 핵심어	❷ 내용 적용	❸ 중심 내용	❹ 내용 적용	❺ 설명 방식	❻ 내용 파악	❼ 추론	❽ 글의 제목

♣ 공부한 날: ☐ 월 ☐ 일 ♣ 맞은 개수: ☐ / 9문항

설명하는 글 문제 ❶~❷

　국가 상징이란 자신의 나라를 국제 사회에 알리기 위해, 알릴만한 내용을 그림·문자·도형 등으로 나타낸 공식적인 징표를 말해요. 우리나라에는 국기, 국가, 국화, 국새, 나라 문장 등 5대 국가 상징물이 있어요.

　우리나라 국기는 태극기예요. 태극기는 1882년 박영효가 일본에 수신사로 갈 때 처음 만들어졌고, 이듬해 고종은 태극기를 조선 국기로 공표했어요. 1948년 대한민국 정부가 세워져 이듬해 지금과 같은 모양의 태극기가 정식 국기로 정해졌어요.

　국가는 나라를 상징하는 노래인데, 각종 행사의 식전에 연주되거나 국가 원수에 대한 의례로서 연주되지요. 우리나라 국가는 애국가예요. 1948년 대한민국 정부가 세워진 뒤 안익태가 작곡한 애국가가 정부의 공식 행사에 쓰이고 있어요.

　우리나라 국화는 무궁화예요. 법으로 정해진 것은 아니지만, 오랜 세월 우리 민족과 함께 해 왔기 때문에 자연스럽게 우리나라 국화로 여겨져 왔어요. 특히 애국가에 '무궁화 삼천리 화려강산'이라는 구절이 있어 더욱 국민들의 사랑을 받고 있어요.

　국새는 나라 도장으로, 대통령이 국가 원수로서 행하는 중요한 문서에 사용되고 있어요. 또, 나라 문장은 우리나라를 나타내는 마크예요. 무궁화 속에 태극무늬를 넣은 나라 문장이 쓰이고 있어요.

－ 한국의 5대 상징물 _ 신현배

핵심 요약에 체크해 보세요.

우리나라 [☐ 태극기 / ☐ 국가 상징물]의 종류와 쓰임새에 대해 [☐ 설명하는 / ☐ 광고하는] 글입니다.

1 우리나라의 5대 국가 상징물은 무엇입니까?

핵심어

_____

2 이 글의 내용으로 알맞지 <u>않은</u> 것은 무엇입니까?

내용 파악

① 무궁화는 정식 국화로 고종이 법으로 공표하였어요.

② 나라 문장은 무궁화 속에 태극무늬를 넣어 만들었어요.

③ 애국가는 1948년 대한민국 정부가 세워진 뒤 안익태가 작곡했어요.

④ 태극기는 1882년 박영효가 일본에 수신사로 갈 때 처음 만들어졌어요.

　　옛날엔 유럽에서 인도로 갈 때에 배를 타고 동쪽으로 떠났습니다. 아프리카와 중동을 지나 인도에 도착했지요. 그래서 인도까지 가는 데에는 오랜 시간이 걸렸습니다. 이 무렵에 많은 과학자들은 지구는 둥그니까, 서쪽 바다를 지나면 언젠가 동쪽의 인도가 나올 거라고 주장했어요. 그러나 대부분의 사람들은 고개를 설레설레 저었습니다. 유럽 사람들에게 서쪽 바다는 가 본 적이 없는 무서운 세계였고, 아무도 용기를 내지 않았습니다.

　　그 때 콜럼버스는 서쪽 바다로 항해를 떠나 인도에 가기로 결정했습니다. 많은 사람들이 그의 얼굴을 다시 볼 수 없을 거라고 말했지만, 그는 반 년 만에 서쪽 바다를 건너는 데 성공했습니다. 유럽은 서쪽 바다 너머에 있는 신대륙을 찾아내게 된 것입니다.

　　시도해 보기도 전에 '안 된다', '못 한다'라고 생각했다면 콜럼버스는 새로운 항로를 발견할 수 없었을 겁니다. ㉠용감한 모험가는 남이 지나간 길보다, 아무도 가 보지 않은 길을 찾아내는 데 더 큰 기쁨을 느낍니다. 우리는 완전히 새로운 곳으로 나아가는 데 필요한 용기를 배우게 됩니다. 용기는 모두에게 멋진 경험을 할 수 있는 기회를 줄 것입니다.

– 새로운 길로 출발, 탐험가 콜럼버스 _ 오주영

핵심 요약에 체크해 보세요.

아무도 가지 않은 길로 항해하는 [□모험 / □안정]을 택한 콜럼버스의 실제 이야기로부터 교훈을 얻을 수 있는 [□동화 / □전기문]입니다.

---

❸

중심 내용

다음은 이 글의 중심 내용입니다. 빈칸에 알맞은 말을 쓰시오.

> 　　우리는 콜럼버스로부터 두려움 없이 새로운 곳으로 나아가는 □□ 를 배울 수 있습니다.

---

❹

내용 파악

이 글의 내용으로 알맞지 <u>않은</u> 것은 무엇입니까?

① 콜럼버스의 결정으로 유럽은 신대륙을 찾을 수 있었어요.

② 콜럼버스는 반 년이 걸려 서쪽 바다를 건너는 데 성공했어요.

③ 유럽 사람들은 콜럼버스가 항해를 성공하지 못할 거라 생각했어요.

④ 콜럼버스 덕분에 인도에 갈 때 아프리카와 중동을 지날 수 있었어요.

---

❺

추론

㉠에 알맞은 사람을 이 글에서 찾아 쓰시오.

_____

어머니께서 방울토마토 다섯 그루를 사 오셨다. 나는 방울토마토가 자라나서 열매를 맺을 때까지의 과정을 관찰하기로 했다.

세 그루는 거실 밖에 있는 에어컨 설치 장소에 ㉠갇다 놓았다. 그곳은 낮 동안 햇빛이 잘 드는 곳이다. 자리가 부족하여 두 그루는 안방 창문 쪽에 두었다. 그쪽은 햇빛이 들지 않는다.

처음에는 크기나 줄기의 굵기가 비슷했다. 그런데 1주일 후에는 조금 차이가 나기 시작했다. 에어컨을 ㉡놓은 자리에 있던 세 그루는 줄기가 짙은 녹색을 띠면서 조금 두꺼워졌지만 키는 그다지 크지 않았다. 한 3cm 정도만 자란 것 같았다. 하지만 안방 창문 쪽에 있던 두 그루는 몰라보게 키가 자랐다. 7cm 정도 자란 것 같았다. 반면 줄기의 굵기는 처음과 별 차이가 없었다. 줄기의 색깔은 에어컨 자리에 있는 것들보다 훨씬 ㉢옅은 녹색을 ㉣띠었다.

3주가 지나자, 에어컨 자리에 있던 세 그루에 하얀 꽃이 피었다. 키도 제법 많이 자랐고, 줄기의 굵기도 많이 굵어졌다. 잎도 무성하게 났고 색깔도 짙은 녹색을 유지하고 있었다. 그런데 안방 창문 쪽의 두 그루는 앞의 세 그루보다 훨씬 키가 컸지만, 줄기의 굵기는 그 반밖에 되지 않아 금방이라도 쓰러질 듯이 보였다. 또 아직까지 꽃이 피지 않았다. 꽃망울도 몇 개 되지 않았다.

4주째, 드디어 에어컨 자리에 있던 세 그루에 꽃이 지면서 방울토마토가 생겨났다. 안방 창문 쪽 것들은 이제 겨우 꽃이 몇 개 피어났는데, 꽃잎도 작고 시들시들했다.

5주째, 에어컨 쪽에 세 그루에서 방울토마토가 가게에서 파는 것만큼이나 커졌다. 열 개, 열한 개, 열세 개, 세 그루에 생겨난 방울토마토의 수는 모두 서른네 개나 되었다. 물론 아직 색깔은 파랬다. 하지만 안방 쪽 두 그루에서는 겨우 다섯 개만 열렸다. 그것도 매우 작았다.

다섯 그루 모두 같은 흙이었고, 영양제도 똑같이 주었다. 차이가 난 것은 햇빛뿐이었다. 햇빛이 식물의 성장에 이렇게 큰 영향을 준다는 점을 깨달았다. 내년에는 보다 세밀하게 관찰하여 더 자세하게 기록해야겠다.

– 방울토마토 관찰 일기 _ 강민숙

방울토마토를 각각 다른 [□집 / □장소]에서 키우면서 그 차이점을 자세하게 기록하고 느낀 점을 쓴 [□관찰 일기 / □기사문]입니다.

6 다음은 이 글의 중심 내용입니다. 빈칸에 들어갈 알맞은 말을 쓰시오.

중심 내용

> 나는 방울토마토를 관찰하면서 ☐☐이 식물의 성장에 큰 영향을 준다는 점을 깨달았어요.

7 이 글의 설명 방식으로 가장 알맞은 것은 무엇입니까?

설명 방식

① 방울토마토의 종류에는 어떤 것들이 있는지 설명했어요.

② 방울토마토의 생김새를 친숙한 대상에 빗대어 설명했어요.

③ 방울토마토의 특성과 가장 잘 자라는 기후에 대해 설명했어요.

④ 장소에 따라 다르게 자라는 방울토마토를 비교하여 설명했어요.

8 다음과 같이 이 글을 정리할 때, 알맞지 <u>않은</u> 내용은 무엇입니까?

내용 파악

		에어컨 자리의 세 그루	안방 창문 쪽의 두 그루
	처음	크기나 굵기가 비슷함.	
①	1주일 후	줄기가 짙은 녹색이고 두꺼워졌지만, 키는 크지 않음.	키가 컸으나, 줄기의 굵기는 처음과 별 차이가 없음.
②	3주일 후	하얀 꽃이 피었으며, 줄기는 굵어졌지만 키는 그대로임.	키가 크지만 줄기가 가늘고 꽃이 피지 않음.
③	4주일 후	꽃이 지고 방울토마토가 생겨남.	작고 시들시들한 꽃이 핌.
④	5주일 후	방울토마토가 모두 서른네 개가 열림.	방울토마토가 다섯 개만 열림.

9 ㄱ~ㄹ 중에서 낱말의 표기가 올바르지 <u>않은</u> 것은 무엇입니까?

어휘

① ㄱ   ② ㄴ   ③ ㄷ   ④ ㄹ

한눈에 보는
약점 유형 분석

틀린 문제에 ✔표를 하세요.

❶ 핵심어	❷ 내용 파악	❸ 중심 내용	❹ 내용 파악	❺ 추론	❻ 중심 내용	❼ 설명 방식	❽ 내용 파악	❾ 어휘

중요한 낱말을 다시 한번 확인하고 □에 써 보세요.

징조
(부를 徵, 조짐 兆)

어떤 일이 생길 기미.

예 큰 별이 떨어진 것을 보고 불안한 ☐☐라고 했다.

징표
(부를 徵, 표할 標)

어떤 것과 다름을 나타내 보이는 두드러진 점.

예 네 잎 클로버는 행운의 ☐☐로 간주되기도 한다.

건의
(세울 建, 의논할 議)

개인이나 단체가 의견이나 희망을 내놓음.

예 우리는 복지 문제의 해결을 ☐☐하였다.

잉태
(아이 밸 孕, 아이 밸 胎)

아이나 새끼를 뱀.

예 생명을 ☐☐하고 기르는 여성이야 말로 고귀하다.

인식
(알 認, 알 識)

사물을 분별하고 판단하여 앎.

예 기술 개발을 하지 않으면 살아남기 힘들다는 사실을 깊이 ☐☐하고 있다.

파악
(잡을 把, 쥘 握)

어떤 대상의 내용을 충분히 이해하여 확실하게 앎.

예 경찰은 범인의 도주로를 미리 ☐☐하였다.

평안
(평평할 平, 편안할 安)

걱정이나 탈이 없음. 또는 무사히 잘 있음.

예 내가 좋아하는 노래를 들으니 마음이 ☐☐하다.

무성
(우거질 茂, 채울 盛)

잘 자라서 우거질 정도로 빽빽함.

예 그 나무는 제법 가지가 ☐☐하다.

풍부 (풍년 豊, 넉넉할 富)	넉넉하고 많음. 예 그녀는 감정이 매우 ⬚⬚하다.
고귀 (높을 高, 귀할 貴)	훌륭하고 귀중함. 예 인간은 누구나 ⬚⬚한 존재이다.
포착 (잡을 捕, 잡을 捉)	놓치지 않고 꼭 붙잡음. 예 이 사진작가는 나비가 꽃에 내려앉는 순간을 ⬚⬚하 였다.
기이 (기이할 奇, 다를 異)	보통과는 다르게 유별나고 이상함. 예 그녀는 그 나라의 ⬚⬚한 풍속을 좋아했다.
하여금	누구를 시키어. 예 동생으로 ⬚⬚⬚ 집안일을 보게 하였다.
고안 (생각할 考, 책상 案)	연구하여 새로운 안을 생각해 냄. 예 직원들이 신제품을 ⬚⬚하여 큰 성과를 거두었다.
부착 (붙을 附, 붙을 着)	떨어지지 아니하게 붙이거나 닮. 예 이곳은 신분증을 ⬚⬚한 사람만 들어올 수 있다.

[01~04] 다음의 뜻에 알맞은 낱말을 [보기]에서 찾아 쓰시오.

01   아이나 새끼를 뱀.

02   걱정이나 탈이 없음. 또는 무사히 잘 있음.

03   어떤 대상의 내용을 충분히 이해하여 확실하게 앎.

04   사물을 분별하고 판단하여 앎.

┤ 보기 ├

평안   파악   인식   잉태

[05~07] 주어진 뜻에 맞는 낱말을 빈칸에 넣어 문장을 완성하시오.

05   돌보지 않은 묘에 잡초가 〔　　〕하게 자라 있다.

＊뜻: 잘 자라서 우거질 정도로 빽빽함.

06   반장의 〔　　〕에 따라 학급문고를 설치하기로 하였다.

＊뜻: 개인이나 단체가 의견이나 희망을 내놓음.

07   날씨가 맑은 걸 보니 우리나라가 축구에서 이길 〔　　〕이다.

＊뜻: 어떤 일이 생길 기미.

08   **빈칸에 공통으로 들어갈 낱말을 쓰시오.**

| ㅈ ㅍ | ① 그들은 사랑의 〔　　〕로 반지를 주고 받았다. |
| | ② 요즘 변화의 〔　　〕를 곳곳에서 찾아볼 수 있다. |

십자말 풀이

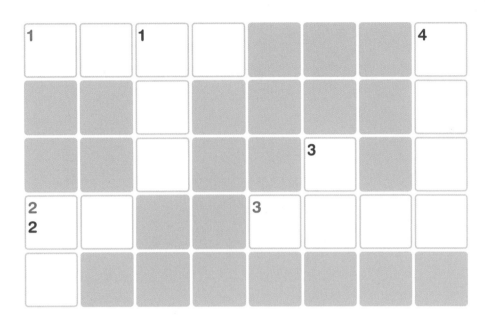

🔑 가로 열쇠

1. 보통과는 다르게 유별나고 이상하다.

2. 훌륭하고 귀중함.

3. 놓치지 않고 꼭 붙잡다.

🔑 세로 열쇠

1. 누구를 시키어.

2. 연구하여 새로운 안을 생각해 냄.

3. 떨어지지 아니하게 붙이거나 닮.

4. 넉넉하고 많다.

16~20 일차

16 일차	아빠, 미안해하지 마세요	동화
	목판에 새긴 우리 땅, 대동여지도	설명하는 글
	『아낌없이 주는 나무』를 읽고	독서 감상문
17 일차	'코치'라는 단어가 만들어진 사연	설명하는 글
	사람의 손으로 일군 자연, 논과 밭	설명하는 글
	국립광주박물관을 다녀와서	기행문
18 일차	직업에는 귀천이 없다	일기
	석굴암과 불국사	설명하는 글
	세상을 움직이는 회의	설명하는 글
19 일차	『니모를 찾아서』를 보고	영화 감상문
	은행이 생긴 이유	설명하는 글
	물에서 도망친 물, '수증기'	설명하는 글
20 일차	지구 온난화로 빙하가 녹아내리다	설명하는 글
	피겨 여왕, 김연아	전기문
	땅에 묻은 돈	동화
16~20 일차	글 읽기를 위한 어휘 연습	
16~20 일차	어휘력 쑥쑥 테스트	

우리 아빠예요. 우리 아빠는 걷지 못해요. 아빠가 어렸을 때부터 그랬대요. 아빤 나에게 미안하다는 말을 자주 해요.

봄이 왔어요. "아빠가 같이 자전거 못 타서 미안해."

"괜찮아요, 아빠. 나는 아빠랑 공원에서 예쁜 꽃을 보는 게 좋아요."

여름이 왔어요. "우리 같이 신나게 헤엄치고 놀 수 있으면 참 좋겠다."

"괜찮아요, 아빠. 나는 아빠랑 해변에서 모래성 만드는 게 좋아요."

비가 왔어요. "비 오는 날에는 밖에서 첨벙첨벙 빗물 놀이를 하고 싶진 않니?"

"아니요, 비 오는 날에는 아빠가 만들어 주는 코코아를 마시며 빗소리를 듣고 싶어요."

내가 아빠에게 또 말했어요.

"내 친구들은 가끔 아빠와 함께 스키도 타고 바나나 보트도 탔다고 자랑해요. 그럼 나도 친구들에게 말해요. 나는 아빠가 멋진 요리사로 변신해서 좋고, 아빠랑 그림 그리는 건 언제나 신난다고요. 또 아빠랑 같이 있으면 새도 다람쥐도 모두 친구가 된다고요! 아빠는 늘 나에게 미안하다고 말하지만, 나는 아빠와 매일매일 함께할 수 있어서 정말 행복해요."

– 아빠, 미안해하지 마세요 _ 홍나리

핵심 요약에 체크해 보세요.

다리가 불편한 [☐엄마 / ☐아빠]와 매일 함께할 수 있어 행복해하는 나의 이야기를 담은 [☐동시 / ☐동화]입니다.

1 추론

'아빠'가 '나'에게 미안하다고 하는 이유는 무엇입니까?

① 봄에 예쁜 꽃을 함께 보지 못해서

② 다리가 불편해 많은 놀이를 함께 못해서

③ 집안이 어려워 많은 것을 해 주지 못해서

④ 요리 솜씨가 없어 맛있는 음식을 해 주지 못해서

2 핵심어

'아빠'와 '나'의 서로에 대한 마음 상태를 나타내는 말은 무엇입니까?

•아빠 → _____ •나 → _____

조선 시대에는 정확한 지도가 없었습니다.

"정확한 지도가 있다면 좋을 텐데……."

그래서 조선 시대의 김정호라는 사람이 두 발로 온 나라를 다니며 직접 지도를 만들었습니다. 그렇게 만들어진 지도가 바로 '대동여지도'입니다.

나라의 벼슬아치들은 지도는 나라에서 관리해야 하며 백성들이 품고 다니다 외적에게 빼앗기면 나라가 큰 피해를 입을 수도 있다고 생각했습니다. 하지만 김정호는 지도가 있어야 백성들이 더 잘 살 수 있을 거라고 확신했습니다. 또 외적이 쳐들어와도 정확한 지도가 있다면 유리한 위치에서 방어할 수 있을 것이라고 여겼습니다.

김정호는 전국 방방곡곡을 다니며 ㉠대동여지도를 만들었습니다. 대동여지도는 22첩의 목판으로 이루어져 있는데, 원본을 따라 그리지 않고 필요한 부분만 찍어서 가져가면 되었기 때문에 내용이 달라질 일이 없었습니다. 백성들이 참 편리하게 사용했을 것입니다.

대동여지도를 만든 김정호는 끈기가 대단한 사람이었습니다. 대동여지도를 27년에 걸쳐 만든 것을 보아도 알 수 있습니다. 그리고 김정호는 학문을 익히는 일을 게을리하지 않았는데, 지도에 관한 모든 책을 읽고 연구할 정도였습니다. 이렇게 꼼꼼하고 끈기 있게 만든 대동여지도는 정말 정밀했는데, 오늘날의 지도와 비교해도 차이가 거의 없습니다.

－목판에 새긴 우리 땅, 대동여지도 _ 이미영

핵심 요약에 체크해 보세요.

조선 시대에 온 나라를 다니며 지도를 만든 [☐김정희 / ☐김정호]에 대해 [☐설명하는 / ☐주장하는] 글입니다.

---

❸ 다음은 이 글의 중심 내용입니다. 빈칸에 알맞은 말을 쓰시오.

중심 내용

> ☐☐☐는 ☐☐가 있어야 백성들이 더 잘 살 수 있을 것이라고 생각하여 대동여지도를 만들었습니다.

---

❹ ㉠에 대한 설명으로 알맞지 <u>않은</u> 것은 무엇입니까?

내용 파악

① 22첩의 목판으로 이루어져 있습니다.

② 지도를 완성하는 데 27년이나 걸렸습니다.

③ 원본과 내용이 달라질 수 있다는 단점이 있습니다.

④ 김정호가 전국 방방곡곡을 돌아다니며 만들었습니다.

나는 이 책을 읽고 이 나무처럼 아낌없이 주는 사랑이 있을까 생각해 보았다. 그리고 나는 부모님을 생각했다. 책을 한 장 한 장 넘기면서 부모님과 나무를 비교하고, 소년과 나를 비교해 보았다.

㉠소년은 매일 숲 속에서 나무와 행복한 나날을 보냈다. 하지만 시간이 흐르면서 소년은 나무를 잘 찾아오지 않았다. 그러던 어느 날, 소년은 청년이 되어 찾아왔다. 소년은 나무에게 돈을 벌게 해 달라고 말했다. ㉡나무는 자신의 열매를 따 가라고 했다. 나무는 행복했다. 세월이 흘러 소년은 아저씨가 되어 돌아왔다. 소년은 이번에는 집을 지을 수 있는 재료가 필요하다고 했다. 나무는 자신의 가지를 소년에게 주었다. 나무는 소년에게 베풀면서 행복을 느끼는 것 같았다. 부모님이 우리를 위하면서, 행복해하시는 것처럼 말이다.

다시 세월이 흘러 소년은 더 나이 든 아저씨가 되어 찾아오고, 나무는 그에게 자신의 기둥으로 배를 만들어 여행을 할 수 있도록 해 준다. ㉢소년은 이젠 머리가 하얀 할아버지가 되어 돌아왔다. 나무는 더 이상 소년에게 해 줄 것이 없어 미안한 마음이 들었다. 나무는 소년을 쉬게 해 줄 방법을 생각했다. 그리고 자신의 밑동을 죽 펴서 소년이 앉아 쉴 자리를 마련해 주었다. 편히 쉬는 소년을 보며 나무는 정말 행복했다.

나무는 소년에게 아무 것도 바라지 않고 무조건 주었다. 어떻게 그렇게 할 수 있었을까? 자기에게 조금도 친절하게 대해 주지 않고 받기만 하는 소년이 좋았을까? 나중에 할아버지가 된 소년에게 나무가 밑동을 내미는 것을 보고, 제목 그대로 '아낌없이 주는 나무구나.'하고 생각했다. 그리고 ㉣이 나무의 마음은 우리 부모님의 사랑과 너무 똑같다고 생각했다.

난 부모님께 무엇을 해 드렸을까? 소년처럼 받기만 한 것은 아닐까? 그리고 고마움도 몰랐던 것은 아닐까? 나는 이 책을 읽으면서 많은 생각을 했고 반성도 했다. 앞으로는 부모님의 사랑을 감사하면서 살아야겠다.

핵심 요약에 체크해 보세요.

『아낌없이 주는 나무』라는 [□전기문 / □책]을 읽고 줄거리와 자신이 느낀 점을 솔직하게 쓴 [□독서 감상문 / □안내문]입니다.

❺ 다음은 글쓴이의 생각을 정리한 것입니다. 빈칸에 알맞은 말을 쓰시오.

중심 내용

이 책에 나오는 '아낌 없이 주는 나무와 ⬚⬚⬚', '소년과 ⬚'를 비교하면서 너무 비슷하다고 생각했어요.

6 내용 파악

'아낌없이 주는 나무'에 대한 설명으로 알맞지 <u>않은</u> 것은 무엇입니까?

① 열매를 주어 돈을 벌 수 있게 해 주었어요.

② 가지를 주어 집을 지을 수 있게 해 주었어요.

③ 뿌리를 주어 약을 얻을 수 있게 해 주었어요.

④ 밑동을 주어 앉아서 쉴 수 있게 해 주었어요.

7 글의 주제

글쓴이가 『아낌없이 주는 나무』를 읽고 느낀 점은 무엇입니까?

① 부모님의 사랑   ② 나무의 쓰임새

③ 사람의 일생   ④ 자연의 아름다움

8 내용 적용

㉠~㉣ 중, [보기]의 ㉮에 해당하는 것은 무엇입니까?

┤ 보기 ├

독서 감상문을 쓸 때는 책의 사실적인 내용과 그에 따른 ㉮자신의 생각과 느낌이 포함된 감상을 함께 적어야 합니다.

① ㉠   ② ㉡   ③ ㉢   ④ ㉣

한눈에 보는
약점 유형 분석

틀린 문제에 ✔표를 하세요.

❶ 추론	❷ 핵심어	❸ 중심 내용	❹ 내용 파악	❺ 중심 내용	❻ 내용 파악	❼ 글의 주제	❽ 내용 적용

설명하는 글 문제 ❶～❷

유럽에 위치한 나라 헝가리에는 코치라는 작은 도시가 있어요. 코치는 작은 도시였지만 도시 이름과 같은 코치라는 마차 때문에 유럽 전체에서 아주 유명했어요. 이 마차는 지붕이 있고 사방이 막혀 있었으며 바퀴가 네 개였어요. 안에는 두 개의 의자가 마주 보고 있어 네 사람이 탈 수 있었어요. 코치는 편하게 잘 만들어졌다고 명성이 자자했어요.

코치는 처음에 한두 마리의 말이 끌던 마차였어요. 하지만 호화스러운 것을 좋아하는 귀족들은 많은 말들이 끄는 마차를 갖고 싶어 했어요. 코치는 점점 대여섯 마리의 말이 끄는 호화스러운 마차로 변했어요.

하지만 말의 수가 늘다 보니, 그 말들을 다루는 것이 쉬운 일이 아니었어요. 코치를 잘 몰려면 솜씨 좋은 마부가 필요했지요. 말에 대해서 잘 알고 훈련을 잘 시키는 사람이 코치의 마부로 적합했어요. 그래서 사람들은 여러 마리의 말이 끄는 코치를 잘 다루는 마부 역시 코치라고 부르게 되었어요.

이와 같이 '코치'는 작은 도시의 이름에서 출발해 마차 이름과 마부를 가리키는 말을 거쳐 지금은 운동하는 사람들에게 기술을 가르쳐 주는 사람을 가리키게 되었어요.

– '코치'라는 단어가 만들어진 사연 _ 김정신

핵심 요약에 체크해 보세요.

헝가리의 [☐수도 / ☐도시] 이름이었던 코치의 의미가 오늘날까지 어떻게 변화하였는지 그 과정을 [☐주장하는 / ☐설명하는] 글입니다.

❶ 이 글의 제목으로 가장 알맞은 것은 무엇입니까?

글의 제목

① 코치라는 도시의 명성과 발전 과정 ② 코치라는 마차의 유래와 변화 과정

③ 코치라는 마부의 자격과 기술 발전 ④ 코치라는 단어의 의미와 변화 과정

❷ '코치'에 대한 설명으로 알맞지 <u>않은</u> 것은 무엇입니까?

중심 내용

① 원래 헝가리에 있는 작은 도시 이름이에요.

② 코치는 처음부터 대여섯 마리의 말이 끌던 마차예요.

③ 여러 마리의 말을 끄는 마부를 코치라고 부르게 되었어요.

④ 현재는 운동선수에게 기술을 가르쳐 주는 사람을 가리켜요.

농사는 매우 중요한 활동이지요. 사람들은 농사를 지어서 필요한 식량을 얻어요. 인류는 정착 생활을 시작한 신석기 시대부터 농사를 지었어요. 그전까지는 여기저기 옮겨 다니며 채집 생활을 했어요. 이후 강가나 해안가에 움집을 짓고 살기 시작했고, 집 주변에 특정 식물이 자라는 것을 알게 되었어요. 작물을 직접 재배할 수 있다는 것을 깨달은 거죠. 이것이 '신석기 혁명'이라고 불리는 농사의 시작이에요. 처음에는 조, 수수, 피 등 밭작물을 재배했어요. 청동기 시대로 접어들면서 낮은 습지에서 벼농사를 짓게 돼요. 그러면서 먹을거리가 풍부해지고, 삶이 더욱 안정되었어요.

농사는 환경의 영향을 많이 받아요. 공장에서는 일정한 조건만 만들어 놓으면 1년 내내 똑같은 제품을 생산할 수 있어요. 하지만 농작물은 날씨와 환경 변화에 따라 수확물의 양과 질이 달라져요. 사람이 환경을 마음대로 조정할 수는 없어요. 날씨를 예측할 수는 있지만 바꿀 수는 없지요. 그래도 논과 밭을 건강하게 가꾸는 노력은 필요해요.

– 사람의 손으로 일군 자연, 논과 밭 _ 홍민정

핵심 요약에
체크해 보세요.

필요한 [□옷 / □식량]을 얻는 활동인 농사가 시작된 과정과 환경에 영향을 받는 농사의 특징을 [□주장하는 / □설명하는] 글입니다.

이 글에서 설명하는 대상은 무엇입니까?

핵심어
_____

이 글의 내용으로 알맞지 않은 것은 무엇입니까?

중심 내용

① 인류는 신석기 시대부터 농사를 지었어요.

② 신석기 시대 이전에는 채집 생활을 했어요.

③ 농사를 처음 시작했을 때는 조, 수수, 피 등을 재배했어요.

④ 인류는 신석기 시대 이후까지 여기저기 옮겨 다니며 살았어요.

이 글을 읽은 학생의 반응으로 알맞지 않은 것은 무엇입니까?

추론

① 벼농사는 낮은 습지에서 짓는 것이 더 유리한 거군.

② 인류가 처음 농사를 시작하면서 재배한 작물은 수확량이 많지 않았군.

③ 인류가 정착 생활을 할 수 있게 된 것은 농사를 지을 수 있었기 때문이군.

④ 벼의 수확량과 질은 환경에 따라 달라지므로, 사람이 할 수 있는 일은 없군.

　　나는 체험 학습으로 국립광주박물관에 갔다. 오전에는 먼저 '김대중컨벤션센터'에 들렀다. ㉠이곳에서는 박람회가 진행되어 한창 바쁜 모습이었다. ㉡김대중컨벤션센터는 세계 각국 사람들이 한 장소에 모여서 토론을 하는데, 무려 100명을 수용할 수 있다고 했다. 그리고 각 나라 말로 통역이 되어 참여하는 사람들이 자유롭게 토론할 수 있다고도 했다. 나중에 나도 ㉢이곳에서 세계 많은 나라 사람들과 토론해 보고 싶은 생각이 들었다.

　　밖으로 나와서 월드컵 경기장으로 갔다. ㉣경기장을 한 바퀴 돌아보았는데, '꿈은★이 루어진다'라는 문구가 있었다. 실제 여기에서 운동경기가 진행된다면 정말 재미있을 것 같다는 생각이 들었다.

　　점심을 먹고 드디어 기대했던 국립광주박물관에 도착했다. 올라갈 때 계단의 폭이 넓게 되어 있어서 조금은 불편했다. 나는 우선 불교 미술실에 들어갔다. 불교 미술실이란 불교와 관련된 미술품들을 전시해 놓은 곳으로, 안내하는 분이 많은 것을 알려 주셔서 참으로 유익하였다.

　　다음은 청자 백자 박물관으로 갔다. 옛날 토기들은 청자와 백자로 구분하는데, 둘 다 아름답고 현대 과학으로도 못 만드는 것들이 많다는 것을 알게 되었다. 또한 청자나 백자에 무늬를 넣어서 화려하게 하는 기술이 뛰어나 옛날에도 오늘날 이상으로 미술이 발달했다고 생각했다.

　　그리고 옛날의 생활 모습을 재현한 전시실도 ⓐ관람하러 갔다. 농경문화와 관련된 유물을 둘러보던 중, 돌로 만든 낫을 보고 새삼 놀랐다. 옛날에도 쇠로 낫을 만든 줄 알았는데 당시에는 그런 기술이 없었던 것이 분명했다. 사람들이 생활하는 모습을 실제 움직이는 모형으로 제작한 것을 보고 깜짝 놀랐고, 옛날에 있었던 화석들도 여러 점 보았는데 모두 신기했다.

　　저녁 무렵, 박물관 견학을 모두 마치고 집으로 돌아왔다. 체험 학습을 통해 몰랐던 것을 많이 알게 되었고, 지금 내가 배우고 있는 교과서에 나온 것들을 직접 보게 되어 흥미로웠다. 앞으로도 이런 기회가 많이 있었으면 좋겠다.

- 국립광주박물관을 다녀와서 _ 박예분

핵심 요약에 체크해 보세요.

국립광주박물관에 다녀온 [□상상 / □경험]을 위주로 보고 들은 사실, 느낀 점과 생각한 내용을 쓴 [□기행문 / □광고문]입니다.

6

일의 순서

이 글에서 '나'가 체험한 곳을 시간 순서대로 나타낸 것은 무엇입니까?

① 김대중컨벤션센터 → 국립광주박물관 → 월드컵 경기장

② 국립광주박물관 → 월드컵 경기장 → 김대중컨벤션센터

③ 김대중컨벤션센터 → 월드컵 경기장 → 국립광주박물관

④ 월드컵 경기장 → 김대중컨벤션센터 → 국립광주박물관

7

내용 파악

'나'가 박물관을 견학하며 느낀 점으로 알맞지 <u>않은</u> 것은 무엇입니까?

① 여러 점의 옛날 화석들을 보니 신기했다.

② 박물관으로 올라가는 계단 폭이 넓어 불편했다.

③ 옛날 사람들이 돌로 만든 낫을 보고 새삼 놀랐다.

④ 청자와 백자를 보고 오늘날의 미술이 더 발달했다고 생각했다.

8

내용 적용

㉠~㉣ 중에서 [보기]에 해당하는 것이 <u>아닌</u> 것은 무엇입니까?

> **보기**
>
> 견문이란 여행을 하면서 보고, 듣고, 경험한 객관적인 사실을 말해요.

① ㉠   ② ㉡   ③ ㉢   ④ ㉣

9

어휘

ⓐ와 가장 비슷한 의미를 가진 낱말은 무엇입니까?

① 맛보다   ② 구경하다   ③ 지키다   ④ 체험하다

한눈에 보는
약점 유형 분석

틀린 문제에 ✔표를 하세요.

1 글의 제목	**2** 중심 내용	**3** 핵심어	**4** 중심 내용	**5** 추론	**6** 일의 순서	**7** 내용 파악	**8** 내용 적용	**9** 어휘

일기 문제 ❶～❷

ⅠO○○년 ○월 ○일, 날씨 맑음

수업을 마치고 하굣길에 아버지를 보았다. 아버지께서는 부지런히 거리를 청소하고 계셨다. 괜히 부끄러운 생각이 들었다. 그래서 아버지를 못 본 체하고 집으로 돌아왔다. ㉠집에 도착한 나는 이상하게도 마음이 무거웠다. 저녁이 되어 날이 어둑어둑해졌다.

"영희야, 아빠 왔다!" 하고 반갑게 부르시는 아버지의 목소리가 들려왔다. 아버지께서 일을 마치고 돌아오신 것이다. 아버지께서는 세수를 하시고 나서 이렇게 말씀하셨다.

"내가 이 아름다운 지구의 한 모퉁이를 깨끗이 청소했다고 생각하니, 마음이 참 상쾌하구나."

그 순간 나는 문득 선생님께서 하신 말씀이 생각났다.

"직업에는 귀천이 없다!"

오늘 낮에 한 나의 행동이 더욱 부끄러웠다. 아버지께 죄송한 마음이 들었다. 나는 오늘부터 아버지를 자랑스러워하기로 마음먹었다. 그리고 나도 아버지처럼 앞으로 무엇인가 보람 있는 일을 하는 사람이 되어야겠다.

– 직업에는 귀천이 없다 _ 김선

핵심 요약에 체크해 보세요.

환경미화원으로 일하시는 [□어머니 / □아버지]를 보고 부끄러워한 자신을 반성하는 마음을 쓴 [□동화 / □일기]입니다.

1 중심 내용

이 글의 중심 내용입니다. 빈칸에 알맞은 말을 쓰시오.

직업에는 [ ][ ]이 없으니, 보람 있는 일을 하는 사람이 되어야겠다.

2 추론

㉠의 이유로 가장 알맞은 것은 무엇입니까?

① 아버지께서 청소하시는 것을 도와드리지 못했기 때문입니다.

② 아버지가 청소하시는 모습이 부끄러워 못 본 체했기 때문입니다.

③ 친구와 다투게 된 것을 아버지께 말씀드리지 못했기 때문입니다.

④ 아버지께 거짓말을 한 것이 들통이 날까봐 두려웠기 때문입니다.

경주시 동쪽 토함산의 서쪽 기슭에는 아름다운 다보탑과 석가탑이 있는 불국사가 있습니다. 이 두 개의 탑을 만나려면 청운교와 백운교라는 두 돌계단을 오르고 자하문을 지나 대웅전 마당으로 들어가야 합니다. 신라 사람들은 돌계단을 오르면서 욕심부리고 성내는 마음을 버리고, 온 세상이 지혜와 사랑으로 가득하기를 희망했습니다.

토함산 동쪽 기슭에는 석굴암이 있습니다. 단단한 화강암을 다듬어 석굴 모양으로 쌓아 올려 동굴 비슷한 방을 만들었습니다. '땅'을 뜻하는 네모난 방에서 멋지고 세련된 조각상을 둘러보고, 복도를 따라 안으로 들어갑니다. 이윽고 '하늘과 우주'를 뜻하는 둥근 방에서 석가모니의 조각상과 마주합니다. 반쯤 감은 눈, 둥근 눈썹, 사랑이 넘치는 입, 부드럽게 흘러내리는 어깨와 팔과 손, 그리고 다리의 선…… . 너무나 자연스러운 조각상은 따뜻한 체온과 심장의 고동 소리를 간직한 듯 생명력이 넘쳐 납니다.

불국사와 석굴암을 건축한 사람은 김대성입니다. 그는 세상에 태어나기 이전의 부모님을 위해 석굴암을 세웠고, 현재 세상에 계신 부모님을 위해 불국사를 세웠다고 합니다. 불교에서는 사람이 죽으면 끝이 아니라, 또 다른 삶을 살게 된다고 믿습니다.

– 석굴암과 불국사 _ 박현철

핵심 요약에 체크해 보세요.

경주에 있는 [□해인사 / □불국사]와 석굴암 그리고 그와 관련된 정보를 자세하게 [□설명하는 / □주장하는] 글입니다.

❸ **이 글의 핵심 화제로 볼 수 없는 것은 무엇입니까?**

핵심어

① 석굴암   ② 불국사   ③ 김대성   ④ 화강암

❹ **'석굴암'에 대한 설명으로 알맞지 않은 것은 무엇입니까?**

내용 파악

① 토함산 동쪽 기슭에 있습니다.

② 김대성이라는 사람이 건축했습니다.

③ 현재 세상에 계신 부모님을 위해 세웠습니다.

④ 조각상은 자연스러우며 생명력이 넘쳐 납니다.

생활 속에서 겪게 되는 문제들을 해결하기 위한 회의는 가족회의, 학급 회의 등 그 종류가 다양합니다. 더 나아가서 자기 나라의 일을 논의하는 국가 정책 회의나 각 나라의 대표들이 모여 세계의 발전을 위해 토론을 하는 국제회의도 있습니다.

그럼 나라의 일은 어디에서 회의를 할까요? 우선 국회에서 나라에 필요한 일들을 회의합니다. ㉠국회 회의를 이끄는 국회 의장을 중심으로 법을 정하고, 매년 나랏일에 돈을 얼마나 쓸 것인지 예산도 정하고, 정부의 정책에 동의할 것인지 논의하기도 합니다. 회의에 참여하는 사람들은 국회의원들입니다. 국민들이 뽑은 국회의원들이 국민을 대신해서 많은 일들의 표결을 진행합니다. 그래서 국민들은 국회에서 진행하는 일에 눈과 귀를 활짝 열고 관심을 가져야 합니다.

나라 밖에서는 어떤 회의가 이루어질까요? 국제연합(UN)이라고 들어보았나요? 세계 여러 나라 대표들이 모여서 세계의 안전과 평화를 유지하기 위해서 회의를 하는 국제 평화 기구입니다. 다시는 끔찍한 세계 전쟁이 일어나지 않도록 하기 위해 제2차 세계 대전 이후에 결성된 기구입니다.

이처럼 우리가 뽑은 대표들이 모여서 하는 국회 회의나 각 나라의 대표들이 모여서 하는 국제회의도 결국은 넓은 의미에서 우리 모두가 참여하는 회의인 셈입니다. 세상을 움직이고 있는 수많은 회의들이 우리의 힘으로 이루어지고 있는 것입니다. 여기에서 꼭 기억해야 할 것이 있습니다. 몇몇 사람의 의견만으로 문제를 해결하려고 하는 것은 아주 위험한 일이기 때문에 많은 사람들이 다양한 의견을 내는 활발한 회의가 이루어져야 합니다. 세상을 이끌어 가는 힘이 '다양성'에서 출발할 때 어려운 문제도 슬기롭게 해결할 수 있습니다. 지루하고 재미 없을 줄 알았던 회의가 참 멋진 일이라는 걸 이제 알겠지요?

앞으로 우리는 살면서 많은 회의들을 [㉡] 될 겁니다. 그때마다 듣고, 설득하고, 설명하는 과정을 잘 실행해 나갈 때 좀 더 멋진 어른으로 성장해 나갈 수 있을 것입니다. 친구들이나 누나와 의견이 혹 다르다면 다투기보다는 서로 의논하고 양보하며 해결해 나가는 법을 먼저 연습해 봅시다. 자연스럽게 회의의 과정이나 중요성을 깨달아 갈 수 있을 것입니다.

- 세상을 움직이는 회의 _ 김윤정

핵심 요약에 체크해 보세요.

생활 속에서 겪게 되는 문제들을 해결하기 위한 [□회의 / □토론]의 종류와 그 중요성 등을 [□광고하는 / □설명하는] 글입니다.

5

글의 제목

이 글의 제목으로 가장 알맞은 것은 무엇입니까?

① 세상을 움직이는 회의

② 생활 속의 회의의 문제점

③ 국제회의의 개최를 위한 노력

④ 회의를 할 때 진행자의 자세

6

내용 파악

㉠에 대한 설명으로 알맞지 <u>않은</u> 것은 무엇입니까?

① 정부의 정책에 동의할 것인지를 논의해요.

② 국민이 뽑은 국회의원들이 회의에 참여해요.

③ 법을 정하거나 예산을 정하는 것들을 회의해요.

④ 국회에서 알아서 진행하니 국민들은 관심을 가질 필요가 없어요.

7

어휘

㉡에 들어갈 알맞은 낱말은 무엇입니까?

걷히게	거치게

8

중심 내용

다음은 이 글의 중심 내용입니다. 빈칸에 가장 알맞은 낱말은 무엇입니까?

생활 속에서 겪게 되는 문제들을 해결하기 위한 회의에서 많은 사람들의 ☐☐☐ 이 나타날 때 어려운 문제도 슬기롭게 해결할 수 있습니다.

① 다양성   ② 적극성   ③ 주관성   ④ 획일성

한눈에 보는
약점 유형 분석

틀린 문제에 ✔표를 하세요.

❶ 중심 내용	❷ 추론	❸ 핵심어	❹ 내용 파악	❺ 글의 제목	❻ 내용 파악	❼ 어휘	❽ 중심 내용

영화 감상문 문제 ❶~❷

- **날짜:** ○월 ○○일 　　**장소:** 우리 동네 영화관 　　**제목:** 『니모를 찾아서』
- **나오는 사람들(동물들):** 니모, 말린, 도리, 길, 블롯, 피치, 거글, 크러쉬 등

- [㉠] : 아빠 물고기 '말린'의 아들 물고기 '니모'가 치과 의사에게 납치된다. 사랑스러운 아들 니모가 납치되자 아빠 말린은 너무 슬퍼한다. 한편 치과 병원 수족관에 갇힌 니모는 물고기들의 골목대장 '길'과 함께 탈출을 계획한다. 그러던 중 아빠가 친구들과 함께 자신을 구하기 위해 찾아오고 있다는 소식을 듣는다. 결국 수족관 속 동료의 도움으로 탈출하게 된 니모가 아빠 물고기 말린과 만나면서 영화는 끝을 맺는다.

- [㉡] : 밤에 조용한 바다 위에서 펠리컨들이 방귀를 뀌는 장면이 너무 웃겼다. 나도 물에서 방귀를 뀌어 봤는데 물방울이 뽀글뽀글 올라와서 재미있던 기억이 난다. 그리고 아빠 물고기 말린과 니모가 만나는 장면이 제일 감동적이었다.

- [㉢] : 말린이 니모를 찾아 나서는 것을 보면서, 우리 아빠가 생각났다. 부모님께서 나를 사랑하는 마음이 말린처럼 크다는 것을 깨달았기 때문이다. 나에게도 니모처럼 소중한 아빠가 있다는 사실이 좋았다.

핵심 요약에 체크해 보세요.

[☐ 콘서트 / ☐ 영화]를 보고 나서 줄거리와 느낀 점 등을 쓴 [☐ 광고문 / ☐ 영화 감상문]입니다.

1 추론

㉠~㉢에 들어갈 내용으로 알맞은 것은 무엇입니까?

┤ 보기 ├

① 기억나는 장면 　　② 줄거리 　　③ 느낀 점

㉠: (　　　) 　　㉡: (　　　) 　　㉢: (　　　)

2 내용 파악

다음 중 『니모를 찾아서』의 내용으로 알맞지 **않은** 것은 무엇입니까?

① 니모가 납치되자 아빠 말린은 너무 슬퍼했어요.

② 니모는 '길'과 함께 수족관에서 탈출하고 싶어 했어요.

③ 수족관에서 탈출한 니모는 아빠 말린과 만나게 되었어요.

④ 니모는 아빠가 자신을 구하기 위해 온다는 것을 알지 못했어요.

아주 먼 옛날에는 장사하기가 정말 힘들었습니다. 팔 물건들을 수레에 싣거나 혹은 등짐을 지고 수개월을 걸어 다녀야 했습니다. 그러자 돈을 벌어도 걱정, 돈이 부족해도 걱정이었습니다. 그때 벌어 놓은 돈과 상품 등을 맡겨 둘 수 있는 집이 생겼습니다. 필요할 땐 돈도 빌릴 수 있었습니다. 대신 돈을 빌린 대가로 나중에 갚을 때, 약간의 돈을 더 줘야 했습니다. 입소문이 빠르게 퍼져 장사꾼들이 여기저기에서 이 집을 찾아왔고, 이 집처럼 돈과 상품을 빌려 주는 곳이 한두 군데씩 늘어나기 시작했습니다.

지금으로부터 약 3,700년 전, 바빌로니아라는 나라에 '은행'이 처음 생겼습니다. 지금과 ㉠유사한 은행은 1694년 영국의 '잉글랜드 은행'이 문을 열면서부터 등장했습니다.

은행은 지역에 따라서 약간씩 성격이 다르기도 합니다. 농촌에서는 '농업 협동조합'이 생겨서 농민들을 도와주고, 어촌에서는 '수산업 협동조합'이 생겨서 어민들을 돕습니다. 요즘에는 우리나라에 외국 은행들이 들어와서 더 많은 손님을 끌어가려고 노력하고 있기도 합니다. 은행끼리도 경쟁을 하는 것입니다.　　　　　　　　　－ 은행이 생긴 이유 _ 유혜정

핵심 요약에 체크해 보세요.

[□ **무역** / □ **은행**]이 생겨난 이유와 오늘날 은행의 모습까지 이해하기 쉽게 [□ **설명하는** / □ **주장하는**] 글입니다.

❸
중심 내용

이 글에서 설명하고 있는 대상은 무엇입니까?

_____

❹
내용 파악

이 글의 내용으로 알맞지 않은 것은 무엇입니까?

① 은행이 처음 생긴 나라는 바빌로니아입니다.

② 은행은 지역에 따라서 약간씩 성격이 다릅니다.

③ 지금과 유사한 은행은 '잉글랜드 은행'이 생기면서부터 등장했습니다.

④ 우리나라에 있는 외국 은행들은 다른 은행들과 경쟁할 필요가 없습니다.

❺
어휘

㉠과 바꿔쓰기에 알맞은 것은 무엇입니까?

| 다른 | 비슷한 |

물은 온도에 따라 액체, 기체, 고체로 상태를 바꾸는 특별한 물질이에요. 물이 어떻게 상태를 바꾸는지 물 분자의 움직임을 상상하며 알아보기로 해요.

컵에 물이 들어 있어요. 물 분자들은 어느 정도 서로 끌어당기고 있어요. 물 분자의 한쪽은 양의 전기, 다른 한쪽은 음의 전기를 띠기 때문이에요. 다른 부호의 전기는 서로 끌어당기는 성질이 있거든요. 컵에서 물 분자는 자유롭게 움직이는데, 너무 멀리 떨어진다 싶으면 이내 전기력이 작용해서 물 분자를 끌어당겨요.

이제 컵의 물을 데우기 시작했어요. 물의 온도가 높아지면 물 분자들이 더욱 활발하게 움직여요. 또 더 먼 곳까지 움직일 수 있지요. 물의 온도가 높아지면 물 분자들의 간격이 넓어지기 때문에 물의 부피가 늘어나요. 하지만 물 분자 사이에 작용하는 끌어당기는 힘을 끊지는 못해요.

다시 물을 더욱 높은 온도까지 데웠어요. 물 분자들은 이리저리 날뛰듯이 활발하게 움직여요. 그러다 100℃가 되면 놀라운 일이 생겨요. 물 분자들이 아주 힘차게 움직여서 물 분자 사이에 작용하는 전기력을 이기는 거예요. 결국 물 분자들은 서로 끌어당기던 힘을 떨쳐 버리고 멀리 달아나게 돼요. 이것을 물이 끓는다고 말하지요.

물이 끓으면 물 분자는 하나씩 따로따로 돌아다니게 돼요. 물이라는 액체가 수증기라는 기체로 변한 거예요. 그런데 물이 꼭 ㉠끓어야 수증기로 변할 수 있는 건 아니에요. 100℃보다 낮은 온도에서도 수면의 물 분자들이 수증기가 되어 공중으로 날아가기도 해요. 이것을 '증발'이라고 부르지요. 빨래가 마르는 것은 젖은 옷의 물이 수증기가 되어 날아가는 현상이에요.

－물에서 도망친 물, 수증기 _정창훈

핵심 요약에 체크해 보세요.

[□습도 / □온도]에 따라 상태가 바뀌는 물질인 물이 액체에서 수증기로 변하는 현상을 [□홍보하는 / □설명하는] 글입니다.

❻ 이 글의 내용으로 알맞지 <u>않은</u> 것은 무엇입니까?

내용 파악

① 물 분자들은 어느 정도 서로 끌어당기고 있다.

② 서로 다른 부호의 전기는 밀어내는 힘을 갖고 있다.

③ 물 분자의 한쪽은 양의 전기, 다른 쪽은 음의 전기를 띤다.

④ 물이 끓으면 물 분자는 하나씩 따로따로 돌아다니게 된다.

7 다음의 ⓐ, ⓑ에 알맞은 내용은 무엇입니까?

중심 내용

> 물은 온도가 높아지면 물 분자들의 간격은 ____ⓐ____ , 물의 부피는 ____ⓑ____ .

	ⓐ	ⓑ		ⓐ	ⓑ
①	넓어지고	줄어든다	②	좁아지고	줄어든다
③	넓어지고	늘어난다	④	좁아지고	늘어난다

8 이 글을 읽고 [보기]를 이해한 내용으로 알맞지 <u>않은</u> 것은 무엇입니까?

추론

> ┤ 보기 ├
>
> 철수는 만수와 물총 놀이를 했어요. 두 사람 모두 물을 많이 맞아서 옷이 흠뻑 젖었어요. 철수는 선풍기를 이용해 옷을 말렸고, 만수는 그냥 젖은 옷을 입은 채 옷이 마르기를 기다렸어요. 두 사람의 옷이 다 마르기는 했는데, 철수의 옷이 만수의 옷보다 훨씬 빨리 말랐어요.

① 물이 증발하는 속도는 바람의 세기와도 관계가 있겠군.

② 높은 온도의 온열기에 옷을 말리면 더 빨리 마르겠군.

③ 두 사람의 옷이 마른 것은 100℃ 아래에서 물이 증발하는 현상으로 볼 수 있겠군.

④ 두 사람의 옷을 적셨던 대부분의 물은 증발된 것보다 몸에 흡수된 양이 많겠군.

9 ㉠의 올바른 발음은 무엇입니까?

표준 발음

[끄녀야]	[끄러야]

한눈에 보는
약점 유형 분석

틀린 문제에 ✔표를 하세요.

❶ 추론	❷ 내용 파악	❸ 중심 내용	❹ 내용 파악	❺ 어휘	❻ 내용 파악	❼ 중심 내용	❽ 추론	❾ 표준 발음

설명하는 글 문제 ❶~❷

우리가 일상 생활에서 발생시키는 온실가스는 지구를 뜨겁게 하는데, 이를 '지구 온난화'라고 합니다. 지구 온난화는 빙하를 녹이는 등 우리가 살아가는 환경을 나쁘게 만듭니다. 2050년 무렵에는 북극의 얼음이 모두 녹아 없어질지도 모른다는 예측도 있습니다.

㉠북극의 얼음이 녹으면 그곳에 사는 동식물이 살 곳을 잃게 됩니다. 뿐만 아니라 지구 전체가 심각한 위기에 직면하게 됩니다. 북극의 얼음은 태양열을 반사하고, 극지방을 서늘하게 유지시키는 등 기후를 조절하는 데 중요한 역할을 하기도 합니다.

극지방의 얼음이 녹아내리면 지구 전체에 걸쳐 생태계 파괴 등 심각한 영향을 끼칠 수 있습니다. 먹는 물이 부족하게 되고, 농작물 생산량이 줄어들고, 말라리아와 같은 전염병이 퍼지게 됩니다.

또 바닷물의 양이 늘어나서 상당한 넓이의 육지가 물에 잠기게 됩니다. 2080년에는 해수면이 무려 70cm가 올라가서 한반도의 서해와 남해안의 많은 부분이 물에 잠기게 될 것이라고 합니다. 기후는 더욱 나빠져서 여름에는 무더위, 열대야, 폭우와 가뭄이 번갈아 이어지게 될 것입니다. 그러므로 우리는 온실가스를 줄이기 위해 많은 노력을 기울여야 우리가 사는 지구를 구할 수 있습니다.

– 지구 온난화로 빙하가 녹아내리다 _ 서지원

핵심 요약에 체크해 보세요.

[☐지구 온난화 / ☐미세 먼지]의 심각성을 알아보고 그 원인이 되는 온실가스를 줄이기 위해 노력해야 하는 이유를 [☐홍보하는 / ☐설명하는] 글입니다.

1 다음은 이 글의 주제입니다. 빈칸에 알맞은 말을 쓰시오.

글의 주제

우리는 ☐☐☐☐가 발생하지 않도록 ☐☐☐☐를 줄이기 위해 노력해야 합니다.

2 ㉠으로 인해 나타날 수 있는 현상이 아닌 것은 무엇입니까?

내용 파악

① 생태계가 파괴된다. ② 기후가 더욱 나빠진다.

③ 전염병이 퍼지게 된다. ④ 먹는 물이 풍부해진다.

오랫동안 유럽 선수들이 장악했던 피겨 스케이팅 분야에서 신체적 불리함을 극복하고 세계를 깜짝 놀라게 한 동양인이 있어요. 바로 우리나라의 김연아 선수예요. 김연아는 14세 때부터 피겨 스케이팅 국가 대표 선수였어요. 7세 때 처음 피겨 스케이팅을 접한 이후 초등학교 때부터 줄곧 전국 체육 대회를 비롯해 국내 피겨 스케이팅 대회의 모든 상을 휩쓸었지요. 14세 이후에는 참가하는 국제 대회마다 상을 수상하며, 11번이나 세계 기록을 새로 세웠어요.

우리나라는 외국만큼 피겨 스케이팅을 연습할 수 있는 환경이 갖추어져 있지 않아요. 이처럼 열악한 환경 속에서도 김연아가 국제 대회에서 좋은 성과를 거둘 수 있었던 것은 오로지 그녀의 피나는 노력 때문이었어요. 계속 부상을 입으면서도 김연아는 완벽한 기술을 익히기 위해 하루 8시간 이상 고된 훈련을 견뎌 냈어요.

김연아는 2010년 캐나다 밴쿠버 동계 올림픽에서 금메달을 따고, 2014년 러시아 소치 동계 올림픽에서 은메달을 수상한 후 선수 생활을 마감했어요.

핵심 요약에 체크해 보세요.

우리나라의 피겨 스케이팅 선수인 [□손연재 / □김연아] 선수의 이야기를 다룬 [□동화 / □전기문]입니다.

❸ **'김연아 선수'에 대한 설명으로 알맞지 않은 것은 무엇입니까?**

내용 파악

① 세계 신기록을 11번이나 새로 세웠어요.

② 하루 8시간 이상 고된 훈련을 견뎌 냈어요.

③ 7세 때 처음 피겨 스케이팅을 접하게 되었어요.

④ 14세부터 스피드 스케이팅 국가 대표 선수였어요.

❹ **이 글을 읽은 학생의 반응으로 알맞지 않은 것은 무엇입니까?**

추론

① 열악한 스케이팅 환경을 이겨 낸 김연아 선수가 대단해요.

② 동양인의 인종 차별을 이겨 낸 김연아 선수가 존경스러워요.

③ 더 이상 국제 대회에서 경기하는 김연아 선수를 볼 수 없어 아쉬워요.

④ 완벽한 기술을 익히기 위해 노력한 김연아 선수가 정말 존경스러워요.

　　어느 마을에 지독한 구두쇠 영감이 살았습니다. 구두쇠 영감은 평생 돈을 모을 줄만 알았지 쓸 줄은 몰랐습니다. 구두쇠 영감은 자기가 평생 모은 돈을 도둑맞을까 걱정이 되어 아무도 몰래 숲 속의 어느 나무 밑에 돈을 묻어 두었습니다.

　　구두쇠 영감은 하루에 한 번씩 자기가 돈을 묻어 둔 곳에 가서 땅을 파고 돈이 잘 있나 확인한 후에 다시 묻어 두곤 했습니다.

　　어느 날 같은 마을에 사는 한 젊은이가 그 영감의 행동을 수상히 여겨 뒤를 ㉠밟았습니다. 그리고 구두쇠 영감을 몰래 지켜봤습니다.

　　'저 영감이 그동안 모은 돈을 저기에 묻어 두었구나! 옳지, 잘 됐다.'

　　젊은이는 영감이 사라지자 돈을 몽땅 꺼내고 자루 속에 돌멩이를 잔뜩 넣어 두었습니다. 다음 날, 구두쇠 영감은 변함없이 그곳에 가서 땅을 파고 자루를 꺼내 보았습니다. 구두쇠 영감은 돈 대신 돌멩이만 발견하고 바닥에 주저앉아 땅을 치며 울었습니다.

　　그때, 지나가던 나그네 한 사람이 구두쇠 영감에게 다가가서 물었습니다.

　　"참 딱하게 되었습니다. 그런데 그 돈은 무엇에 쓰실 작정이었는지요?"

　　"쓰다니요? 어떻게 모은 돈인데 내가 그걸 쓴단 말입니까? 나는 돈을 쓸 마음이 없었어요. 오죽하면 내가 그 돈을 땅에다 묻어 두었겠소?"

　　구두쇠 영감의 이야기를 들은 나그네는 껄껄 웃고 나서 말했습니다.

　　"영감님이 이야기를 듣고 보니 그다지 슬퍼할 일이 아닌 것 같습니다."

　　그러자 구두쇠 영감이 ┃　　㉡　　┃ 소리쳤습니다.

　　"슬퍼할 일이 아니라고? 평생 모은 돈을 도둑맞은 나에게 어떻게 그런 말을 할 수가 있소?"

　　"조금 전에 영감님께서 그 돈을 쓰실 마음이 없었다고 하시지 않았나요? 어차피 어디엔가 쓸 돈이 아니고 들여다보기만 할 것이라면, 여기 묻혀 있는 게 금화든 돌멩이든 마찬가지 아니겠습니까? 그러니 다른 사람이 요긴하게 쓰는 것이 낫지 않을까요?"

　　그러자 구두쇠 영감은 말문이 막힌 듯 눈만 껌벅였답니다.

– 땅에 묻은 돈 _ 한상남

핵심 요약에
체크해 보세요.

모은 [□보석 / □돈]을 땅에 묻을 줄만 알았지 쓸 줄을 모르는 구두쇠 영감의 이야기를 통해 우리에게 교훈을 주는 [□동화 / □전기문]입니다.

5 이 글에 나오는 사람은 누구누구입니까?

내용 파악

_____, _____, _____

6 이 글의 '구두쇠 영감'에 대한 설명으로 알맞은 것은 무엇입니까?

내용 적용

① 다른 사람의 말을 잘 믿는다.

② 돈을 잃어버릴까봐 걱정이 많다.

③ 돈을 모으는 것에 자부심을 갖고 있다.

④ 가난한 이웃을 위해 돈을 모으고 있다.

7 이 글을 읽은 학생의 반응으로 알맞지 <u>않은</u> 것은 무엇입니까?

추론

① 구두쇠 영감은 앞으로 가난한 사람을 잘 도울 거라고 생각해.

② 구두쇠 영감에게 깨우침을 준 나그네가 지혜롭다고 생각해.

③ 돈을 몰래 훔쳐 간 젊은이의 행동은 옳지 못하다고 생각해.

④ 모은 돈을 어디엔가 의미 있게 쓸 줄도 알아야 한다고 생각해.

8 ㉠의 의미로 알맞은 것은 무엇입니까?

어휘

① 발로 디디면서 걷다.

② 힘 약한 이를 눌러 못살게 굴다.

③ 발을 어떤 대상 위에 대고 누르다.

④ 움직임을 살피면서 몰래 따라가다.

9 ㉡에 들어갈 말로 가장 알맞은 것은 무엇입니까?

어휘

① 기뻐하며   ② 즐거워하며   ③ 화를 내며   ④ 무서워하며

한눈에 보는
약점 유형 분석

틀린 문제에 ✔표를 하세요.

❶ 글의 주제	❷ 내용 파악	❸ 내용 파악	❹ 추론	❺ 내용 파악	❻ 내용 적용	❼ 추론	❽ 어휘	❾ 어휘

중요한 낱말을 다시 한번 확인하고 □에 써 보세요.

정밀
(자세할 精, 촘촘할 密)

세밀한 데까지 빈틈이 없고 자세함.

예 이 시계는 아주 □□ 하여 오차가 거의 없다.

유래
(말미암을 由, 올 來)

사물이 어떤 것으로 말미암아 일어나거나 전하여 온 내력.

예 곰바위란 지명은 전설에 □□ 를 두고 있다.

자자하다
(깔개 藉, 깔개 藉)

여러 사람의 입에 오르내려 떠들썩하다.

예 영희가 음식을 잘한다는 소문이 온 동네에 □□□□ .

적합
(당연할 適, 합할 合)

일이나 조건 따위에 꼭 알맞음.

예 강가에서 우리는 물놀이에 □□ 한 곳을 찾았다.

정착
(정할 定, 붙을 着)

사람이 한곳에 자리를 정해서 머물러 삶.

예 한곳에 □□ 을 하지 못하고 여기저기 떠돌아다닌다.

결성
(맺을 結, 이룰 成)

모임이나 단체 따위를 조직하여 만듦.

예 후원회의 □□ 으로 그 큰 힘을 얻었다.

수용
(거둘 收, 담을 容)

사람이나 물품 따위를 일정한 장소나 시설에 모아 넣음.

예 회사가 전직원을 기숙사에 □□ 하였다.

귀천
(귀할 貴, 천할 賤)

신분이나 일 따위의 귀함과 천함.

예 직업에는 □□ 이 없다.

논의 (말할 論, 의논할 議)	서로 의견을 말하며 토의함. 예 나는 친구 문제에 대해 선생님과 ☐☐하였다.
예산 (미리 豫, 셀 算)	필요한 금액 따위를 미리 헤아려 계산함. 예 돈을 쓸 때는 ☐☐을 잘 생각하고 써야 한다.
예측 (미리 豫, 잴 測)	미리 헤아려 짐작함. 예 이번 선거는 결과를 ☐☐하기 힘들다.
유익 (있을 有, 더할 益)	이롭거나 도움이 될 만한 것이 있음. 예 이 책은 아이들 교육에 ☐☐하다.
열악 (못할 劣, 나쁠 惡)	품질이나 시설 따위가 몹시 떨어지고 나쁨. 예 그는 ☐☐한 교육 환경에서도 열심히 공부했다.
분자 (나눌 分, 아들 子)	각 물질의 화학적 성질을 가진 최소의 단위 입자. 예 더운물에 잉크를 떨어뜨려 ☐☐의 운동을 관찰해 보자.
장악 (손바닥 掌, 쥘 握)	무엇을 마음대로 할 수 있게 휘어잡음. 예 우리나라는 반도체 분야에서 세계 시장을 ☐☐하고 있다.
요긴하다 (구할 要, 굳게 얽을 緊)	꼭 필요하고 중요하다. 예 추위에는 난로가 ☐☐☐☐.

[01~04] 다음의 뜻에 해당하는 낱말을 제시된 초성을 참고하여 쓰시오.

01 사람이 한곳에 자리를 정해서 머물러 삶. ㅈㅊ

02 신분이나 일 따위의 귀함과 천함. ㄱㅊ

03 모임이나 단체 따위를 조직하여 만듦. ㄱㅅ

04 사물이 어떤 것으로 말미암아 일어나거나 전하여 온 내력. ㅇㄹ

[05~08] 다음 문장의 빈칸에 가장 알맞은 낱말을 찾아 연결하시오.

05 식탁은 자녀들과 한자리에서 대화를
나누기 ☐ 한 곳이다.   •   • ㉠ 자자하다

06 그의 그림은 표현 기법이 ☐
하다.   •   • ㉡ 적합

07 그 사람은 부모님에 대한 효심이 지극
하다고 소문이 ☐ .   •   • ㉢ 수용

08 범죄자들을 감옥에 ☐ 하였다.   •   • ㉣ 정밀

[09~12] 다음의 내용이 옳으면 ○표, 틀리면 ×표를 하시오.

09 '필요한 금액을 나중에 계산해 보는 것.'을 '예산'이라고 한다. (　　)

10 '이롭거나 도움이 될 만한 것이 없다.'를 '유익하다'라고 한다. (　　)

11 '꼭 필요하고 중요하다.'를 '요긴하다'라고 한다. (　　)

12 '각 물질의 화학적 성질을 가진 최소의 단위 입자.'를 '분자'라고 한다.

(　　)

[13~16] 밑줄 친 낱말의 뜻을 [보기]에서 찾아 기호를 쓰시오.

13 남북은 평화통일 방안에 대해 <u>논의</u>하였다. (　　)

14 정부는 교육 환경이 <u>열악</u>한 지역에 더 많은 지원을 해야 한다. (　　)

15 그는 권력을 <u>장악</u>하기 위해 애쓰고 있다. (　　)

16 오늘날의 과학 문명은 미래를 <u>예측</u>할 수 없을 만큼 빠른 속도로

발전하고 있다. (　　)

┤ 보기 ├

㉠ 미리 헤아려 짐작함.

㉡ 서로 의견을 말하며 토의함.

㉢ 무엇을 마음대로 할 수 있게 휘어잡음.

㉣ 품질이나 시설 따위가 몹시 떨어지고 나쁨.

21~25 일차

| **21**
일차 | 존 워커의 발명품, 성냥 | 전기문 |
| | 「모나리자」 | 설명하는 글 |

| **22**
일차 | 『갈매기의 꿈』을 읽고 | 독서 감상문 |
| | 살기 위해 꼭 필요한 옷 | 설명하는 글 |

| **23**
일차 | 확대가족과 핵가족 | 설명하는 글 |
| | 사이버 중독을 피해 안전하게 생활하는 법 | 설명하는 글 |

| **24**
일차 | 첨단 종이의 개발과 쓰임 | 설명하는 글 |
| | 갯벌도 보이고 염전도 보였다 | 기행문 |

| **25**
일차 | 내가 모르는 것을, 내가 이미 알고 있다고? | 설명하는 글 |
| | 슬기로운 아이 | 동화 |

| 21~25 일차 | 글 읽기를 위한 어휘 연습 |
| 21~25 일차 | 어휘력 쑥쑥 테스트 |

전기문   문제 ❶~❹

우리는 성냥으로 불을 쉽게 켤 수 있습니다. 이처럼 불을 쉽게 만들 수 있는 방법을 발명한 사람은 누구일까요? 바로 영국의 외과 의사 출신인 존 워커라는 사람입니다.

마음이 여리고 섬세했던 워커는 외과 의사 자격증을 땄지만 수술하는 것이 무서웠습니다. 그래서 의사 일을 그만두고 약국을 차렸습니다. 어릴 때부터 호기심이 많고 머리가 좋았던 워커는 약국을 하면서도 여러 가지 화학물이나 약품으로 실험을 하였습니다. 워커는 열심히 노력한 덕분에 어느새 유능한 약사로 알려졌습니다.

그날도 워커는 새로운 약품을 실험하기 위해 연구를 하고 있었습니다. 그때 갑자기 실험실 한쪽에 놓여 있던 난로에서 불길이 솟기 시작했습니다. 워커는 황급히 난로 옆에 있던 물로 불을 껐습니다. 그리고 난로를 찬찬히 살펴보았습니다. 마침 난로 옆에 있던 천이 눈에 띄었습니다. 천은 거의 타 버려 조각만 조금 남아 있었습니다. 그 천은 워커가 손에 묻은 실험 용액을 닦았던 천이었습니다.

'이 천에 묻어 있던 약품에 열이 가해져 자연적으로 불이 붙은 걸까?'

궁금해진 워커는 그 천에 실험을 해 보기로 했습니다. 작은 천 조각에다 아까 손에 묻은 실험 용액을 발라 난롯가에 놓아두었습니다. 그러자 천에 곧 불이 붙었습니다.

"정말 대단한데! 이렇게 쉽게 불을 만들 수 있다니……."

그날 이후, 워커의 약국에 불이 일어나는 천이 있다는 소문을 듣고 많은 사람들이 모여들었습니다. 워커는 더 쉽고 간편하게 불을 만들 수 있는 방법을 고민한 끝에 천 대신 나뭇가지 끝에 불이 잘 일어나도록 화학 약품을 발랐습니다.

워커의 실험은 성공을 거두었습니다. 사람들은 앞다투어 쉽게 불을 만들어 내는 성냥을 사 갔습니다. 이에 워커는 약국을 정리하고 그 자리에 성냥 공장을 ⑦세웠습니다. 성냥은 만들기가 무섭게 팔렸고, 워커는 큰 부자가 되었습니다.

핵심 요약에 체크해 보세요.

실험 중 우연히 쉽게 불을 만드는 방법을 알게 된 후 [□성냥 / □전등]을 발명하게 된 약사 워커의 이야기를 쓴 [□소설 / □전기문]입니다.

1

글의 주제

이 글에서 설명하고 있는 것은 무엇입니까?

① 불조심

② 불의 발견

③ 성냥의 발명

④ 전구의 발명

 2

내용 파악

'존 워커'에 대한 설명으로 알맞지 <u>않은</u> 것은 무엇입니까?

① 약국을 여러 개 차려 큰 부자가 되었습니다.

② 약국을 하면서 여러 가지 실험을 하였습니다.

③ 어릴 때부터 호기심이 많고 머리가 좋았습니다.

④ 수술하는 것이 무서워 의사 일을 그만두었습니다.

 3

추론

이 글을 읽고 난 후 느낀 점으로 알맞지 <u>않은</u> 것은 무엇입니까?

① 사소한 것도 유심히 관찰하는 태도를 가져야겠어.

② 발명을 하려면 관련된 자격증부터 따는 것이 좋겠어.

③ 자신이 하고자 하는 일을 위해 열심히 노력하는 사람이 되어야겠어.

④ 워커의 발명으로 인해 많은 사람들이 편하게 불을 만들 수 있게 되었어.

4

어휘

㉠과 같은 의미로 쓰인 것은 무엇입니까?

① 철수가 나를 불러 세웠다.

② 동생이 한번 고집을 세우면 못 말린다.

③ 원주민들은 그곳에다가 탑을 세웠다.

④ 기계를 한번 세우면 다시 가동하기 어렵다.

　　어느 날, 다 빈치에게 조콘도란 사람이 아내를 데려와 초상화를 그려 달라고 부탁했어요. 조콘도의 아내는 매우 아름다워 다 빈치의 관심을 끌었어요. 다 빈치는 그녀의 초상화를 그리기로 마음먹었어요. 조콘도 부인 역시 이름난 화가가 자기 초상화를 그린다는 사실이 기뻤어요. 부인은 하루 빨리 완성된 그림을 보고 싶었어요.

　　"선생님 언제쯤 그림이 완성되나요?"

　　"너무 조급하게 서두르지 마세요. 시간이 지나면 완성되겠지요."

　　하지만 시간이 지나도 그림은 쉽게 완성되지 않았어요. 어느덧 3년이 지났어요. 하루는 부인이 매우 진지한 얼굴로 물었어요.

　　"선생님, 그림을 완성하려면 아직 멀었나요? 얼마 후면 남편을 따라서 여행을 떠나게 되거든요. 그 전에 그림이 다 마무리되었으면 좋겠는데……."

　　"오래 걸립니까?"

　　"남편 말로는 세 달 정도 걸린답니다."

　　"그러면 여행을 다녀와서 다시 그리는 걸로 합시다."

　　㉠부인은 매우 안타까운 심정이었지만 어쩔 수 없었어요. 그리하여 그녀는 완성된 그림을 보지 못한 채 여행을 떠났어요. 작품 또한 끝내 완성하지 못했지요. 왜냐하면 여행 중에 그녀는 병을 얻어 세상을 떠나고 말았거든요.

　　바로 이 작품이 얼굴에 눈썹이 없는, 영원히 미완성인 명화 ㉡「모나리자」입니다. 다 빈치는 이 작품에서 '스푸마토'라는 새로운 기법을 만들어 냈어요. 스푸마토란 붓질을 할 때 윤곽선을 뚜렷하게 그리지 않는 것이에요. 그래서 무언가 연기 속으로 사라지듯이 흐릿하게 표현하여 신비스런 느낌을 불러일으키는 것이지요. 이 기법은 보는 사람으로 하여금 깊은 인상과 은은한 여운을 오래 남기는 효과가 있어요.

　　모나리자의 눈과 입 가장자리는 바로 이 기법으로 처리되어 있어요. 이 부분의 그림자 그늘을 한번 눈여겨보세요. 윤곽선이 매우 흐리면서도 부드럽지요? 모나리자의 알 듯 말 듯한 묘한 표정과 사람의 눈길을 사로잡는 마력은 바로 이 때문이랍니다.

－모나리자 _ 장세현　　　▲ 레오나르도 다빈치, 「모나리자」

핵심 요약에
체크해 보세요.

레오나르도 다 빈치의 작품인 [□게르니카 / □모나리자]가 그려지게 된 이야기와 그 작품에 쓰인 새로운 기법을 [□주장하는 / □설명하는] 글입니다.

5

글의 제목

이 글의 제목을 다음과 같이 정할 때, 그 이유로 가장 알맞은 것은 무엇입니까?

> 제목 : 영원한 미완성의 그림, 「모나리자」

① 화가인 다 빈치가 그림을 그리는 것을 거부했기 때문입니다.

② 그림의 모델이 사망하여 그림을 완성하지 못했기 때문입니다.

③ 화가인 다 빈치가 그림을 완성하기 전에 사망하였기 때문입니다.

④ 그림을 미완성처럼 보이게 하는 새로운 기법을 사용했기 때문입니다.

6

추론

㉠의 이유로 가장 알맞은 것은 무엇입니까?

① 남편과 여행을 가기가 싫었기 때문입니다.

② 병이 들어 살 수 있는 시간이 얼마 없었기 때문입니다.

③ 그림이 마무리되지 못해 그림을 볼 수 없었기 때문입니다.

④ 다 빈치가 자신의 초상화에 관심을 두지 않았기 때문입니다.

7

중심 내용

㉡에 대한 설명으로 알맞지 <u>않은</u> 무엇입니까?

① 얼굴에 눈썹이 없는 영원한 미완성 작품입니다.

② 다른 사람의 아내를 모델로 삼아 만든 작품입니다.

③ 보는 사람에게 깊은 인상을 주고 은은한 여운을 남깁니다.

④ 코와 귀의 가장자리가 스푸마토 기법으로 처리되었습니다.

한눈에 보는
약점 유형 분석

틀린 문제에 ✔표를 하세요.

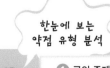

❶ 글의 주제	❷ 내용 파악	❸ 추론	❹ 어휘	❺ 글의 제목	❻ 추론	❼ 중심 내용

독서 감상문   문제 ❶~❹

'나는 기쁨을 맛보기 위해, 진정한 자유의 의미를 알기 위해 밝게 빛나는 창공 끝까지 날아오르는 갈매기 조나단 리빙스턴! 갈매기 조나단은 우리들 마음속에 간직한 영원한 꿈과 자유를 상징한다.'

책 표지에 이런 글이 있었다. 나는 이 말에 호기심을 갖고 책장을 넘겨 보았다. 처음에는 갈매기 조나단의 행동이 잘 이해가 되지 않았지만, 책을 다 읽고 난 후에는 조금이나마 이해할 수 있었다. 주인공 조나단은 먹고살기 위해 비행을 하는 다른 갈매기들과는 달리 더 높이 나는 일에 관심이 있었다. 하지만 하늘을 높이 나는 일이 조나단의 생각처럼 쉽지는 않았다. 그럼에도 조나단은 굴하지 않고 온 힘을 다해 훈련을 반복한 끝에 자유를 얻어 저 푸른 하늘로 훨훨 날아갔다.

이 책은 오랜 전에 나온 것인데 지금도 많은 사람들이 읽고 있다고 한다. 나도 직접 읽어 보니 그럴 만도 하다는 생각이 들었다. 책의 내용이 신나고 재미있는 것은 아니지만 ㉠훌륭한 교훈을 주는 책이기 때문이다.

내 꿈은 소설가이다. 나도 『갈매기의 꿈』처럼 멋진 글을 쓸 수 있을까? 국어 공부도 열심히 하고 글도 많이 써서 글쓰기에 자부심을 갖고 있긴 했지만, 막상 이 글을 읽어 보니 내가 커서 이런 글을 쓸 수 있을까 하는 불안한 생각이 들었다. 또 이 책을 읽으면서 조나단에 비해 내가 한참 부족하다는 것을 깨달았다.

나는 이 책을 읽고 결심한 것이 한 가지 있다. 쓰러져도 다시 일어나는 ☐ ㉡ ☐ 처럼 나도 내 꿈을 이루기 위해 열심히 노력해야겠다는 것이다. 그러다 보면 힘든 일도 많겠지만 그렇다고 포기하지는 않을 것이다. 조나단처럼 나도 나의 꿈이 이루어질 때까지 끈기 있게 노력하며 도전할 것이다.

핵심 요약에 체크해 보세요.

꿈을 향해 [☐ **경쟁** / ☐ **도전**]하는 조나단의 삶을 그린 소설 『갈매기의 꿈』을 읽고, 읽게 된 동기, 줄거리, 느낀 점 등을 적은 [☐ **독서 감상문** / ☐ **기사문**]입니다.

1 이 글에 대한 설명으로 알맞지 <u>않은</u> 것은 무엇입니까?

설명 방식

① 줄거리를 요약하여 보여 주고 있다.

② 책 표지에 적힌 내용을 그대로 끌어 쓰고 있다.

③ 책을 읽고 느낀 점과 결심한 내용을 밝히고 있다.

④ 책의 내용을 육하원칙에 따라 자세하게 전달하고 있다.

2 다음과 같이 이 글을 정리할 때, 알맞지 <u>않은</u> 것은 무엇입니까?

내용 적용

〈시련을 딛고 일어서는 '갈매기 조나단'〉

• 책을 읽게 된 동기

　책 표지에 있던 글을 보고 호기심이 생겨서 읽게 되었다.

• 책의 내용

　– 조나단은 다른 갈매기처럼 먹고살기 위해 날지 않았다. ·······················①

　– 조나단은 더 높이 나는 일에 관심이 있었다. ·······································②

　　조나단은 온 힘을 다해 훈련을 하여 푸른 하늘로 훨훨 날아갔다.

• 책을 읽고 난 뒤의 생각이나 느낀 점

　– 『갈매기의 꿈』과 같은 멋진 글을 쓸 수 있을지 불안한 생각이 들었다. ········③

　– 조나단처럼 끝까지 노력하여 하늘을 나는 훌륭한 조종사가 되겠다. ··········④

3 ㉠에 해당하는 내용으로 알맞지 <u>않은</u> 것은 무엇입니까?

추론

① 도전　　　　　② 끈기　　　　　③ 포기　　　　　④ 노력

4 [보기]를 바탕으로 ㉡에 들어갈 말로 가장 알맞은 것은 무엇입니까?

추론

┤ 보기 ├

　비슷한 성질이나 모양을 가진 두 사물을 '같이', '처럼'과 같은 연결어로 결합하여 빗대어 표현하는 방법을 '직유법'이라고 합니다. 예를 들면, '그는 여우<u>처럼</u> 교활하다.'에서 '그'와 '여우'는 둘 다 비슷하게 교활한 성질을 갖고 있다는 것입니다.

① 오뚝이　　　　② 축구공　　　　③ 솜사탕　　　　④ 다람쥐

　　기후 조건은 사람들의 옷차림에 많은 영향을 미친다. 고대 이집트에서는 간단하게 천을 둘렀고, 중국에서는 솜을 누벼 입었다. 기후에 따라 옷차림이 발달한 나라를 더 알아보도록 하자.

　　베트남은 변덕스러운 날씨를 가진 지역이다. [ⓐ] 햇볕이 내리쬐다가도, 하늘에 구멍이 난 듯 비가 쏟아지기도 한다. 그래서 베트남 사람들은 뜨거운 볕과 시시때때로 내리는 비를 모두 막을 수 있는 '농'이라는 모자를 쓴다. 농은 베트남 사람들이 청동기 시대부터 쓴 모자로 원뿔 모양으로 생겼다. 아랫부분이 넓어서 얼굴뿐 아니라 목까지 햇볕을 막아 준다. 물이 잘 스며들지 않는 야자나무 잎으로 만들어서 비가 올 때는 우산처럼 쓸 수 있다. 더운 날에는 바람을 일으켜 부채로 쓰기도 한다.

　　러시아는 1년의 절반은 눈이 내릴 정도로 추운 지역이다. 추운 날씨로부터 몸을 보호하려면 머리를 감싸는 것이 무엇보다 중요하다. 갑자기 찬 공기를 쐬면 머리의 혈관이 오그라들면서 생명이 위험할 수도 있기 때문이다. 그래서 러시아 사람들은 동물의 털로 만든 모자인 ㉠'샤프카'를 쓰고 다닌다.

　　러시아만큼 추운 북극 지방에는 이누이트 족이 사는데, 이누이트 족은 매서운 추위에 살아남기 위해 바다표범이나 순록의 가죽으로 만든 ㉡'아노락'을 입는다. 아노락의 안쪽은 털로 되어 있고, 머리를 덮는 모자가 달려 있어 매우 따뜻하다. 바깥쪽에는 가죽을 덧대어 눈이나 비에 젖지 않도록 만들었다. 아노락 덕분에 이누이트 족은 영하 40℃의 엄청난 추위 속에도 거뜬히 생활할 수 있게 되었다.

－살기 위해 꼭 필요한 옷 _ 최미소

핵심 요약에 체크해 보세요.

[□기후 / □피부]와 상황에 맞게 발달한 여러 나라의 옷차림을 [□주장하는 / □설명하는] 글입니다.

5

글의 제목

이 글의 제목으로 가장 알맞은 것은 무엇입니까?

① 세계의 다양한 모자

② 각 나라의 다양한 날씨

③ 옷을 만드는 다양한 재료

④ 기후에 따라 발달한 옷차림

6 내용 파악

이 글의 내용으로 알맞지 <u>않은</u> 것은 무엇입니까?

① 고대 중국에서는 솜을 누벼 입었어요.

② 베트남은 변덕스러운 날씨를 가진 지역이에요.

③ 고대 이집트에서는 간단하게 천을 둘러 입었어요.

④ 러시아는 1년의 절반은 비가 내려 습도가 높아요.

7 내용 적용

다음의 '이것'에 대한 설명으로 알맞지 <u>않은</u> 것은 무엇입니까?

 <u>이것</u>은 베트남을 다녀온 삼촌이 나에게 준 선물이다. 삼촌은 베트남에 가면 많은 사람들이 <u>이것</u>을 쓰고 다니는 모습을 볼 수 있다고 했다.

① 햇볕과 눈을 막을 수 있어요.

② 청동기 시대부터 썼다고 해요.

③ 더운 날에는 바람을 일으키는 부채로도 쓰여요.

④ 물이 잘 스며들지 않는 야자나무 잎으로 만들어요.

8 어휘

ⓐ에 들어갈 말로 가장 알맞은 것은 무엇입니까?

① 이글이글　　　② 스멀스멀　　　③ 펄럭펄럭　　　④ 시시콜콜

9 내용 파악

㉠과 ㉡에 대한 설명으로 알맞지 <u>않은</u> 것은 무엇입니까?

① ㉡은 이누이트 족이 입습니다.

② ㉠은 모자이고, ㉡은 모자가 달린 옷입니다.

③ ㉠과 ㉡은 모두 어둠을 이겨 내기 위해 사용합니다.

④ ㉠과 ㉡은 모두 동물의 털이나 가죽으로 만듭니다.

한눈에 보는
약점 유형 분석

틀린 문제에 ✔표를 하세요.

❶ 설명 방식	❷ 내용 적용	❸ 추론	❹ 추론	❺ 글의 제목	❻ 내용 파악	❼ 내용 적용	❽ 어휘	❾ 내용 파악

독해

설명하는 글 문제 ❶~❺

우리가 이루고 있는 가족 형태는 크게 ㉠'확대가족'과 ㉡'핵가족'으로 구분할 수 있습니다. 확대가족과 핵가족을 나누는 기준은 '세대'랍니다. 세대란 비슷한 나이에 같은 시대를 살았던 사람들로, 아빠와 엄마는 대개 같은 세대이지만 부모와 자녀는 세대가 다릅니다.

확대가족은 3세대 이상이 모여 사는 가족으로 가족 구성원의 수가 많은 편입니다. 핵가족은 2세대가 함께 사는 가족으로, 부모 세대와 결혼을 하지 않은 자녀 세대가 한집에 살고 있습니다.

옛날에는 확대가족을 이루고 사는 사람들이 지금보다 훨씬 많았습니다. 그때에는 주로 농사를 지었기 때문에 가족이 한집에서 북적거리며 살거나 근처에 모여 살았습니다. 물론 모든 가족이 확대가족으로 생활한 것은 아닙니다. 옛날에도 부모와 자녀만 사는 핵가족이 있었답니다.

옛날 부모들은 자녀를 많이 낳으려고 했습니다. 농사를 지으려면 일손이 많이 필요했거든요. 옛날에는 사람들이 일일이 손으로 농사를 지었기 때문에 집안에 일할 사람이 많을수록 농사 짓기가 훨씬 ⓐ수월했답니다. 또한 자녀가 많은 것을 무엇보다 큰 재산이자 복으로 여겨서 자랑거리로 삼기도 했습니다.

이러한 가족의 형태에 변화가 생긴 것은 1960~1970년대의 일입니다. 우리나라는 이 무렵부터 농업 사회에서 공업 사회로 빠르게 바뀌면서 많은 사람들이 농사를 짓지 않고 도시로 나가 직장을 구해 생활하기 시작했습니다. 또한 도시로 나가 살면서도 직장 때문에 이동을 해야 하는 일이 잦아짐에 따라 가족의 형태가 바뀌기도 했습니다. 이전처럼 많은 가족들이 근처에 모여 살거나 한집에 살기가 어렵게 되었고, 자녀도 많이 낳지 않게 되었던 것입니다.

확대가족과 핵가족을 두고 어떤 것이 좋고 어떤 것이 나쁘다고 판가름할 수는 없습니다. 가족이란 구조나 형태보다는 서로 배려하고 아끼고 사랑하는 마음이 가장 중요하기 때문입니다.

– 확대가족과 핵가족 _ 박현희

핵심 요약에 체크해 보세요.

가족의 형태가 [☐지역 / ☐시대]에 따라 확대가족에서 핵가족으로 변하게 되었음을 [☐설명하는 / ☐주장하는] 글입니다.

1 이 글의 제목으로 가장 알맞은 것은 무엇입니까?

글의 제목

① 확대가족과 핵가족의 특징과 장단점

② 확대가족이 핵가족보다 더 좋은 이유

③ 핵가족이 확대가족으로 바뀌게 된 이유

④ 확대가족에서 핵가족으로의 가족 형태의 변화

2 이 글의 내용으로 알맞지 <u>않은</u> 것은 무엇입니까?

내용 적용

① 엄마와 자녀는 같은 세대라고 볼 수 있습니다.

② 옛날 부모들은 대부분 자녀를 많이 낳으려고 했습니다.

③ 확대가족과 핵가족은 구성된 세대 수를 기준으로 나뉩니다.

④ 1960~1970년대에 우리나라는 공업 사회로 변하기 시작했습니다.

3 ㉠과 ㉡에 대한 설명으로 알맞지 <u>않은</u> 것은 무엇입니까?

중심 내용

① ㉠은 3세대 이상이 모여 사는 가족입니다.

② ㉠은 ㉡보다 가족 구성원 수가 많은 편입니다.

③ 옛날에는 모든 가족이 ㉠의 형태로 생활하였습니다.

④ 농업에서 공업 사회로 변하면서 ㉠에서 ㉡으로 바뀌었습니다.

4 이 글을 바탕으로 [보기]를 이해한 내용으로 알맞지 <u>않은</u> 것은 무엇입니까?

추론

> ┤ 보기 ├
>
> 주원이는 엄마, 아빠와 함께 살고 있었습니다. 그런데 엄마가 동생을 낳게 되었습니다. 동생을 낳은 후 주원이네 가족은 외할아버지와 외할머니, 그리고 아직 결혼을 하지 않은 이모와 함께 살게 되었습니다.

① 동생을 낳기 전의 주원이네 가족의 형태는 핵가족이었다.

② 동생을 낳고 나서의 주원이네 가족은 확대가족으로 바뀌었다.

③ 주원이네는 동생이 생기고 나서 2세대가 함께 모여 살게 되었다.

④ 이모가 결혼하여 이모부와 둘이 산다면 이모와 이모부는 핵가족이 된다.

5 ⓐ와 바꾸어 쓰기에 알맞은 말은 무엇입니까?

어휘

| 쉬웠습니다 | 어려웠습니다 |

컴퓨터 게임이나 휴대 전화 등에 중독된 것을 '사이버 중독'이라고 합니다. 요즘은 어릴 때부터 컴퓨터나 휴대 전화를 쓰는 데다가, 공부나 친구 관계가 힘들어 사이버 중독에 빠지는 친구들이 많이 있습니다. 사이버 중독에 대해 알아보고, 예방법도 알아보겠습니다.

먼저 사이버 중독이라고 하면 흔히 게임 중독만 생각하기 쉽습니다. 하지만 상대방을 가까이에 두고도 메신저를 보내는 행위, 페이스북 같은 SNS에 끊임없이 자신의 소식과 사진을 남기는 행위 등 사이버 중독은 그 종류나 형태가 다양합니다. 혹시 자신이 이런 사이버 중독은 아닌지 주의해서 보기 바랍니다.

사이버 중독에 빠지면 휴대 전화를 사용하거나 컴퓨터 게임을 하는 시간이 늘어나면서 자연스레 혼자 있는 것에 익숙해집니다. 심한 경우에는 학교에 가지 않는 것은 물론, 먹는 것과 잠 자는 일도 소홀히 하게 됩니다. 혹 여러분은 휴대 전화나 컴퓨터와 잠시만 떨어져 있어도 ⓐ안절부절못하거나, 휴대 전화의 배터리 용량이 줄어들면 불안해지나요? 그렇다면 사이버 중독의 초기 증상일 수 있으니 조심해야 합니다.

사이버 중독을 고치지 못하면 실제로 몸과 마음에 병이 생기게 됩니다. 오랫동안 컴퓨터와 휴대 전화를 쓰다 보면 허리와 목이 휘고, 손목이 망가집니다. 또 자극적인 게임을 오래 하면 현실에 잘 적응하지 못하고, 사람들과 지내는 법을 배우지 못해 사회생활을 하기가 힘들어지기도 합니다.

그러면 ㉠사이버 중독에 빠지지 않으려면 어떻게 해야 할까요? 요즘은 휴대 전화나 컴퓨터를 전혀 사용하지 않고 살기는 힘듭니다. 따라서 사이버 중독에 빠지지 않으려면 스스로 조절하는 능력을 키워야 합니다. 식사할 때, 잠자리에 들 때, 공부할 때에는 휴대 전화와 컴퓨터를 꺼 두거나 휴대 전화와 컴퓨터를 사용하는 시간을 따로 정해 둡니다. 또 부모님과 함께 사용 규칙을 만들어 보는 것도 좋은 방법입니다. 만약 혼자서 조절하기 힘들다면, 휴대 전화의 사용 시간을 조절할 수 있는 앱의 도움을 받는 것도 좋습니다.

– 사이버 중독을 피해 안전하게 생활하는 법 _ 서보현

[□사이버 중독 / □인터넷 글쓰기]의 개념과 종류, 증세와 예방법에 대해 알기 쉽고 자세하게 [□설명하는 / □광고하는] 글입니다.

⑥ 이 글에서 알 수 있는 내용이 <u>아닌</u> 것은 무엇입니까?

중심 내용

① 사이버 중독의 의미   ② 사이버 중독의 종류

③ 사이버 중독의 증상   ④ 사이버 중독을 고치기 어려운 이유

7

내용 파악

㉠에 대한 답변으로 알맞지 않은 것은 무엇입니까?

① 스스로 조절하는 능력을 키워야 합니다.

② 휴대 전화와 컴퓨터를 전혀 사용하지 않고 생활합니다.

③ 휴대 전화와 컴퓨터를 사용하는 시간을 따로 정해 둡니다.

④ 부모님과 함께 휴대 전화와 컴퓨터의 사용 규칙을 만들어 봅니다.

 8

추론

이 글을 읽고 [보기]를 이해한 내용으로 알맞지 않은 것은 무엇입니까?

> **보기**
>
> 영수는 친구들과 스마트폰으로 축구 게임 하는 것을 너무 좋아합니다. 수업 시간에도 길을 가다가도 머릿속에서 게임 생각만 납니다. 그러다가 영수는 시력이 나빠지고 몸도 허약해졌습니다. 영수는 건강을 회복하기 위해 부모님과 하루에 30분만 게임을 하기로 약속하고, 친구들과 운동장에 가서 축구를 하기로 했습니다. 이렇게 한 달이 지나 영수는 건강을 되찾을 수 있었습니다.

① 영수는 사이버 중독 중에서 게임 중독에 빠진 것으로 볼 수 있어요.

② 영수는 사이버 중독으로 인해 신체가 허약해졌음을 알 수 있어요.

③ 영수가 축구를 한 것은 사이버 중독에서 벗어나는 데 도움이 되었어요.

④ 영수는 게임 시간을 줄이거나 운동을 하는 것보다는 병원 치료가 필요해요.

 9

어휘

ⓐ의 의미로 알맞은 것은 무엇입니까?

① 마음이 편치 못하고 부끄럽다.

② 마음이 불안하고 초조하여 어찌할 바를 모르다.

③ 마음을 편안히 하거나 걱정 따위를 없애 버리다.

④ 한 가지 일에만 매달려 다른 것을 돌아볼 겨를이 없다.

한눈에 보는
약점 유형 분석

틀린 문제에 ✔표를 하세요.

❶ 글의 제목	❷ 내용 적용	❸ 중심 내용	❹ 추론	❺ 어휘	❻ 중심 내용	❼ 내용 파악	❽ 추론	❾ 어휘

설명하는 글   문제 ❶~❸

컴퓨터가 처음 보급되기 시작했을 때, 많은 사람들은 이제 종이의 사용이 점점 줄어들 것이라고 예상했습니다. 그러나 그 예상과는 반대로 종이 소비량은 오히려 더 늘고 있습니다. 왜냐하면 모니터로 보는 것보다는 종이에 인쇄하여 보는 것이 더 익숙하기 때문입니다.

종이는 정보를 전달하는 매체로, 물건을 포장하는 재료로, 기타 여러 가지 용도로 쓰입니다. 종이가 가볍고, 값싸고, 비교적 질기고, 위생적이기 때문입니다. 이와 같이 종이는 많은 장점이 있어 우리는 계속 종이를 새롭게 만들어 사용할 것입니다.

요즘 새롭게 개발되고 있는 종이 중에는 최첨단 과학 기술로 만들어지는 것들이 있습니다. 그중 몇 가지를 예로 들어 보겠습니다. 첫째는 밝을 때 빛을 저장해 두었다가 어두울 때 스스로 빛을 내는 축광지입니다. 둘째는 종이에 인쇄되거나 쓴 내용이 복사가 안 되는 종이입니다. 셋째는 기록한 지 한 시간 뒤에는 자동으로 그 내용이 없어져서 극비 문서로 사용되는 종이입니다. 이런 종이들은 공상 과학 영화에서나 볼 수 있었던 것들이지요.

주변에서 볼 수 있는 첨단 종이로는 온도에 따라 색깔이 변하는 온도 감응 종이, 과일의 신선도는 유지하고 벌레나 세균은 생기지 않도록 하는 포장지가 있습니다. 신용 카드 영수증처럼 앞 장에 글씨를 쓰면 뒷장까지 글씨가 적히도록 하는 종이도 있습니다. 이런 특수 기능 종이들은 이미 우리 주위에서도 많이 사용되고 있답니다.

더욱 놀라운 것은, 전자 신호를 이용해 원격으로 스스로 인쇄를 하고, 지면의 인쇄 내용을 완전히 바꿀 수 있는 전자 종이도 개발되었습니다. 이 기술이 상용화되면, 전자 종이로 된 신문 한 장만으로 매일 아침 새로운 기사들을 받아서 즉석에서 인쇄해서 보고, 다음 날도 똑같은 신문에 새로운 내용을 받아서 볼 수 있을 것입니다.

핵심 요약에 체크해 보세요.

[□컴퓨터 / □종이]의 장점과 새롭게 개발된 다양한 종이에 대해 [□설명하는 / □주장하는] 글입니다.

1 이 글의 내용으로 알맞지 <u>않은</u> 것은 무엇입니까?

중심 내용

① 컴퓨터가 보급되어 종이의 사용량이 점차 줄어들었습니다.

② 요즘에는 최첨단 과학 기술로 새로운 종이가 개발되고 있습니다.

③ 종이는 가볍고, 값이 싸며, 비교적 질기고 위생적인 특성이 있습니다.

④ 종이는 정보를 전달할 때뿐만 아니라 물건을 포장할 때에도 쓰입니다.

2 이 글을 읽고 [보기]를 이해한 것으로 가장 알맞은 것은 무엇입니까?

내용 적용

┤ 보기 ├

　소윤이는 문방구에서 '야광'이라고 적힌 색종이를 샀어요. 이 종이는 어두운 곳에서 밝게 빛이 났어요. 색종이에 별 모양을 그려 꼼꼼하게 오린 뒤, 천장에 붙이고 불을 꺼 봤더니 별 모양의 종이가 환하게 빛이 났어요.

① 소윤이가 산 색종이는 축광지일 것입니다.

② 소윤이가 산 색종이는 인쇄가 안 될 것입니다.

③ 소윤이가 산 색종이는 온도 감응 종이일 것입니다.

④ 소윤이가 산 색종이에 글씨를 쓰면 얼마 뒤 지워질 것입니다.

3 이 글을 바탕으로 탐구 활동을 계획할 때, 알맞지 <u>않은</u> 것은 무엇입니까?

추론

① 온도 감응 종이는 어떤 원리가 들어있는지 알아봐야겠어.

② 오늘날 종이 소비량이 정확하게 얼마나 되는지 찾아봐야겠어.

③ 종이에 쓴 글씨를 지우개로 지울 수 있는 원리를 알아봐야겠어.

④ 과일을 종이로 포장했을 때 신선도가 유지되는 이유를 알아봐야겠어.

엄마, 아빠와 시흥 갯골 생태 공원에 갔다. 갯벌에 들어가는 것이 아니라 갯골을 구경하는 거였다. 도착하자마자 밥을 먹고 염전으로 갔다. 아빠가 "염전은 소금을 만드는 밭이야."라고 했다.

엄마와 염전 가운데에 있는 길을 걷다가 염전 물을 만져 보았다. 손이 닿은 곳에 방귀를 뀐 것처럼 거품이 생겼다. 염전이라 그런지 짠 비린내가 났다. 염전을 나와서 염전 운동장으로 갔다. 염전 운동장은 공놀이를 할 수 있게 만들었는데, 하얀 소금이 바닥에 엄청 깔려 있었다. 나는 바닥의 소금을 찍어 맛을 보았다. 갑자기 짠 맛이 파도처럼 밀려왔다.

염전 운동장을 나와서 자전거 타는 사람들을 따라가 보니 소금 창고가 있었다. 소금 창고는 모두 네 개였다. 소금 창고 틈 사이로 안을 들여다 보니 전시회를 열려고 하는지, 사진들이 벽에 걸려 있었다.

소금 창고를 보고 그냥 앞에 난 길로 쭉 가다 보니 '갯벌 생태 학습장'이 있었다. 진정한 갯벌은 바로 그곳이었다. 어떤 아주머니가 "여기 엄청 큰 게가 있다!"라고 해서 가 보았다. 나는 신기해서 농게를 뚫어져라 쳐다보았다. 그런데 농게는 내 시선을 불편해하며 금방 구멍 속으로 숨어 버렸다. 엄마가 갯벌을 가리키면서 "저건 퉁퉁마디고, 저건 칠면초야."라고 했다. 퉁퉁마디는 초록색이었고, 칠면초는 빨간색이었다.

그 다음에는 '흔들 전망대'에 갔다. 흔들 전망대는 스프링처럼 생겨서 올라갈 때 어지러웠다. 하지만 나는 빨리 전망대로 가고 싶어서 무작정 뛰었다. 전망대에 오르니 굉장히 멀리 보였다. 우리가 갔다 왔던 갯벌도 보이고 염전도 보였다. 망원경으로 자세히 보려고 했는데, 조절이 잘 안 되어서 잔디만 보였다.

아빠는 갯벌 색깔이 ㉠맑은 색은 아니지만 갯벌에는 영양분도 많고 갯벌이 사람들에게 많은 도움을 준다고 했다. 그리고 보지는 못했지만 이 갯벌에는 많은 직박구리, 학도요와 같은 다양한 종류의 새가 산다고 했다. 다음에는 새도 꼭 보았으면 좋겠다.

- 갯벌도 보이고 염전도 보였다 _ 박성우

핵심 요약에
체크해 보세요.

부모님과 함께 [□갯골 공원 / □호수 공원]에 간 경험과 아빠에게 들은 것, 나의 느낌 등을 적은 [□설명문 / □기행문]입니다.

4

내용 파악

이 글의 내용으로 알맞지 않은 것은 무엇입니까?

① 글쓴이는 갯골 생태 공원을 구경하였습니다.

② 글쓴이는 염전에서 짠 비린내를 맡았습니다.

③ 글쓴이는 염전 운동장에서 아빠와 공놀이를 했습니다.

④ 글쓴이는 소금 창고에 사진들이 걸려 있는 것을 보았습니다.

5

일의 순서

글쓴이가 체험한 과정을 차례대로 나타낸 것은 무엇입니까?

① 염전 → 소금 창고 → 염전 운동장 →갯벌 생태 학습장 → 흔들 전망대

② 염전 → 염전 운동장 → 소금 창고 → 흔들 전망대 → 갯벌 생태 학습장

③ 염전 → 염전 운동장 → 소금 창고 → 갯벌 생태 학습장 → 흔들 전망대

④ 염전 → 소금 창고 → 갯벌 생태 학습장 → 염전 운동장 → 흔들 전망대

6

내용 파악

글쓴이가 갯벌에서 직접 본 것만을 [보기]에서 고른 것은 무엇입니까?

| 보기 |

가. 농게   나. 학도요   다. 칠면초   라. 직박구리   마. 퉁퉁마디

① 가, 나, 다   ② 가, 나, 라   ③ 가, 다, 마   ④ 나, 다, 라

7

추론

이 글을 읽고 학생들이 보일 수 있는 반응으로 알맞지 않은 것은 무엇입니까?

① 소금을 먹어 보고 짠 맛이 파도처럼 밀려왔다고 말한 점이 재미있어요.

② 염전에서 물을 만져 생긴 거품을 방귀를 뀐 것으로 표현한 점이 재미있어요.

③ 농게가 구멍에 들어간 것을 농게의 입장에서 표현한 점이 재미있어요.

④ 흔들 전망대에서 망원경으로 염전과 갯벌을 관찰한 점이 흥미로워요.

8

표준 발음

㉠을 소리나는 대로 쓰시오.

_____

한눈에 보는
약점 유형 분석

틀린 문제에 ✔표를 하세요.

❶ 중심 내용	❷ 내용 적용	❸ 추론	❹ 내용 파악	❺ 일의 순서	❻ 내용 파악	❼ 추론	❽ 표준 발음

설명하는 글   문제 **❶~❹**

오늘 수업에는 그리스의 철학자 소크라테스 선생님을 모셨습니다. 모두 인사하세요. 너무 검소하셔서 옷이 너무 낡았지요?

"안녕하세요, 옛날 그리스에서 온 소크라테스입니다. 보통은 수업을 할 때 선생님들이 설명을 하시지요? 하지만 저는 학생을 가르치는 방법이 그분들과 ⟦   ㉠   ⟧. 설명을 하는 게 아니라, 학생들에게 계속 질문을 해요."

"왜요? 이상해요! 공부는 가르치는 것이 아니에요?"

"저는 누구나 무엇이 옳고, 무엇이 잘못되었는지를 처음부터 알고 있다고 생각해요. 그래서 계속 질문을 하다 보면, 상대방이 답을 스스로 깨닫게 되지요. 이것이 바로 ㉡'소크라테스의 대화법'입니다. 이 방법은 오늘날에도 사용되고 있어요. 제가 한번 여러분에게 '대화법'을 사용해 볼게요. 여러분 중에서 누가 어떤 주장을 한번 말해 보세요."

"제가 해 보겠습니다. 저는 나쁜 짓을 하는 것이 다른 사람에게 나쁜 짓을 당하는 것보다 낫다고 생각해요."

"이 말이 맞는 말인지 확인해 볼까요? 대화법으로 질문하겠어요. 내가 나쁜 짓을 하는 것이 다른 사람에게 나쁜 짓을 당하는 것보다는 위험하지 않지요?" / "네, 맞아요."

"그렇다면, 나쁜 짓을 하는 것은 나쁜 짓을 당하는 것보다 남들이 보기에 부끄러운 행동인가요?" / "네, 그것도 맞아요."

"내가 도둑질을 하는 것은 도둑질을 당하는 것보다 창피한 행동이니까요. 그렇다면, 부끄럽고 창피한 행동은 나에게 더 해롭지 않습니까? / "그렇지요. 맞는 말씀입니다!"

"그래요. 남들이 보기에 창피할 말한 행동은 자신에게 해로운 일이니까요. 자, 결론이 나왔어요. 나쁜 짓을 하는 것은 나쁜 짓을 당하는 것보다 위험합니다. 처음 여러분이 주장했던, 나쁜 짓을 하는 것이 다른 사람에게 나쁜 짓을 당하는 것보다 낫다고 한 말은 틀린 말이에요. 이처럼 여러분은 처음부터 여러분의 생각이 잘못돼 있다는 것을 알고 있습니다. 이렇듯 질문과 대답을 계속 하다 보면, 모든 인간이 진리를 깨달을 수 있어요."

– 내가 모르는 것을, 내가 이미 알고 있다고? _ 서지원

핵심 요약에
체크해 보세요.

철학자 [□소크라테스 / □아리스토텔레스]에 대한 소개와 그의 대화법을 구체적인 예를 통해 [□설명하는 / □광고하는] 글입니다.

'소크라테스'에 대한 설명으로 알맞지 <u>않은</u> 것은 무엇입니까?

내용 파악

① 철학자이다.　　　　　　　　② 그리스 사람이다.

③ '대화법'을 통해 수업을 한다.　④ 가르칠 때 계속 설명을 한다.

 ㉠에 들어갈 알맞은 말은 무엇입니까?

어휘

| ① 다릅니다: 서로 같지 않다. | ② 틀립니다: 맞지 않고 어긋나다. |

③ **㉡에 대한 설명으로 알맞은 것은 무엇입니까?**

내용 적용

① 오늘날에는 이 방법이 더 이상 사용되지 않고 있다.

② 무엇이 옳고 그른지를 대화를 통해 규칙으로 정하는 것이다.

③ 상대방이 질문을 할 수 없을 정도로 자세하게 가르쳐 주는 것이다.

④ 상대방에게 계속 질문을 하여 상대방이 스스로 답을 깨닫게 하는 것이다.

④ **이 글의 '대화법'을 다음과 같이 정리할 때, 빈칸에 알맞은 말은 무엇입니까?**

추론

> 주장: 내가 나쁜 짓을 하는 것이 다른 사람에게 나쁜 짓을 당하는 것보다 낫다.

질문	대답
1. 내가 나쁜 짓을 하는 것이 다른 사람에게 나쁜 짓을 당하는 것보다 위험하지 않지요?	그렇다
2. 나쁜 짓을 하는 것은 나쁜 짓을 당하는 것보다 부끄러운 행동인가요?	그렇다
3. 부끄럽고 창피한 행동은 나에게 더 해로운 것인가요?	그렇다

↓

| 결론 | 내가 나쁜 짓을 하는 것은 다른 사람에게 나쁜 짓을 당하는 것보다 ☐☐☐☐. |

① 위험하다　　② 이롭다　　③ 안전하다　　④ 부끄럽다

옛날에 우리나라 옆에 있는 큰 나라가 우리나라를 업신여기며 ㉠얼토당토않은 걸 가져 오라 했는데, 기다란 바람막이 병풍하고 커다란 항아리를 가지고 오라는 거야. 병풍은 저희 나라 땅을 다 둘러치면 딱 맞을 만큼 기다랗게 만들고, 항아리는 두만강 물을 다 퍼 담으면 꽉 찰 만큼 커다랗게 만들어 가지고 오라는 거야. 세상에, 그런 엄청난 걸 어떻게 만들어?

이 때문에 나라에서는 난리가 났어. 임금과 신하들이 모여서 궁리를 하느라고 야단법석이 난 거야. 이 때 성 밖에 부모도 없이 남의 집 머슴 사는 아이가 소문을 듣고서는 임금 사는 대궐을 떡 하니 찾아갔네.

"임금님, 그 일이라면 아무 염려 마시고 저한테 맡겨 주십시오. 저에게 자 한 개 하고 사발 한 개만 주십시오."

아이는 그걸 들고 이웃 나라로 갔어. 이웃 나라 임금은 아이를 단박에 얕잡아 보고 마구 야단을 치는 거야.

"우리나라 땅을 둘러칠 바람막이 병풍하고 두만강 물을 퍼 담을 항아리를 만들어 가지고 오랬더니, 조그만 아이놈이 겁도 없이 그 따위 것을 들고 왔느냐?"

그래도 이 아이는 눈썹 하나 까딱 안 하고 태연하게 받아넘겼어.

"병풍이랑 항아리를 만들려면 먼저 해 주셔야 할 일이 있습니다."

"그게 뭐냐?"

"이 자로 이 나라 땅 둘레가 몇 자나 되는지 재어 주십시오. 그래야 그만한 병풍을 만들 것 아닙니까? 또, 이 사발로 두만강 물을 퍼서 몇 사발이나 되는지 알아봐 주십시오. 그래야 그만한 항아리를 만들 것 아닙니까?"

그러니까 뭐 더 할 말이 있나? 어찌 그렇게 할 수 있겠어? 도저히 못 하겠으니까 그만 나가떨어졌지.

"아이고, 됐다. 병풍이고 항아리고 다 필요 없으니 그냥 돌아가거라."

이렇게 해서 이 아이가 그 어려운 일을 보기 좋게 풀어내고 무사히 돌아왔다는 거야. 돌아와서 아이는 병도 없고 탈도 없이 오래오래 잘 살았더란다.

－슬기로운 아이 _ 서정오

핵심 요약에 체크해 보세요.

이웃 나라의 말도 안 되는 요구를 [□머슴아이 / □신하]가 지혜롭게 해결했다는 [□동화 / □설명문]입니다.

5 이 글의 내용으로 알맞지 <u>않은</u> 것은 무엇입니까?

내용 파악

① 이웃 나라 임금은 머슴아이가 요구한 것을 들어 주었어요.

② 머슴아이는 자 한 개와 사발 한 개를 가지고 이웃 나라에 갔어요.

③ 이웃 나라에서 기다란 병풍하고 커다란 항아리를 만들어 오라고 했어요.

④ 우리나라 임금과 신하들은 이웃 나라의 요구를 해결하기 위해 궁리를 했어요.

6 이 글을 읽은 후의 반응으로 알맞지 <u>않은</u> 것은 무엇입니까?

추론

① 우리나라를 얕잡아 보고 말도 안 되는 요구를 하는 이웃 나라가 나쁘다고 생각해.

② 이웃 나라에 가서 말도 안 되는 요구를 한 머슴아이의 행동은 반성할 필요가 있다고 생각해.

③ 우리나라 임금과 신하들은 이웃 나라의 요구를 어떻게 들어줘야 하는지 걱정이 엄청 많았을 거야.

④ 이웃 나라에 가서도 전혀 기죽지 않고 당당하게 말을 하는 머슴아이가 대단하다고 생각해.

7 ㉠과 바꿔 쓰기에 알맞지 <u>않은</u> 낱말은 무엇입니까?

어휘

① 터무니없는   ② 허황한   ③ 엉뚱한   ④ 당연한

8 이 글의 '머슴아이'를 통해 얻을 수 있는 교훈은 무엇입니까?

중심 내용

① 지혜와 용기   ② 인내와 끈기

③ 봉사와 배려   ④ 양보와 겸손

한눈에 보는
약점 유형 분석

틀린 문제에 ✔표를 하세요.

① 내용 파악	② 어휘	③ 내용 적용	④ 추론	⑤ 내용 파악	⑥ 추론	⑦ 어휘	⑧ 중심 내용

중요한 낱말을 다시 한번 확인하고 □에 써 보세요.

유능 (있을 有, 능할 能)	능력이나 재능이 있음. 예 국가에서 ☐☐한 인재를 발굴하기 위해 노력해야 한다.
황급히 (허둥거릴 遑, 급할 急)	정신을 차리지 못할 정도로 매우 급히. 예 급한 전화를 받고 그는 ☐☐☐ 자리에서 일어섰다.
마력 (마귀 魔, 힘 力)	사람의 마음을 사로잡거나 현혹시키는 이상한 힘. 예 이 소설은 잠시도 책을 놓지 않게 하는 ☐☐이 있다.
창공 (푸른 蒼, 빌 空)	푸른 하늘. 예 ☐☐에 빛나는 별.
적응 (갈 適, 응할 應)	일정한 조건이나 환경 따위에 맞추어 응하거나 알맞게 됨. 예 그는 누구보다 새로운 환경에 잘 ☐☐하는 사람이다.
변덕 (변할 變, 덕 德)	이랬다저랬다 잘 변하는 성질이나 태도. 예 오늘 날씨는 ☐☐이 심하다.
업신여김	교만한 마음에서 남을 낮추어 보거나 하찮게 여김. 예 그는 ☐☐☐☐을 당하고도 화를 내지 않았다.
시시때때로 (때 時, 때 時)	때에 따라 가끔. 예 아이는 ☐☐☐☐☐ 과자를 달라고 칭얼거렸다.

보급 (널리 普, 미칠 及)	널리 펴서 많은 사람들에게 골고루 미치게 하여 누리게 함. 예 새로운 기술이 전 세계에 ☐☐ 되었다.
매체 (중매 媒, 몸 體)	어떤 소식이나 사실을 널리 전달하는 물체나 수단. 예 텔레비전은 여러 사람을 상대로 하는 전파 ☐☐ 이다.
감응 (느낄 感, 응할 應)	전기나 자기를 띤 물체의 영향으로 다른 물체가 전기나 자기를 띠게 됨. 예 새 필름은 빛에 대한 ☐☐ 능력이 뛰어나다.
원격 (멀 遠, 사이 뜰 隔)	시간적, 공간적으로 멀리 떨어져 있음. 예 이 비행기는 ☐☐ 으로 조종한다.
상용화 (항상 常, 쓸 用, 될 化)	일상적으로 쓰게 함. 예 새로 개발한 치료약은 ☐☐☐ 를 위한 동물 실험을 모두 마쳤다.
태연 (편안할 泰, 그러할 然)	놀라거나 두려워해야 할 상황에서도 태도나 기색이 아무렇지도 않은 듯이 예사로움. 예 어떤 어려운 일에도 그는 늘 ☐☐ 했다.
여운 (남을 餘, 운 韻)	아직 가시지 않고 남아 있는 운치. 예 그 책은 나에게 긴 ☐☐ 을 주었다.
난리 (어지러울 亂, 떼놓을 離)	사고나 다툼 등으로 질서가 없이 어지럽고 소란스러운 상태. 예 아무것도 먹지 못한 아이들은 배고프다고 ☐☐ 였다.
극비 (다할 極, 숨길 祕)	더할 나위 없이 매우 중대한 비밀. 예 이것은 너와 나만이 아는 ☐☐ 야.

[01~04] 다음 밑줄 친 낱말의 뜻을 [보기]에서 찾아 쓰시오.

01 그는 낯선 환경에 <u>적응</u>하기 위해 매우 노력했다. ( )

02 그는 <u>시시때때로</u> 며칠 전에 길에서 만난 노인을 떠올렸다. ( )

03 그녀는 그가 키가 작다는 이유만으로 <u>업신여긴다</u>. ( )

04 그는 팀에서 없어서는 안 될 <u>유능</u>한 선수였다. ( )

> ┤ 보기 ├
>
> ㉠ 교만한 마음에서 남을 낮추어 보거나 하찮게 여기다.
> ㉡ 일정한 조건이나 환경 따위에 맞추어 응하거나 알맞게 됨.
> ㉢ 능력이나 재능이 있음.
> ㉣ 때에 따라 가끔.

[05~08] 주어진 뜻에 맞는 낱말을 빈칸에 넣어 문장을 완성하시오.

05 독수리 한 마리가 □□을 누비고 있다.

　＊뜻: 푸른 하늘.

06 경적이 울리자 엄마는 아이를 □□□ 차도에서 끌어당겼다.

　＊뜻: 정신을 차리지 못할 정도로 매우 급히.

07 날씨가 □□을 일으켜 갑자기 소나기가 쏟아졌다.

　＊뜻: 이랬다저랬다 잘 변하는 성질이나 태도.

08 이 그림은 보는 이의 마음을 기쁘게 하는 □□이 있습니다.

　＊뜻: 사람의 마음을 사로잡거나 현혹시키는 이상한 힘.

[09~12] 다음의 뜻에 알맞은 낱말을 [보기]에서 찾아 쓰시오.

> **보기**
>
> 감응   극비   난리   원격

09 시간적, 공간적으로 멀리 떨어져 있음.

10 전기나 자기를 띤 물체의 영향으로 다른 물체가 전기나 자기를 띠게 됨.

11 더할 나위 없이 매우 중대한 비밀.

12 사고나 다툼 등으로 질서가 없이 어지럽고 소란스러운 상태.

[13~16] 다음 문장의 빈칸에 가장 알맞은 낱말을 찾아 연결하시오.

13 수해 지구에 생활필수품을 ☐☐☐ 하였다.

• ㉠ 매체

14 어떤 일에도 그는 늘 ☐☐☐ 했다.

• ㉡ 상용화

15 그는 인쇄 ☐☐☐로만 읽히던 소설을 영화로 만들었다.

• ㉢ 보급

16 새 치료약은 ☐☐☐를 위한 동물 실험을 모두 마쳤다.

• ㉣ 태연

17 빈칸에 공통으로 들어갈 낱말을 쓰시오.

ㅇ ㅇ	① 그 수필은 독자들에게 긴 ☐☐을 주었다.
	② 그 영화는 마지막에 진한 ☐☐을 남겼다.

미래를 생각하는
(주)이룸이앤비

이룸이앤비는 항상 꿈을 갖고 무한한 가능성에 도전하는 수험생 여러분과 함께 할 것을 약속드립니다.
수험생 여러분의 미래를 생각하는 이룸이앤비는 항상 새롭고 특별합니다.

내신·수능 1등급으로 가는 길
이룸이앤비가 함께합니다.

http://www.erumenb.com

| 이룸이앤비 | 🔍 |

인터넷 서비스

라이트수학

● 이룸이앤비의 모든 교재에 대한 자세한 정보
● 각 교재에 필요한 듣기 MP3 파일
● 교재 관련 내용 문의 및 오류에 대한 수정 파일

숨마쿰라우데®

STARTUP

굿비
좋은 시작, 좋은 기초

홈페이지를 방문하시면
온라인으로 편리하게 교재 평가에 참여할 수 있습니다!
(매월 우수 평가자를 선정하여 소정의 교재를 보내드립니다.)

미래로 수능 기출 총정리
HOW to
수능1등급

글 읽기 능력이 향상되면
모든 공부의 **차신감도 향상**됩니다.

숨마어린이
초등국어 **독해왕** 시리즈
1단계 / 2단계 / 3단계 / 4단계 / 5단계 / 6단계 (전 6권)

다양한 글들을
쉽고 재미있게
공부하다 보면
독해왕이 됩니다!!!

숨마 어린이®

글 읽기 능력 향상을 위한

초등국어 독해왕

글 읽기가 재미있다는 것을 자연스럽게 알게 됩니다.

문학(동화, 동시, 기행문, 전기문 등),
비문학(설명문, 논설문, 실용문, 소개문, 안내문, 편지 등)을
초등학생의 수준에 따라 엄선하여 수록!

4
단계

정답 및 해설

상세한 지문 분석 및 문제 해설

▶ 학생에게는 **자기 주도 학습**을 위한 가이드가
▶ 선생님들에게는 수업을 위한 **지도 자료**로 활용될 수 있습니다.

글 읽기 능력 향상을 위한

초등국어
독해왕

4
단계

정답 및 해설

이룸이앤비
Education & Books

광고문 　문제 ❶~❸

시력이 좋지 않아서 쓰는 것이 아니에요.

마음의 벽이 있어서 쓰는 거예요.

이제 벗어 주세요. 당신의 색안경을요.

피부색이 아닌 사람 자체[*]로 봐 주세요.

그들도 우리의 이웃이에요.

우리가 색안경을 벗어던져 그들을 받아들일 때

우리 사는 세상은 더 　[㉠]　 밝게 바뀔 거예요.

다문화 가족을 차별 없이 대해야 함을 강조함.

핵심 요약에 체크해 보세요.

[✔인종 / □성격]이 다른 사람들을 받아들여 더불어 살아가야 한다고 [✔광고하는 / □회의하는] 글입니다.

1. ①

우리의 이웃인 다문화 가족을 차별 없이 대해야 한다는 것을 이야기하고 있어요.

2. ②

이 글에서 색안경을 벗으라고 한 것에서 색안경이 공정하지 못하고 한쪽으로 치우친 생각인 '편견'을 의미한다는 것을 알 수 있어요.

3. 넓고

'면적이 크다.'라는 뜻의 '넓다'를 문장에 맞게 쓸 때에는 '넓고'라고 써야 해요.

* 자체: 그 본디의 바탕.

설명하는 글 　문제 ❹~❻

　우리의 전통 건축물[*]을 한옥이라고 합니다. 지금은 한옥을 많이 볼 수 없지만, 옛날에는 우리나라 어디를 가든 한옥을 쉽게 볼 수 있었습니다. 오늘날에는 서울이나 전주, 안동 등의 지역에서 한옥 마을을 볼 수 있습니다. 한국의 전통 건축물인 한옥의 의미.

　한옥은 우리나라 기후에 맞게 과학적으로 만든 집입니다. 추운 겨울에는 온돌에서 생활하고, 더운 여름에는 마루에서 시원하게 지낼 수 있게 만들었습니다. 과학적으로 만들어진 한옥.

　그러면 온돌이 뭘까요? 온돌은 전통 한옥에 있는 아궁이와 구들장, 굴뚝을 이용한 난방 장치[*]입니다. 아궁이에 불을 피우고, 아궁이에서 만들어진 뜨거운 불의 열기가 방바닥에 깔린 구들장 밑을 지나 굴뚝으로 빠져나갑니다. 이 원리로 방바닥이 따뜻해지는 것입니다. 온돌의 의미와 원리.

　그렇다면 온돌은 옛날 한옥에서만 사용했을까요? 아닙니다. 오늘날 우리나라의 주택에서도 대부분 온돌 방식을 사용하고 있습니다. 대신 아궁이에 불을 때는 것이 아니라 보일러를 사용하여 방 바닥에 깔아 놓은 쇠 파이프를 달구어 온도를 높입니다. 이처럼 온돌은 세계에 자랑할 만한 과학적인 우리의 전통적인 난방 방식입니다.

세계에 자랑할 만한 전통적인 난방 방식인 온돌.

핵심 요약에 체크해 보세요.

우리나라의 전통 건축물인 [✔한옥 / □양옥]이 가진 온돌의 과학적 특징을 [✔설명하는 / □조사하는] 글입니다.

4. 한옥, 기후

1문단에서 한옥은 우리의 전통 건축물이라고 했고, 2문단에서 우리나라 기후에 맞게 과학적으로 만든 집이라고 했어요.

5. ④

이 글에서는 한옥의 종류에 어떤 것들이 있는지 나와 있지 않아요.

6. ④

4문단에서 온돌은 옛날의 한옥에서뿐만 아니라 오늘날 우리나라 주택에서도 사용된다고 했어요.

* 건축물: 땅 위에 지은 구조물 중에서 지붕, 기둥, 벽이 있는 건물을 통틀어 이르는 말.
* 난방 장치: 건물이나 방 안의 온도를 따뜻하게 하는 장치.

전래 동화   문제 ⑦~⑩

옛날하고도 아주 먼 옛날 어느 마을에 나무꾼이 살고 있었어요. 어느 날, 나무꾼이 나무를 하고 있는데, 호랑이가 달려오는 거예요. ㉠나무꾼은 눈앞이 캄캄했지만, 정신을 바짝 차리고 꾀를 내어, 호랑이가 달려들기 전에 넙죽 엎드리며 말했어요.

"아이고, 형님! 그동안 어디 계셨어요? 얼마나 형님을 찾았는데 이제야 오십니까?"

"뭐, 형님? 그런다고 내가 너를 안 잡아먹을 줄 아니? 난 배가 고파. 어림도 없지, 어흥!"

하고 큰 입을 벌리고 덤벼들려고 하는 거예요.

"형님, 이 깊은 산속 어딘가에 형님이 살고 있다는 걸 어머니께 들어서 벌써 알고 있었어요. 하지만 깊고 넓은 산속이라 찾을 길이 없어 항상 안타까워하고 있었어요."

"아니, 넌 사람이고 나는 호랑이인데 어째서 내가 네 형이란 말이냐?"

"당연히 의심을 하실 거예요. 어머니께서도 형님이 의심하실 거라고 했어요. 어릴 때 형님이 산에 갔다가 돌아오지 않아 걱정했대요. 그런데 어머니 꿈에 형님이 호랑이가 되어서 우리 집 쪽을 바라보고 슬피 울더래요. 혹시라도 산에서 호랑이를 만나면 형님이라고 부르고, 이 사실을 알려 주라고 하셨어요. 그런데 오늘에야 형님을 만나니, 너무 반가워서 눈물이 앞을 가리는군요. 흐흐흑……"

나무꾼이 호랑이에게 형님이라 부르며 속임.

나무꾼은 닭똥 같은 눈물을 뚝뚝 흘렸지요. 정말인 것 같기도 하고, 거짓말인 것 같기도 해서 호랑이는 고개를 갸웃거렸어요. 하지만 곧 두 눈을 ⓛ 하면서 말했답니다.

"나를 잃어버리고 어머니께서 얼마나 가슴 아파하며, 눈물을 흘리셨을까? 네가 내 동생이라니 참으로 기쁘구나. 그런데 나는 호랑이가 되어 어머니를 뵐 수 없으니 가슴이 무척 아프구나. 그러니 네가 가서 어머니께 나는 잘 있더라고 말씀드리고, 나 대신 어머님을 정성껏 잘 모셔라. 부탁한다, 아우야. 그리고 보름*에 한 번씩 깊은 밤에 찾아가겠다. 그때마다 산돼지를 잡아서 뒤뜰에 던져 놓을 테니, 내가 다녀간 줄 알아라."

호랑이는 목이 메어 말도 제대로 못했어요.

나무꾼도 눈물을 흘리며 대답했어요.

"형님! 알겠어요. 그럼 몸조심하시고요. 어머니는 힘드셔서 못 오실 테니, 가끔 저라도 찾아와 뵙겠어요."

이렇게 해서 나무꾼은 목숨을 건질 수 있게 되었답니다. 나무꾼이 호랑이를 속여 목숨을 건지게 됨.

핵심 요약에 체크해 보세요.

나무꾼이 산속에서 [☑호랑이 / ☐사자]를 만났지만 지혜롭게 위기를 넘겼다는 내용의 [☑전래 동화 / ☐동시]입니다.

---

7. 형님

나무꾼은 호랑이를 만나 눈앞이 캄캄했지만, 정신을 바짝 차리고 호랑이를 형님이라고 속여 잡아먹힐 위기를 넘겼어요.

8. ④

나무꾼이 위기를 모면하기 위해 호랑이를 형님이라 부르며 속인 것으로 보아 매우 지혜롭다고 볼 수 있어요(가). 호랑이는 나무꾼의 말에 속았지만 어머니를 위해 산돼지를 잡아 보름에 한 번씩 놓고 가겠다고 했으니 효심이 깊다는 것을 알 수 있어요(라).

9. ④

나무꾼은 위급한 상황에서도 침착하게 지혜를 발휘하여 위기를 넘겼으므로, ㉠과 관련된 속담으로는 '아무리 위급한 상황이라도 정신만 똑바로 차리면 위기를 모면할 수 있다.'는 뜻을 가진 '호랑이에게 물려 가도 정신만 차리면 산다.'가 알맞아요.

① 지금과는 형편이 다른 아주 까마득한 옛날을 이르는 말.
② 어느 곳에서나 그 자리에 없다고 남을 흉보아서는 안 된다는 말.

10. 껌뻑껌뻑

호랑이가 나무꾼의 말이 진짜인지 가짜인지 의심스러워하는 상황이므로, 눈을 자꾸 느리고 세게 감았다가 떴다가 하는 모양을 나타내는 말인 '껌뻑껌뻑'이 어울려요.

＊ **의심**: 확실히 알 수 없거나 믿지 못해 이상히 여기는 마음.
＊ **보름**: 열닷새 동안. 15일간.

안내문   문제 **①**~**②**

모시는 글

아버지, 어머니, 안녕하십니까? 첫인사.

벌써 개나리꽃과 진달래꽃이 활짝 피었습니다. 저희들은 4학년이 되어서, 그동^{2-③}안 배우고 익힌 솜씨를 보여 드리기 위하여 봄맞이 어린이극 발표회를 가지기로 하였습니다.

부디 참석하셔서 저희들의 작품을 보아 주시고 격려해[*] 주시기 바랍니다.

안내하는 편지의 목적.

제목: 흥부와 놀부 ^{2-④}

때: 20○○년 5월 1일 오후 3시

곳: 이룸초등학교 강당 ^{2-②} 안내하는 내용.

20○○년 4월 25일 ^{2-①}

4학년 어린이 일동 올림

1. ③

이 글은 이룸초등학교 4학년 어린이들이 준비한 어린이극에 부모님을 초대하기 위해 쓴 안내문이에요.

2. ①

4월 25일은 이 안내문을 쓴 날짜예요.

＊ **격려하다**: 마음이나 기운을 북돋우어 힘쓰도록 하다.

어린이들이 봄맞이 [[✔발표회 / □운동회]를 하게 되어 부모님들을 초대하고자 쓴 [[✔안내문 / □동화]입니다.

설명하는 글   문제 **③**~**⑤**

수박은 여름에 즐겨 먹는 과일 중의 하나입니다. 수박의 고향은 남아프리카 사막^{4-①}입니다. 지금도 남아프리카에는 야생 수박이 있습니다.^{4-③} 수박은 4천 년 전 이집트인^{4-②}이 재배하기 시작했고, 그 이후 여러 나라로 전해졌습니다.^{4-④} 우리나라에는 1905년 편찬된 『연산군 일기』에 수박을 재배했다는 기록이 나타나 있는 것으로 보아 그 이전에 들어온 것으로 짐작해 볼 수 있습니다. 수박의 원산지와 여러 나라에 전해진 시기.

㉠수박은 우리 몸에 좋은 과일입니다. 수박은 신장염[*]으로 생긴 부기를 빼는 데 효능이 있습니다. 그리고 비타민 C와 탄수화물이 풍부해서 여름에 지친 몸의 피로를 풀어 줍니다. 또한 소변을 잘 나오게 하기 때문에 몸속의 노폐물[*]을 빼 주는 역할도 합니다. 하지만 수박은 몸을 차게 하는 성질이 있기 때문에 위장이 약한 사람은 먹지 않는 것이 좋습니다. 우리 몸에 좋은 과일인 수박.

정리하자면 수박은 맛이 달고 시원하며 몸에 좋은 효능이 있어 오래 전부터 사람들에게 사랑받는 과일입니다. 오래 전부터 사람들에게 사랑받는 수박.

3. ②

여름에 즐겨 먹는 과일인 수박에 대해 설명하고 있어요.

4. ③

1문단에서 야생 수박이 지금도 있는 곳은 서남아시아가 아닌 남아프리카라고 했어요.

5. ②, ③

2문단에서 수박은 여름에 지친 몸의 피로를 풀어 준다고 했어요 (②). 그리고 신장염으로 생긴 부기를 빼는 데 효능이 있다고 했어요(③).

＊ **신장염**: 신장에 생기는 염증.
＊ **노폐물**: 생체 안에서 물질 대사의 결과로 생기는 불필요한 찌꺼기.

[[✔수박 / □호박]이 여러 나라에 전해지게 된 시기와 효능을 [[✔설명하는 / □광고하는] 글입니다.

설명하는 글   문제 ⑥∼⑩

한 나라의 주권*이 미치는 범위를 영토라고 해요. 영토에는 육지뿐만 아니라 바다와 하늘도 포함돼요. 바다를 영해, 하늘을 영공이라고 하지요. 우리나라는 삼면이 바다로 둘러싸여 있는데 이런 지형을 반도라고 해요. 중국은 우리나라보다 육지 면적이 44배나 넓지만 해안선의 길이는 6배 긴 정도에 불과합니다. 그만큼 우리나라의 해안선이 육지 면적에 비해 매우 길다는 것을 알 수 있죠. 반도의 지형적 특성을 가진 우리나라.

삼면의 바다를 각각 동해, 서해, 남해로 불러요. 이름만 다른 것이 아니라 바닷물의 색과 깊이, 온도뿐 아니라 해안선의 모양과 특징도 다르지요. 인구에 비해 영토가 넓지 않은 우리에게는 삼면이 바다로 둘러싸여 있는 것이 매우 다행스러운 일이에요. 왜냐하면 바다 자원을 활용할 수 있으니까요. 바다 자원을 활용할 수 있는 우리나라의 지형.

우리는 바다로부터 많은 것을 얻고 있어요. 가장 대표적인 것으로 바다에서 나는 다양한 수산물을 들 수 있어요. 등 푸른 생선인 고등어를 비롯해 갈치, 꽁치, 오징어, 조개류, 해조류 등 수많은 먹거리를 바다에서 얻어요. 그리고 바다는 사람들에게 휴식과 즐거움을 주기도 해요. 여름에는 바다에서 해수욕과 수상스키 등을 즐기고, 봄, 가을, 겨울에는 탁 트인 바다의 풍경을 감상할 수 있지요. 또한 바닷길은 다른 나라와 무역*을 하는 중요한 통로가 되고 있어요. 바다가 주는 다양한 혜택.

하지만 이것들은 ㉠바다가 주는 엄청난 혜택 가운데 일부분에 지나지 않아요. 바닷속 세계에는 상상할 수 없을 만큼 많은 보물이 묻혀 있어요. 가장 많은 보물이 숨겨진 곳은 ㉡대륙붕이에요. 대륙붕은 대륙 주변에 있는 지역으로 평균 수심*이 200미터 정도이고 경사가 완만해요*. 이곳에는 생물자원이 풍부할 뿐만 아니라 석유, 천연가스, 광물자원이 많이 묻혀 있어요. 대륙붕의 의미와 혜택.

또한 우리는 바다가 지닌 특성을 이용해 전기를 얻기도 해요. 예를 들어 밀물 때와 썰물 때의 바닷물의 높이가 달라지는 것을 이용한 조력* 발전 시설로 전기를 일으켜요. 이처럼 바다는 무한한 크기만큼 많은 것을 우리 인간에게 내어 주고 있어요. 다양한 혜택을 주는 바다.

핵심 요약에 체크해 보세요.

삼면이 바다로 둘러싸인 [☑우리나라 / ☐아시아]가 바다로부터 얻는 다양한 혜택을 [☑설명하는 / ☐주장하는] 글입니다.

6. ②
이 글은 우리나라의 삼면을 둘러싸고 있는 바다가 주는 많은 혜택에 대해 설명하고 있어요.

7. ④
중국의 해안선은 우리나라보다 6배 정도 길다고 했어요.

8. 반도
삼면이 바다로 둘러싸여 있는 지형을 '반도'라고 한다고 했어요.

9. ①
바다가 공기를 맑게 해 준다고 설명한 부분은 찾을 수 없어요.

10. ③
대륙붕은 경사가 완만해요. 그리고 우리가 전기를 얻을 수 있는 것은 대륙붕 때문이 아니라 밀물과 썰물 때 바닷물의 높이가 달라지는 바다의 특성 때문이에요.

* **주권**: 국가의 의사를 최종적으로 결정하는 권력.
* **무역**: 나라와 나라 사이에 물건을 사고파는 일.
* **수심**: 물의 깊이.
* **완만하다**: 경사가 급하지 않다.
* **조력**: 달, 태양 따위의 인력에 의하여 주기적으로 높아졌다 낮아졌다 하는 바닷물을 이용한 힘.

알아두면 도움이 돼요!

"초대"

생일잔치를 할 때에는 친한 친구들에게 집으로 놀러 오라고 미리 이야기를 하지요? 이처럼 어떤 모임에 와 달라고 부탁하거나 사람을 불러 대접하는 일을 '초대'라고 해요. 그리고 초대하는 내용을 적은 편지를 '초대장'이라고 하지요.

- 공연 제목: 뮤지컬, 『피노키오』
- 나오는 사람들: 피노키오, 제페토 할아버지, 요정, 여우, 극장 단장, 고래, 귀뚜라미 등
- 줄거리: 제페토 할아버지가 만든 나무 인형 피노키오 앞에 요정이 나타나 생명을 불어넣어 주자 피노키오는 사람처럼 움직이고 말을 할 수 있게 된다. 어느 날 피노키오는 여우의 유혹*에 빠져 극장에 갔다가 단장에게 붙잡히고 만다. 피노키오는 겨우 극장에서 도망치고 힘든 모험을 한다. 그러다 고래 먹이가 되고, 그 안에서 할아버지를 만난다는 이야기로 끝이 난다. _{뮤지컬에 대한 기록(사실).}
- 기억나는 장면: 피노키오는 나무로 만든 인형이다. 그런데 거짓말을 할 때마다 코가 자꾸자꾸 길어졌다. 코에 물을 주면 새싹이 자라날 수 있을 것 같았다. 내가 새였다면 피노키오의 코에 앉아 봤을 것이다.
- 느낀 점: 책에서만 봤던 주인공들이 직접 노래도 부르고 춤도 추어 나도 덩달아 즐거워져 함께 춤을 췄다. 참 재미있는 공연이었다. _{뮤지컬에 대한 나의 감상과 느낌(주관).}

＊**유혹**: 남을 꾀어서 그릇된 마음을 품거나 그릇된 행동을 하게 함.

핵심 요약에 체크해 보세요.
[☑뮤지컬 / □인형극]을 보고 줄거리와 기억나는 장면, 느낀 점 등을 적은 [☑공연 감상문 / □공연 안내문]입니다.

1. ③
이 글에서 뮤지컬 공연 시간이 얼마나 되는지는 기록하지 않았어요.

2. ④
피노키오는 여우의 유혹 때문에 극장에 가게 되었고 겨우 도망쳐 모험을 하게 된다고 했어요.

우리 조상들은 초상화를 그리는 원칙이 매우 엄격했어요. 그래서 생겨난 말이 '터럭 한 올이라도 잘못되면 그 사람이 아니다.'라는 거예요. 초상화를 그릴 때 그만큼 공을 들여 대상과 똑같게 그리려고 애썼지요. 하지만 무조건 겉모습만 같게 그린다고 되는 것이 아니라, 그 사람의 성품, 기질, 인격까지 담겨 있어야 훌륭한 초상화로 인정해 주었어요. _{우리 조상들이 초상화를 그리는 원칙.}

조선 시대 초상화 가운데서도 뛰어난 걸작은 ㉠'송시열 초상화'예요. 이 초상화는 1651년, 송시열이 45세가 되던 무렵에 그려진 것으로, 송시열의 글과 정조 임금의 글이 나란히 쓰여 있어 더욱 유명하답니다. 그의 초상을 보면, 복건*을 쓰고 학창의라는 옷을 입은 모습이에요. 거대한 몸집에 가느다란 눈매, 울퉁불퉁한 광대뼈, 뭉툭한 코, 고집스런 입매 등에서 지조가 곧으면서도 남들과 타협을 모르는 과단성* 있는 성품을 읽을 수 있어요. _{송시열 초상화의 특징.}

그림 오른쪽에는 스스로 적은 글도 있어요. '사슴을 벗 삼고 쑥대*로 집을 엮고, 밝은 창에 기대 앉아 끼니를 잊고 책을 보네.'라는 내용이에요. 이 글을 통해 청빈*한 생활 속에서 학문에 힘쓰는 선비의 모습을 그려 볼 수 있답니다. _{송시열 초상화에 적힌 글귀에 대한 설명.}

핵심 요약에 체크해 보세요.
송시열의 [☑초상화 / □산수화]를 통해 알 수 있는 그의 성품, 기질, 인격 등을 [☑설명하는 / □광고하는] 글입니다.

3. 초상화
이 글은 송시열 초상화를 중심으로 우리나라의 초상화에 대해 설명하는 글입니다.

4. ④
우리 조상들은 초상화를 엄청 공들여 대상과 같게 그렸는데, 겉모습뿐만 아니라 그 사람의 성품, 기질, 인격까지 담겨 있어야 훌륭한 초상화로 인정해 주었다고 했어요.

5. ④
글의 맨 마지막에 송시열은 부유한 생활이 아닌 청빈한 생활 속에서도 학문에 힘쓰는 선비의 모습을 보였다고 했어요.

＊**복건**: 예전에, 도복에 갖추어서 머리에 쓰던 쓰개의 하나.
＊**과단성**: 일을 딱 잘라 결정하는 성질.
＊**쑥대**: 쑥의 줄기.
＊**청빈하다**: 성품과 행실이 곧고 탐욕이 없어 가난하다.

전기문　문제 ❻~❾

"대한 독립 만세!"

3·1만세 운동의 폭풍이 온 서울을 휩쓸고 지나갔다. 일제는 또다시 만세 운동이 일어날까 두려워 모든 학교에 휴교령*을 내렸다. 유관순이 다니던 이화학당도 문을 닫았다. 유관순은 고향인 천안 아우내로 내려가 만세 운동을 계속하기로 결심했다.
고향에 내려가 만세 운동을 하기로 한 유관순.

고향에 내려온 유관순은 아버지 유종관과 교회 구역장인 조인원에게 서울의 만세 운동 소식을 전해 주었다. 그리고 아우내에서 음력 3월 1일에 만세 운동을 하기로 했다. 유관순은 어른들을 도와 태극기를 만들고 여기저기로 다니며 사람들에게 소식을 전했다.

마침내 음력 3월 1일(양력 4월 1일), 유관순은 아우내 장터로 나갔다. 소식을 듣고 모여든 사람들로 장터는 발 디딜 틈이 없었다. 유관순은 사람들에게 태극기를 나눠 주고 쌓여 있는 가마니 위로 올라갔다.

"여러분! 우리나라는 4,000년 역사를 가진 독립 국가입니다. 그런데 일제가 강제로 쳐들어와 우리를 억압하고 있습니다. 우리 다 같이 대한의 독립을 위하여 만세를 부릅시다!"

유관순이 태극기를 들어 올리자 옆에서 조인원과 유종관이 커다란 태극기를 휘둘렀다.

"대한 독립 만세! 대한 독립 만세!" 그 소리에 놀란 일본군들이 총을 들고 달려왔다.

"무슨 짓들이냐! 당장 해산하라*!"

사람들이 성난 파도처럼 일어나자 일본군들이 사람들에게 총을 쐈다. 일본군이 쏜 총에 유관순의 아버지와 어머니, 조인원이 쓰러졌다. 유관순은 피눈물을 흘리며 울부짖었다.

"이놈들아! 우리 부모님을 살려 내라!"

"이 계집애를 잡아 묶어라!" 아우내에서의 만세 운동으로 감옥에 가게 된 유관순.

유관순은 끌려가면서도 애국가와 만세를 멈추지 않았다. 감옥에서 1년을 보낸 유관순은 죄수들에게 또 다시 만세 운동을 하자고 제안했다. 유관순은 두 시에 시계의 종이 울리면 만세를 부르자고 각 감방의 죄수들에게 몰래 알렸다. 마침내 1920년 3월 1일, 두 시를 알리는 종이 울리자 죄수들이 일제히 만세를 불렀다.

"대한 독립 만세! 대한 독립 만세!"

도둑도, 사기꾼도, 강도도, 정치범도 다 같이 목이 터져라 만세를 불렀다. 이 일로 인해 유관순은 지하 감방으로 끌려가 악독한* 고문*을 당했다. 결국 유관순은 매를 맞아 얻은 병을 이기지 못하고 감옥에서 쓸쓸히 세상을 떠났다. 열아홉 꽃다운 나이였다. 감옥에서 생을 마친 유관순.

핵심 요약에 체크해 보세요.

[☑유관순 / □윤봉길]이 일제에 저항하기 위해 사람들과 함께 3·1 만세 운동을 한 과정을 기록한 [☑전기문 / □광고문]입니다.

---

6. ③

3·1만세 운동을 하다가 감옥에서 생을 마친 유관순에 대한 전기문입니다. 역사적인 사건과 인물에 대해 이야기한 것이지요.

7. ④

유관순은 감옥에서 나와 다시 만세 운동을 한 것이 아니라, 감옥에서 죄수들과 함께 만세 운동을 벌였고 악독한 고문을 당해 감옥에서 세상을 떠났어요.

8. ③

유관순은 서울에서 3·1만세 운동이 끝나자 고향에 내려와 음력 3월 1일에 만세 운동을 하였고(ⓒ), 이로 인해 일본군에게 붙잡혀 감옥에 가게 되었어요(ⓐ). 그러다 감옥에서 죄수들과 함께 만세 운동을 하다가(ⓒ), 고문으로 세상을 떠나게 되었지요.

9. ②

일본군은 유관순이 감옥에서 만세 운동을 한다는 것을 미리 알아차리지는 못했어요.

＊**휴교령**: 일정한 기간 동안 학교의 업무를 금지하라는 명령.

＊**해산하다**: 모인 사람이 흩어지다. 또는 흩어지게 하다.

＊**악독하다**: 매우 악하고 독하다.

＊**고문**: 어떤 것을 자백시키거나 원하는 일을 시키기 위하여 육체적이거나 정신적인 고통을 가하는 것.

설명하는 글 · 문제 ❶~❷

우리나라의 역사적 유산을 잘 살펴보면 목판활자본인 무구정광대다라니경, 금속 활자인 직지심경, 강우량 측정기인 측우기 등 세계에서 최초인 것들이 생각보다 많아서 놀라게 됩니다. *세계 최초로 만들어진 우리나라 문화재 소개.*

2-①
1796년 정조에 의해 만들어진 ⊙수원 화성은 세계 최초의 계획도시에 세워진 성 곽으로, 1997년에 유네스코에서 선정한 세계 문화 유산에 당당히 등록되기도 했습 니다. 사적 제3호인 수원 화성의 6km에 이르는 성벽 안에는 팔달문(보물 제402호), 화서문(보물 제403호), 장안문, 공심돈 등 다양한 문화재가 보존되어* 있습니다. *세계 최초에 세워진 수원 화성.*

수원 화성은 18세기 만들어져 그리 오래된 역사적 유산은 아니지만, 우리나라의 성곽뿐만 아니라 외국 성곽의 장점만을 받아들여 만들었다는 점에서 그 가치가 높 습니다. 과학적·합리적*·실용적*으로 만들어진 성곽으로서의 기능뿐만 아니라, 자 연과 어우러진 아름다움 또한 뛰어나 세계 문화 유산에 등록되었습니다. *세계 문화 유산에 등록되어 있는 수원 화성의 가치.*

핵심 요약에 체크해 보세요.

세계 문화 유산에 등록된 [☑수원 화성 / ☐남한산성]의 가치에 대해 [☑설명하는 / ☐주장하는] 글입니다.

1. ④

이 글은 세계 문화 유산이자 세계 최초로 계획도시에 세워진 수원 화성에 대해 설명하고 있어요.

2. ②

수원 화성에 측우기가 보관되어 있다는 내용은 찾을 수 없어요.

* **보존되다:** 잘 간수하여 남아 있 게 되다.
* **합리적:** 이론이나 이치에 합당 한. 또는 그런 것.
* **실용적:** 실제로 쓰기에 알맞은 또는 그런 것.

설명하는 글 · 문제 ❸~❺

4-②
옛날 이집트의 테베라는 도시 근처에 한 괴물이 살고 있었습니다. 그 괴물은 머 4-①
리는 사람이고 몸은 사자였습니다. 괴물은 지나가는 사람들을 붙잡고 수수께끼*를 4-④
냈습니다. 이 수수께끼를 풀지 못하면, 괴물은 곧바로 그 사람을 잡아먹어 버렸습 니다. 그래서 사람들은 그 괴물이 사는 곳에는 얼씬도 하지 않았습니다. *수수께끼를 맞추지 못하면 사람을 잡아먹는 괴물 소개.*

그때 마침 오이디푸스라는 용기 있고 지혜로운 젊은이가 그곳을 지나가게 되었 습니다. 괴물은 오이디푸스를 붙들고 역시 똑같은 수수께끼를 냈습니다.

"아침에는 네 개의 다리로, 낮에는 두 개, 저녁에는 세 개의 다리로 걷는 것이 무 엇이냐?"

"그야 ⊙ 이지!" / "아니, 어떻게 알았지?"

"그야, 간단하지. 사람은 태어나서는 두 팔과 두 다리로 기어 다니다가, 크면 두 다리로 걸어 다니지. 그러다가 나이가 들어 노인이 되면 지팡이를 짚으니까 세 개 의 다리로 걸어 다니는 것이지." / "아, 내 수수께끼를 풀다니!"
괴물의 수수께끼를 풀어버린 지혜로운 오이디푸스.

괴물은 외마디 비명을 지르며 그만 골짜기 아래로 몸을 던져 죽고 말았습니다. 바로 이 전설 속의 괴물이 '스핑크스'입니다. 현재 스핑크스 상은 이집트에 있습니 4-③
다. 230만 개의 돌을 차곡차곡 쌓아 올려 만든 거대한 무덤인 피라미드 앞에 앉아 무덤을 지키고 있습니다. *스핑크스와 피라미드 소개.*

핵심 요약에 체크해 보세요.

이집트의 [☑스핑크스 / ☐디오니소스]에 대한 전설을 [☑설명하는 / ☐주장하는] 글입니다.

3. 스핑크스

이 글은 이집트에 있는 피라미드 앞에 앉아 무덤을 지키는 스핑크 스의 전설을 설명하는 글이에요.

4. ③

230만 개의 돌을 쌓아 만든 것 은 스핑크스가 아니라 피라미드 에요.

5. ④

오이디푸스가 사람은 태어나서 는 두 팔과 두 다리로 기어 다니 고, 크면 두 다리로 걸어 다니고, 노인이 되면 지팡이를 짚어 세 개의 다리로 걸어 다닌다고 설명 했으므로 ⊙에 들어갈 말은 '사 람'이에요.

* **수수께끼:** 어떤 사물을 빗대어 말하여 그 뜻이나 이름을 알아 맞히는 놀이.

강연   문제 ❻~❾

수업 시간에 발표를 해 본 경험이 있나요? 수업 시간에 많은 친구들 앞에서 발표하려고 하면 왜 그렇게 망설여지고, 생각처럼 잘 되지 않을까요? 심장은 왜 또 그렇게 쿵쾅쿵쾅 뛰고요. 친구들 앞에서 멋지게 발표하려고 했는데, 막상 하고 나니 후회와 아쉬움만 남았던 적이 있나요? 조별 토론을 하자는 선생님의 말씀을 들으면 괜히 가슴이 벌렁거리고 피하고 싶나요? 발표를 할 때 느끼는 불안감.

괜찮아요! 초등학생이라면 누구나 이런 문제로 고민을 하니까요. 어른들이라고 다를까요? 똑같아요. 회사에 들어가서도 발표할 일이 많답니다. 어른들도 덜덜 떨면서 발표를 해요. 누구나 발표를 할 때 불안감을 느낌.

그렇다면 말을 잘하기로 유명한 위인들은 어땠을까요? 놀라지 마세요. 위인들도 처음에는 우리처럼 벌벌 떨었답니다. 명연설로 유명한 링컨, 루즈벨트 같은 대통령들은 물론이고 무대에서 사람들을 웃기고 울리던 찰리 채플린 같은 유명 배우도 처음에는 덜덜 떨었답니다. 연설을 하거나, 대사를 하다가 말을 더듬기까지 했다네요. 하지만 실망하지 않고 열심히 노력해서 역사에 이름을 남기는 말의 달인*이 될 수 있었지요. 유명한 위인들의 말하기 불안 증세 극복 사례.

아나운서인 저도 방송을 시작할 때에는 카메라를 쳐다볼 엄두조차 내지 못했답니다. 웃음 짓는 입가가 다 떨릴 정도였으니까요. 너무 떨어서 밤새도록 외운 원고를 까먹기도 했어요. 그러나 지금은 완전히 달라졌답니다. 카메라를 사랑스러운 눈으로 쳐다보고, 원고 내용을 잊어 버리면 순발력을 발휘해* 자연스럽게 다음 이야기로 넘어가거든요. 자신이 겪었던 말하기 불안 증세와 극복 사례.

어떻게 해서 그렇게 되었냐고요? 간단해요. 실수를 두려워하지 않고 계속 도전했기 때문이죠. 그리고 카네기 아저씨처럼 말을 잘하기 위해 노력했어요. 발표 때문에 고민하는 어린이 여러분도 저처럼 노력하면 말을 잘할 수 있어요. 말하기 불안 증세의 극복 방법.

자, 그럼 지금 거울 앞에 서 볼래요? 어깨를 활짝 펴 보세요. 그리고 고개를 당당히 들고 두 눈에 힘을 주고요. 눈빛이 반짝반짝 빛날 정도로요. 그렇게 했나요? 그렇다면, 큰 소리로 이렇게 외쳐 보세요.

"난 발표를 잘할 수 있어!" 자신감을 가져야 말하기 불안 증세를 극복할 수 있음을 강조함.

핵심 요약에 체크해 보세요.

[✔발표 / ▢발명]하는 것을 두려워하는 학생들에게 노력하면 누구나 잘할 수 있다고 [✔격려하는 / ▢광고하는] 강연입니다.

6. 발표

발표할 때 떨려서 고민하는 친구들을 대상으로 유명한 위인들의 사례와 자신이 경험을 바탕으로 도움을 주기 위해 쓴 글이에요.

7. ②

독자에게 질문 형식으로 물어보는 방식을 활용하여 설명하고 있어요(가). 링컨, 루즈벨트, 찰리 채플린과 같은 위인들도 발표가 두려웠으며 이를 극복하기 위해 노력했다고 예를 들어 설명했어요(나). 그리고 아나운서였던 자신 역시 처음 방송에서 두려웠던 경험과 이를 극복한 사실을 독자에게 들려 주었어요(라).

8. 실수, 도전

5문단의 '실수를 두려워하지 않고 계속 도전했기 때문이죠.'라는 문장이 이 글의 핵심 문장이 될 것입니다.

9. ②

4문단에서 말하는 이는 아나운서이며, 처음 방송을 할 때는 카메라를 쳐다보지도 못하고 원고를 까먹기도 했지만 지금은 완전히 달라졌다고 말하고 있어요.

* 달인: 특정 분야에 통달하여 남달리 뛰어난 역량을 가진 사람.
* 발휘하다: 재능이나 능력 등을 떨치어 드러내다.

"설명문"

어떤 지식이나 정보를 읽는 이에게 전달하고 이해시키기 위해 쉽게 풀어서 쓴 글을 설명문이라고 해요. 설명문은 전달하고자 하는 사실이 정확해야 하고 읽는 사람이 쉽게 이해될 수 있도록 써야 해요.

주장하는 글   문제 ❶∼❷

친구들과 서로 책을 바꾸어 읽어 봅시다. 자신이 읽었던 책 가운데에서 재미있었거나 감동적인 책들을 서로 교환하여 읽는 것입니다. 이렇게 하면 여러 가지 책을 많이 읽을 수 있어서 좋습니다. 또 친구들끼리 책을 추천함으로써 좋은 책을 선택할 수 있고, 책에 대하여 함께 대화를 나눌 수 있으며 친구들과 더욱 친해질 수도 있습니다. 책을 바꾸어 읽을 때의 장점.

책은 음식과 같습니다. 음식은 너무 적게 먹어도 좋지 않고, 한 가지만 많이 먹어도 좋지 않습니다. 책도 마찬가지입니다. 자신이 가진 책을 서로 바꾸어 읽으면 여러 종류의 책을 골고루 읽을 수 있습니다. 좋은 책도 읽고, 친구와의 우정도 키우는 ㉠책 바꾸어 읽기를 오늘부터 함께 실천합시다. 책 바꾸어 읽기를 제안함.

핵심 요약에 체크해 보세요. 친구들과 [□그림 /✔책]을 바꾸어 읽을 때의 좋은 점들을 말하면서 이를 실천하자고 [□설명하는 /✔주장하는] 글입니다.

1. ③

친구들과 책을 서로 바꾸어 보면 여러 가지 책을 많이 읽을 수 있고, 좋은 책을 선택할 수 있으며, 친구들과 더욱 친해질 수도 있다고 하면서 친구들과 책을 바꾸어 읽기를 주장하고 있어요.

2. ③

1문단에서 책을 바꾸어 읽을 때 좋은 점으로 먼저 여러 가지 책을 읽을 수 있어서 좋다는 점(다), 좋은 책을 선택할 수 있다는 점(가), 친구들과 친해질 수 있다는 점(라)을 이야기했어요.

주장하는 글   문제 ❸∼❹

요즈음 일상생활에서는 우리말보다 외래어*나 외국어*, 줄임말이 지나치게 사용되고 있습니다. 이렇게 오염되고* 사라져 가는 우리말을 아끼고 사랑하는 일은 우리나라 국민으로서 꼭 해야 할 일입니다. 그러면 우리말과 글을 아끼고 사랑하기 위해서는 어떤 노력을 해야 할까요? 우리말이 오염되어 가는 현상에 대한 문제 제기.

첫째, 뜻을 모르는 우리말이 나오면 그냥 지나치지 말고 그 낱말을 찾고 직접 사용해 봅니다. 자주 사용하다 보면 우리말과 글을 사랑하는 마음이 저절로 생기게 될 것입니다. 우리말과 글을 아끼고 사랑하기 위한 실천 방법 1

둘째, 우리말의 바른 표현을 찾아 올바르게 사용해야 합니다. SNS가 발달하면서 맞춤법이나 표준어 규정에 어긋난 말들이 인터넷상에서 많이 쓰이고 있습니다. 소중한 우리말과 글을 지켜 나가기 위해서는 올바른 표현법을 알고 사용하려는 노력이 필요합니다. 우리말과 글을 아끼고 사랑하기 위한 실천 방법 2

말과 글은 그 사람의 생각과 인격을 대신한다고* 하였습니다. 우리 민족의 정신을 지켜 가기 위해서는 우리말과 글의 소중함을 깨닫고 사랑하는 마음을 먼저 가져야 할 것입니다. 우리말과 글을 아끼고 사랑하는 마음의 중요성 강조.

핵심 요약에 체크해 보세요. 우리 민족의 [✔정신 /□건강]을 지키기 위해서 우리말과 글의 소중함을 깨닫고 사랑하는 마음을 가져야 한다고 [□설명하는 /✔주장하는] 글입니다.

3. ①

이 글에서는 외래어나 외국어, 줄임말이 무분별하게 사용되어 우리말에 대한 관심이 사라지는 것을 우려하며, 우리말과 글을 아끼고 사랑해야 한다는 주장을 하고 있어요.

4. ④

영희는 우리말인 '시나브로'의 뜻을 찾아보고 문장을 만들어 보는 적극적인 활동을 하고 있어요.

* **외래어**: 외국에서 들어온 말로 국어처럼 쓰이는 단어. 버스, 컴퓨터, 피아노 따위가 있음.
* **외국어**: 외국에서 들어온 말로 아직 국어로 정착되지 않은 단어. 무비, 밀크 따위가 있음.
* **오염되다**: 더럽게 물들다.
* **대신하다**: 그것의 역할이나 책임을 떠맡아 하다.

설명하는 글 문제 ❺~❽

㉠공공시설은 국가나 공공 단체에서 국민들의 편안하고 안전한 생활을 위해 세금으로 만들고 관리하는 시설들을 말해요. 도서관, 지하철, 가로등, 공원, 보건소, 학교, 박물관 등 우리가 살아가는 데 필요한 시설들은 아주 많아요. 이러한 시설들 중 국민들이 만들 수 없는 것들은 국가나 공공 단체에서 대신 계획하고 만들어요. 문화재를 관리하는 것도 국가가 세금으로 하는 일이랍니다. 공공시설의 의미.

그런데 여러 사람들이 이용한다고 해서 모두 공공시설은 아니에요. 정부나 공공 단체에서 시민들이 낸 세금으로 만들고 관리하는 것을 공공시설이라고 하는 것이에요. 따라서 극장이나 백화점은 공공시설이라고 할 수 없어요. 공공시설인 것과 아닌 것의 차이점.

공공시설의 특징은 대부분 무료로 이용할 수 있거나, 아주 적은 이용료만 내면 된다는 것이에요. 돈이 없는 사람들도 마음 놓고 이용할 수 있도록 말이에요. 또한 지역마다 자연환경, 생활환경, 주민의 수, 생산물 등이 다르기 때문에 각 지역에 필요한 공공시설은 다를 수 있어요. 예를 들어 도시에서는 지하철, 도서관, 체육관, 공원 등이 주로 필요하지만, 농촌에서는 마을 회관, 보건소, 농산물 저장 창고 등의 공공시설이 필요해요. 공공시설의 특징.

우리는 알게 모르게 여러 가지 공공시설들을 이용하며 살아가고 있어요. 그런데 자기 것이 아니라고 함부로 사용하는 사람들이 많아서 공공시설들이 만들어진 지 얼마 되지도 않아 부서지거나 더러워지는 경우가 발생하기도* 해요. 공공시설이 부서지거나 더러워지면 그것을 이용해야 하는 다른 사람들이 불편을 겪을 뿐만 아니라, 다시 세금을 걷어 새로 설치해야* 해요. 그러므로 공공시설을 사용할 때는 우리 모두 질서를 지켜 깨끗이 사용해야 해요. 공공시설을 사용할 때 주의점.

핵심 요약에 체크해 보세요.

[□개인 시설 / ✔공공시설]의 의미와 특징을 말하고, 이를 사용할 때 주의할 점 등을 [✔설명하는 / □주장하는] 글입니다.

5. 공공시설, 세금
1문단에서 공공시설은 국가나 공공 단체에서 국민들의 편안하고 안전한 생활을 위해 세금으로 만들고 관리하는 시설이라고 했어요.

6. ④
2문단에서 백화점은 여러 사람들이 이용하지만 시민들이 낸 세금으로 만들고 관리하는 것이 아니라서 공공시설이 아니라고 했어요.

7. ④
3문단에서 돈이 없는 사람들도 마음 놓고 이용할 수 있게 공공시설의 이용료는 무료이거나 저렴하다고 했어요.

8. ②
철수는 공공시설인 ○○호수 공원을 더럽히는 행동을 하고 있어요. 그러므로 공공시설을 사용할 때 주의사항을 알려 줘야 해요.

＊ **발생하다**: 어떤 일이나 사물이 생겨나다.
＊ **설치하다**: 어떤 일을 하는 데 필요한 기계나 설비, 건물 따위를 마련하여 갖추다.

| 어휘력 쑥쑥 테스트 | **01.** 격려 | **02.** 보름 | **03.** 경사 | **04.** 색안경 | **05.** 노폐물 | **06.** 지조 |
| | **07.** 인격 | **08.** 완만 | | | | |

| 십자말 풀이 | [가로 열쇠] | **1.** 과단성 | **2.** 외국어 | **3.** 순발력 | **4.** 무역 | **5.** 표준어 |
| | [세로 열쇠] | **1.** 특성 | **2.** 외래어 | **3.** 발휘 | **4.** 무분별 | |

일기   문제 ❶~❷

ㅗㅇㅇㅇ년 ㅇ월 ㅇ일, 날씨 맑음

오늘은 우리 아파트 '아나바다* 장터'가 열리는 날이다. 평소 잘 읽지 않던 책이랑 작아진 옷, 싫증난 헤어밴드를 챙겨서 장터로 갔다. 좋은 위치는 사랑들이 벌써 자리를 잡고 있었다. 나는 햇빛 때문에 나무 밑으로 가려다가 사랑들이 많아서 그냥 중앙 광장에 자리를 폈다. 그곳은 너무 덥고 짜증이 났다. 아이스크림이 먹고 싶어서 부모님께 사 달라고 하였더니 내가 번 돈으로 사 먹으라고 하셨다. _{아나바다 장터에 나간 나.}

나는 그때까지 물건을 하나도 못 팔아서 아이스크림을 사 먹지 못했다. 한 시간이 지나도 물건이 팔리지 않아서 동화책 가격을 500원씩 내렸다. 그때 혜진이 언니가 와서 『무지개물고기』랑 『마법천자문』을 사 주었다. 500원에 파는 게 아까웠지만 돈이 생겨서 기뻤다. 나와 동생은 얼른 아이스크림을 사 먹었다. 내가 가지고 나온 물건이 다 팔릴 줄 알았는데 그렇지 않아 실망스러웠다. 한 시간 만에 겨우 1,000원을 벌었다. 정말 돈 벌기가 힘들었다. 앞으로

　　　　　⊙　　　　　생각했다. _{돈 벌기가 힘들다는 것을 장터 경험으로 느낌.}

핵심 요약에 체크해 보세요.

[☑아나바다 장터 / ☐전통 시장]에서 물건을 판 경험과 느낌을 쓴 [☐광고문 / ☑일기]입니다.

1. ①
나는 책과 작아진 옷, 헤어밴드를 챙겨서 장터에 나갔으나 책밖에 팔지 못했다고 했어요.

2. ②
나는 '아나바나 장터'에서 힘들게 1,000원을 번 경험을 통해 돈의 소중함을 깨달았어요. 따라서 ⊙에 들어갈 말은 부모님께서 주시는 용돈을 아껴 써야겠다는 내용이 가장 알맞아요.

＊**아나바다:** 중고 물품을 서로 교환하거나 판매하는 시스템을 통하여 물자 절약과 자원 재활용을 실천하려는 움직임을 통틀어 이르는 말.

옛이야기   문제 ❸~❹

중국 제나라에 환공이라는 군주*가 있었어요. 어느 날 환공은 유명한 재상*인 관중과 대부*인 습붕을 데리고 고죽국*을 치러 나섰어요. 전쟁은 생각보다 길어져 그해 겨울이 돼서야 끝이 났지요. 환공은 군사들을 이끌고 지름길을 이용해 고국으로 돌아오던 중 그만 길을 잃고 말았어요. 추위와 매서운 바람 때문에 군사들은 모두 죽을 고비를 맞았어요. 그때 관중이 늙은 말 한 마리를 행렬 앞에 풀어 놓았어요. _{전쟁 중 길을 잃어 죽을 고비를 맞은 환공과 군사들.}

"전군은 늙은 말을 따르라!"

관중의 말에 군사들은 모두 의아했지만 따를 수밖에 없었어요. 늙은 말을 따라간 지 얼마 되지 않자 큰 길이 나왔어요. 그동안 수많은 길로 행군했던 늙은 말은 길을 쉽게 찾을 수 있었던 거예요. 군사들은 환호성을 지르며 길을 계속 갔어요. _{관중의 지혜로 길을 찾게 됨.}

하지만 얼마 못 가 식수가 다 떨어져 군사들이 힘을 잃고 말았어요. 그러자 이번에는 습붕이 말했어요.

⊙"개미집을 찾으시오."

얼마 후 개미집을 찾자 그로부터 얼마 떨어지지 않은 곳에서 샘물을 찾을 수 있었어요. 습붕은 개미집 아래에는 물이 있다는 것을 알고 있었어요. 관중과 습붕의 지혜 덕분에 군사들은 살아 돌아올 수 있었답니다. _{습붕의 지혜로 물을 얻게 됨.}

핵심 요약에 체크해 보세요.

중국 제나라의 군사들이 관중과 습붕의 [☐용맹/ ☑지혜] 덕분에 위기에서 무사히 살아 돌아올 수 있었음을 [☑전해 주는 / ☐주장하는] 이야기입니다.

3. 관중, 습붕
제나라의 환공과 군사들은 관중과 습붕의 지혜 덕분에 길을 쉽게 찾을 수 있었고, 물을 얻을 수 있었어요.

4. ①
습붕이 개미집을 찾으라고 한 이유는 오랜 경험으로 개미집 아래에는 물이 있다는 것을 알고 있었기 때문이에요.

＊**군주:** 나라를 다스리는 국가의 최고 통치자.
＊**재상:** 예전에, 임금을 보좌하며 모든 관원을 지휘하고 감독하는 일을 맡은 관리.
＊**대부:** 옛날 중국의 높은 계급.
＊**고죽국:** 발해만 북안에 있던 나라로 추정됨.

설명하는 글   문제 ⑤~⑧

"다다다, 다—. 다다다, 다—."

짧은 음 세 개와 긴 음 하나로 시작되는 웅장한* 소리는 세상을 깜짝 놀라게 했어요.

"마치 운명이 문을 두드리는 소리 같아."

음악을 듣는 사람들은 심장이 멎는 것 같았어요. 무언가 거대한 운명의 그림자가 파도처럼 밀려오는 느낌이 들었어요. 이렇게 세상을 놀라게 한 곡은 바로 베토벤의 「운명」이었어요. 세상을 놀라게 한 베토벤의 「운명」.

6-①
베토벤은 악상*이 떠오르지 않을 때면 산책을 하는 버릇이 있었어요. 그날도 베토 벤은 집 근처에 있는 숲속의 오솔길을 천천히 걷고 있었지요. 베토벤의 머릿속은
6-②
온통 절망뿐이었어요. 귓병을 앓고 있던 그는 '운명에 자신을 맡길 것이냐', 아니면 '운명과 싸워 승리할 것이냐.'의 갈림길에서 괴로워하고 있었던 거예요. 그때 어디 선가 영롱한* 새 소리가 들려왔어요.

"삐삐삐, 삐—."

"맞다! 그거야!"

베토벤은 걸음을 멈추었어요. 그리고 집으로 달려가 악보를 꺼내고는 단숨에 '솔 솔솔 미'의 네 개의 음을 적어 내려갔어요. 다가온 운명이 인생의 문을 두드리는 소 리를 표현한 것이지요. 베토벤은 이 곡에 「교향곡 5번」이라는 번호를 붙였어요. 잔 인한 운명에 맞서는 인간의 투쟁과 승리가 30분이 조금 넘는 짧은 곡 속에 강렬하
6-③
게 스며들어 있어요. 그래서 사람들은 이 곡에 '운명'이라는 별명을 ㉠붙였어요. 「운명」이라는 제목은 베토벤이 지은 제목이 아니라 사람들이 지은 거예요. 베토벤이 「운명」을 작곡하게 된 과정.

교향곡 「운명」은 네 개의 악장으로 이루어졌어요. 제1악장에서 시작할 때 나오는 유명한 '솔솔솔, 미'의 네 음은 전쟁 때 승리의 신호로 사용되기도 했어요. 제2악장 의 조용하면서도 부드럽게 흘러가는 선율은 마치 폭풍이 몰아친 후의 고요함을 연 상하게 해요. 제3악장의 제법 빠른 템포*는 명랑함과 슬픔을 동시에 느껴지게 해요. 제4악장은 고된 운명을 극복한 승리의 기쁨을 표현하고 있어요. 교향곡 「운명」에 대한 설명.

사람들은 「운명」에 대해 "나폴레옹이 대포 소리로 세상을 놀라게 하더니, 베토벤 은 새 소리로 인류를 놀라게 했다."라고 말했어요. 베토벤은 귀가 들리지 않는 시련
6-④
속에서도 「영웅」, 「전원」 등 주옥같은 명곡들을 많이 작곡했답니다. 다양한 명곡을 작곡한 베토벤.

핵심 요약에 체크해 보세요.

[☑귓병 / ☐눈병]을 앓고 있던 베토벤이 교향곡 「운명」과 같은 명곡을 만들어 낸 과정을 [☐주장하는 / ☑설명하는] 글입니다.

---

5. 베토벤, 운명

이 글은 귓병을 잃고 있는 자신 의 운명과 싸워 「교향곡 5번」 등 의 다양한 명곡을 작곡한 베토벤 에 대해 설명하고 있어요.

6. ③

「교향곡 5번」에 '운명'이라고 이 름을 붙인 것은 베토벤이 아니라 사람들이에요.

7. ③

교향곡 「운명」과 대포 소리는 서 로 관계가 없어요. 대포 소리로 세상을 놀라게 한 사람은 나폴레 옹이에요.

8. ④

㉠은 '이름이 생기다.'라는 의미 로 쓰였어요.

＊ **웅장하다**: 규모가 우람하고 으리 으리하다.

＊ **악상**: 작곡을 하는 데 실마리가 되는 생각.

＊ **영롱하다**: (울리는 소리가) 맑고 산뜻하다.

＊ **템포**: 악곡을 연주하는 속도.

＊ **주옥**: '구슬과 옥'이라는 뜻으로, 여럿 가운데 가장 아름답고 귀 한 것.

안내문   문제 ①~③

1. 도서관의 시설과 자료를 소중하게 다루어 주세요.
   • 책을 찢거나 낙서하면 안돼요. 내 책처럼 아껴 주세요.
2. 책 읽는 분위기 조성*에 동참해* 주세요.
   • 도서관에서는 [㉠] 걸어 다니고 소곤소곤 작은 목소리로 말해요.
   • 졸리다고 자리를 차지한 채 잠을 자고 있나요? 그러면 자리에 앉지 못한 다른 친구들이 책을 볼 수 없어요. 책을 읽지 않을 때에는 자리를 양보해야 해요.
3. 쾌적한 도서관 환경을 지켜 주세요.
   • 도서관 안에서 음식물을 먹지 않도록 해요.
   • 애완동물은 도서관에 데려 오지 말아요. 다른 친구들에게 불쾌감을 줄 수 있어요.
4. 그 밖에 지켜야 할 것들이에요.
   • 유행성 질병에 걸렸을 때에는 다 나은 후에 도서관에 오세요.

   도서관에서 지켜야 할 예절을 큰 항목과 세부 항목으로 알아보기 쉽게 나타냄.

핵심 요약에 체크해 보세요.

[□공원 / ✔도서관]에서 지켜야 할 약속을 항목을 나누어 [□광고하는 / ✔안내하는] 글입니다.

1. 도서관

이 글은 도서관의 시설과 자료 소중히 다루기, 책 읽는 분위기 조성하기, 쾌적한 도서관 환경 만들기 등 도서관에서 지켜야 할 약속이나 예절에 대해 안내하는 글이에요.

2. ③

이 글은 도서관에서 지켜야 할 예절에 대해 쓴 글인데, 도서관은 공공장소이므로 큰 소리로 책을 읽으면 안 돼요.

3. ①

도서관에서 조용하고 조심히 걷는 모양을 나타내는 낱말은 '사뿐사뿐'이 가장 어울려요.

＊ **조성:** 분위기 따위를 만듦.
＊ **동참하다:** 함께 참가하다.

전기문   문제 ④~⑤

   소형 컴퓨터와 같은 모바일 기기를 손에 들고 다니면서 간편하게 사용할 수 있게 된 데에는 누구보다 스티브 잡스의 공로가 크다고 할 수 있습니다.
   컴퓨터 사용을 간편하게 한 잡스의 공로.
   컴퓨터가 처음 만들어졌을 때에는 국가나 기업 같은 커다란 조직에서만 사용했습니다. 크기도 컸지만 사용 방법도 어려워 전문가가 아니면 사용할 수 없었습니다. 그러다가 1976년 지금의 컴퓨터와는 조금 다른 개인용 컴퓨터가 처음 판매되었습니다. 바로 스티브 잡스가 만든 '애플 I'이라는 컴퓨터입니다. 스티브 잡스가 만든 전자 제품들은 디자인이 예쁘고 누구라도 쉽게 쓸 수 있도록 간단하게 만들어진 것이 특징입니다. 손바닥보다 작은 기계에서도 컴퓨터 기능을 이용할 수 있게 되면서 사람들의 생활은 크게 바뀌었습니다. 아이팟을 비롯해 아이패드, 아이폰을 줄줄이 개발해 내놓은 스티브 잡스는 복잡하고 어려운 컴퓨터를 누구라도 쉽게 사용할 수 있게 만든 혁신의 아이콘이 되었습니다. 다양한 전자 제품들을 혁신적으로 만든 잡스.
   그러나 안타깝게도 스티브 잡스는 2011년 췌장암으로 세상으로 떠나고 말았습니다. 곧 죽게 될지도 모른다는 생각이 스티브 잡스가 중요한 결정을 할 때 큰 도움이 되었다고 합니다. 죽음 앞에서 실패나 두려움 같은 것에 흔들리지 않고 핵심을 잘 판단하고 결정할 수 있었던 것입니다. 잡스의 결정에 영향을 미친 죽음의 문제.

핵심 요약에 체크해 보세요.

[□자동차 / ✔컴퓨터]를 쉽게 사용할 수 있게 만든 스티브 잡스의 [✔전기문 / □일기]입니다.

4. ③

스티브 잡스가 인터넷을 사용하기 쉽고 간편하게 했다는 이야기는 이 글에 나오지 않아요.

5. ①

마지막 문단에서 잡스가 중요한 결정을 할 때 곧 죽게 될지도 모른다는 생각은 큰 도움이 되었다고 했어요.

배경 신화 문제 ⑥~⑨

겨울철은 일 년 중 별빛이 가장 아름답게 빛나는 계절이에요. 겨울철의 별자리 찾기는 ㉠오리온자리에서부터 출발해요. 오리온자리는 겨울철 남쪽 하늘의 별자리로, 별자리의 생김새는 꼭 용감한 용사 오리온이 곤봉과 방패를 들고 황소를 노려보는 듯한 모습이에요. 허리띠에는 세 개의 푸른 별이 나란히 빛을 내뿜으며 그 위용*과 용맹성*을 돋보이게 하지요. 겨울철 가장 빛나는 별자리인 오리온자리.

오리온자리에는 ㉡그리스 신화의 슬픈 이야기가 깃들어 있답니다. 오리온은 바다의 신 포세이돈의 아들이에요. 들짐승을 잡으러 다니는 사냥꾼이었지요. 오리온은 달의 여신 아르테미스를 사랑하였어요. 그런데 아르테미스의 오빠 아폴론은 여동생이 오리온과 결혼하는 것이 몹시 못마땅했어요. 그래서 계략*을 꾸몄어요. 아폴론이 바다에서 수영을 하고 있는 오리온을 눈부신 햇빛으로 가리우고는 여동생 아르테미스에게 말했어요.

"아르테미스야, 저기 사슴이 바다를 헤엄쳐 건너고 있구나. 네 활 솜씨라면 문제없이 잡을 수 있겠지?"

"저런 것쯤이야 문제없지요."

분명 그 물체는 금빛나는 사슴처럼 보였어요. 아폴론의 속셈을 알 리가 없는 아르테미스는 단번에 화살을 명중시켰어요. 아폴론은 껄껄 웃으며 아르테미스를 칭찬했어요.

"과연 너는 사냥의 여신이로구나. 아주 훌륭했어."

며칠 후, 아르테미스는 바닷가를 산책하다가 사람들이 모여서 웅성거리는 모습을 보았어요. 거기에는 자신이 그토록 사랑하는 오리온이 누워 있었어요. 머리에는 며칠 전 자기가 쏘았던 화살이 꽂혀 있었어요. 아르테미스는 그제서야 자신이 오빠에게 속았음을 깨달았지요.

"이럴 수가, 이럴 수가……."

아르테미스가 제우스 신을 찾아가 비통*함을 하소연했어요*. 이야기를 듣고 난 제우스 신은 그녀의 슬픔을 위로하기 위해 오리온을 하늘의 별자리로 만들어 주었답니다. 오리온자리에 담겨있는 그리스 신화 이야기.

핵심 요약에 체크해 보세요.

그리스 신화에 나오는 별자리인 [□처녀자리 / ☑오리온자리]에 대한 배경 이야기를 알려 주는 [□기행문 / ☑배경 신화]입니다.

---

6. ①

이 글은 겨울철 가장 빛나는 자리인 오리온 별자리를 중심으로 이와 관련된 그리스 신화를 이야기하고 있어요.

7. ③

제우스 신에게 아르테미스가 비통함을 호소하자, 그녀의 슬픔을 위로하기 위해 제우스가 오리온을 별자리로 만들어 주었어요.

8. ②

오리온과 아르테미스는 사랑에 빠졌는데(ⓐ), 이를 못마땅하게 여긴 아폴론이 계략을 꾸미죠(ⓒ). 아르테미스가 오리온을 바다에서 헤엄치고 있는 사슴으로 오해하고 활로 쏘게 되어(ⓔ) 오리온이 죽게 됩니다(ⓑ). 제우스 신은 슬픔에 빠진 아르테미스를 위로하기 위해 오리온을 하늘의 별자리로 만들어 주었어요(ⓓ).

9. ④

오리온과 아르테미스가 사냥을 잘하지만 누가 더 잘하는지는 이 글을 통해 알 수 없어요.

* **위용**: 위엄 있는 모습이나 모양.
* **용맹성**: 용감하고 사나운 성질이나 특성.
* **계략**: 꾀나 수단.
* **비통**: 몹시 슬퍼서 마음이 아픔.
* **하소연하다**: 억울한 일, 딱한 사정 등을 간곡히 호소하다.

독서 감상문　　문제 ❶∼❷

몹시 무더운 여름이다. 밖에 나가 놀고 싶은 마음이 굴뚝같다. 공부를 중단해서
는 안 된다고 한 한석봉 어머니 가르침이 생각났다. 한석봉의 전기를 꺼내 읽었다.
한석봉의 전기를 꺼내 읽음.

한석봉의 어머니는 3년간이나 절에 가서 공부하고 돌아온 석봉을 시험해 보고자
하였다. 불을 끈 석봉의 어머니는 자신은 떡을 썰테니 석봉에게는 글씨를 쓰라고
다. 그런데 어둠 속에서 쓴 어머니의 떡은 고른데 석봉의 글씨는 고르지 못했다. 어
머니는 공부를 더 하고 오라며 그길로 석봉을 돌려보냈다. 어머니는 아들을 진정으
로 사랑했기 때문에 돌려보낸 것이다. 그러한 어머니의 큰 사랑과 엄한 교육이 아
니었으면 한석봉은 그토록 유명한 명필이 되지 못했을 것이다.
3년 만에 집에 온 아들을 돌려보낸 한석봉의 어머니.

어머니의 꾸중을 듣고 그길로 다시 절로 들어가는 한석봉을 생각하면서 나는 게
으른 내 모습을 반성하고, 어머니 말씀을 잘 들어야겠다고 다짐했다. 그리고 한석
봉을 생각하면서 나도 어려움을 참고 꾸준히 노력해야겠다고 생각했다.
한석봉 전기를 읽고 나서의 반성과 깨달음.

핵심 요약에
체크해 보세요.
조선 시대 명필인 [□김정희 / ☑한석봉]의 전기를 읽고, 그 내용과 느낀 점을 쓴
[☑독서 감상문 / □기행문]입니다.

1. ③
어머니는 어둠 속에서도 떡을 고
르게 잘 썰었지만, 한석봉은 글
씨를 고르게 쓰지 못하여 어머니
는 아들 한석봉을 냉정하게 절로
돌려 보냈어요.

2. ①
글쓴이는 한석봉의 전기를 읽고
어려움을 참고 꾸준히 노력하겠
다는 것과 어머니 말씀을 잘 들
어야겠다고 생각했어요.

＊ **중단하다**: 도중에 멈추거나 그만
두다.
＊ **명필**: 글씨를 매우 잘 쓰는 사람.

설명하는 글　　문제 ❸∼❺

외출을 할 때 양산을 쓰는 것은 햇빛에 피부가 상하는 것을 막기 위해서입니다. 피
부가 햇빛에 심하게 노출되면, 검게 되고 기미가 생기며 탄력도 없어진다고 합니다.
4-② 양산을 쓰는 이유.

㉠햇빛은 적외선, 가시광선, 자외선 등으로 나눌 수 있는데, 이 중 피부를 상하
4-③
게 하는 것은 자외선입니다. 자외선에 오랫동안 노출되면 피부가 검게 되고 거칠어
지며, 심하면 피부암에 걸릴 수도 있습니다. 자외선이 피부에 미치는 영향.

하지만 다행히도 대기가 지구로 들어오는 대부분의 자외선을 막아 주고 있습니
4-①
다. 마치 양산처럼 말입니다. 지구의 대기 중에서 해로운 자외선을 막아 주는 역할
을 하는 것은 지구의 표면에서 약 15∼30km가 떨어진 곳에 집중적으로 분포하고
있는 '오존층'입니다. 이 오존층은 태양에서 오는 강력한 자외선이 지구 표면에 직
접 닿지 못하게 해 줍니다. 그러므로 오존층은 지구의 초대형 양산이라고 할 수 있
습니다. 그런데 이 오존층이 환경오염으로 인해 파괴되고 있습니다. 우리 모두 오
존층이 파괴되지 않도록 노력해야 합니다. 오존층의 역할과 보호에 대한 노력 촉구.

핵심 요약에
체크해 보세요.

지구의 보호막 역할을 하는 [☑오존층 / □양산]에 대해 [□안내하는 / ☑설명하는] 글
입니다.

3. 오존층
이 글은 지구를 보호하는 막의
역할을 하는 오존층을 양산에 빗
대어 설명하고 있는 글이에요.

4. ④
적외선, 가시광선, 자외선이 모
두 우리 눈에 보이는지는 이 글
을 통해서는 알 수 없어요.

5. ②
3문단에서 오존층은 지구 표면
에서 약 15∼30km가 떨어진 곳
에 분포한다고 말하고 있어요.

＊ **노출되다**: 겉으로 드러내다.
＊ **기미**: 얼굴에 끼는 거뭇한 얼룩점.

16　초등 국어 **독해왕** 〈4단계〉

설명하는 글   문제 ⑥~⑨

야구를 뜻하는 '베이스볼(baseball)'은 1루, 2루, 3루, 홈 모두 4개의 베이스를 사용한다고 해서 붙여진 이름이에요. 우리나라에 야구가 처음 들어온 것은 1905년 미국인 선교사 길레트가 기독교 청년회 회원들에게 가르치면서부터였어요. 1982년에는 프로 야구가 탄생했으며, 가장 널리 사랑받는 국민 스포츠 중 하나가 되었어요. ───── 국민 스포츠가 된 야구.

경기 방법은 다음과 같아요. 먼저 두 팀(각 9명)이 9회에 걸쳐 경기를 하며, 한 회에 공격과 수비를 번갈아* 해요. 그리고 시간과 상관없이 회 단위로 진행해요. 득점은 타자가 안타나 홈런 등으로 진루하여* 1, 2, 3루를 거쳐 홈까지 들어오면 1점을 얻어요. 타자는 스트라이크를 세 번 받으면 아웃이 되고, 아웃이 세 번이면 공격과 수비가 바뀌어요. ─── 야구 경기 방법.

야구에서 주요 선수들은 다음과 같아요. 먼저 투수는 경기장 중앙에 있는 투수판에 서서 공을 던져요. 포수는 홈플레이트 뒤에 앉아 투수의 공을 받아요. 포수는 안전을 위해 헬멧과 보호대를 착용해요. 공을 치는 선수를 타자라고 해요. 타자는 1번부터 9번까지 순서에 따라 공격해요. 수비를 할 때 가까이 있는 수비수를 내야수라고 해요. 내야수에는 1루수, 2루수, 3루수, 유격수 이렇게 4명이 있어요. 반대로 멀리서 수비를 하는 선수를 외야수라고 하는데, 좌익수, 중견수, 우익수 이렇게 3명이 있어요. 야구에는 심판이 총 4명으로 구성되어 있어요. 투수가 던진 공이 스트라이크인지 볼인지 판정하는* 주심 한 명과, 1루, 2루, 3루에서 판정하는 부심 3명이 있어요. ─── 야구의 주요 선수 및 심판 소개.

야구를 하기 위해 기본적으로 알아두어야 할 경기 용어는 다음과 같아요. 먼저 홈런이란, 타자가 살아서 홈까지 들어오게 친 안타를 말해요. 주로 공이 야구장 담장을 넘어가는 것을 말해요. 안타는 타자가 1,2,3루로 진루할 수 있게 친 타구예요. 스트라이크란 타자의 겨드랑이와 무릎 높이의 홈 베이스 위 공간을 통과한 공으로, 타자가 방망이를 잘못 휘둘러서 공을 맞히지 못하는 헛스윙과 타자가 친 공이 정해진 라인 바깥에 떨어지는 파울을 포함해요. 볼이란 스트라이크 공간을 벗어난 공을 말해요. 볼이 넷이면 타자가 1루로 나가요. 마지막으로 도루란 베이스에 있는 주자가 수비의 허술한* 틈을 타 다음 베이스로 가는 것을 말해요. 도루를 하려면 달리기가 매우 빠르거나 민첩해야* 해요. ─── 야구 경기 용어.

자, 이제 야구에 대해 많이 알게 되었죠? 그럼 우리 다 같이 즐겁게 친구들과 야구를 즐겨 봐요.

---

6. 야구
이 글은 야구에 대해 설명하고 있어요.

7. ③
이 글에서 홈런을 잘 치기 위한 방법은 설명하고 있지 않아요.

8. ③
4문단에서 파울이란 타자가 친 공이 정해진 라인 바깥에 떨어지는 것이라고 설명했어요.

9. ④
이 글은 야구에 대해 잘 모르는 사람들을 위해 자세히 설명한 글이예요. 이런 글에 대한 가장 적절한 설명은 ④이지요.
①은 문학 작품, ②는 주장하는 글, ③은 광고문을 말해요.

---

* **번갈다:** 일정한 시간 동안 차례를 바꾸다.
* **진루하다:** 야구에서, 다음 베이스로 나아가다.
* **판정하다:** 판별하여 결정하다.
* **허술하다:** 치밀하지 못하고 엉성하여 빈틈이 있다.
* **민첩하다:** 재빠르고 날쌔다.

핵심 요약에 체크해 보세요.

인기 스포츠인 [□축구 / ✔야구]의 명칭과 경기를 하는 방법, 경기 용어 등을 자세하게 [□광고하는 / ✔설명하는] 글입니다.

기행문 문제 **❶~❷**

2-②
　지난 방학 때 나는 가족과 함께 독도에 다녀왔다. 평소에도 독도에 관심이 많아 독도에 대한 책도 읽고 사진도 찾아보았다. 그런데 마침 아버지께서 독도를 다녀오자고 하셨다. 책이나 인터넷으로만 보던 독도를 직접 가 보는 것도 좋겠다고 생각했다. 우리 가족이 독도를 방문하게 됨.

　우리는 울릉도에 가서 다시 독도로 가는 배를 탔다. 한참을 지나 독도에 도착했다. 독도에 발을 내딛는 순간 이상하게 가슴이 떨렸다. 수많은 괭이갈매기가 우리를 반겨 주었다. 독도에 도착함.

2-④
　독도에는 괭이갈매기뿐만 아니라 슴새, 바다제비 같은 텃새[*]도 산다고 했다. 또 멧도요, 물수리, 노랑지빠귀들은 독도를 휴식처로 삼아 철마다 머물다 간다고 했다. 책에서만 보던 슴새나 바다제비를 직접 보니 신기하기만 했다. 독도는 화산섬이라서 식물이 잘 자라기 힘든 곳이다. 이러한 자연 환경에서도 번행초, 괭이밥, 쇠비름 같은 풀이 잘 자라고 있었다.　2-③

　독도에서 동해를 바라보니 가슴이 탁 트이는 것 같았다. 우리나라 동쪽 끝 섬인 독도를 아끼고 독도에 관심을 가져야겠다고 생각했다. 아름답고 생명력 넘치는 독도가 우리 땅이라는 것이 아주 자랑스러웠다. 독도에서의 견문과 감상.　2-①

핵심 요약에 체크해 보세요.
[☑독도 / ☐제주도]에 직접 다녀온 경험과 느낌을 기록한 [☑기행문 / ☐전기문]입니다.

---

1. ④

번행초, 괭이밥, 쇠비름 같은 풀이 잘 자란다는 것은 있는 사실을 본 그대로 적은 것입니다. 나머지는 독도 여행을 하고 느끼고 생각한 것이에요.

2. ④

3문단에서 멧도요, 물수리, 노랑지빠귀는 철따라 머물다 가는 철새라고 했어요.

[*] **텃새**: 일년 동안 거의 한 지역에서만 살면서 번식하는 새.

안내 방송 문제 **❸~❹**

　반갑습니다, 학생 여러분! 지금부터 안토니오 가우디의 건축물 투어를 시작하겠습니다. 지금 여러분은 카롤리가 24번지를 지나고 있습니다. 왼쪽에 '㉠카사 비센스'가 보이는군요. 다듬지 않은 자연 석재와 붉은 벽돌과 채색 타일을 사용해 1883~1888년에 지은 건물이에요. 카사 비센스 소개.　4-①　4-②

　엘 카르멜 언덕에는 '구엘 공원'이 있어요. 아름다운 바르셀로나 시가지와 푸른 지중해가 한눈에 들어옵니다. 화려한 모자이크와 타일 장식, 나선형 층계, 구불구불한 길…… 어때요? 마치 환상의 세계에 온 것 같죠? 구엘 공원 소개.

　이번에는 악마가 지었다는 소문 때문에 세상을 떠들썩하게 한 '카사 밀라'가 보이는군요. 곡선으로 이어진 벽과 암벽 위에 동굴처럼 뚫린 창문, 공상 과학 영화에서 본 듯한 전사를 닮은 굴뚝…… 악마가 아니라 천사의 작품이 아닐까 하는 착각이 들지 않습니까? 카사 밀라 소개.

　이제 여러분은 가우디의 대표작인 '성가족 성당'을 관람할 것입니다. 가우디는 1883년에 책임을 맡아 1926년까지 공사에 매달렸지만, 일부만 완성하고 세상을 떠났습니다. 가우디는 성당의 지하 묘지에 잠들어 있는데, 그의 영혼이 지금 이 순간에도 공사 현장을 기웃거리는 것은 아닐까요? 성가족 성당 소개.

핵심 요약에 체크해 보세요.
스페인 바르셀로나에 있는 가우디의 [☐그림 / ☑건축물]을 학생들에게 [☑안내하는 / ☐광고하는] 내용입니다.

---

3. ①

글쓴이는 가우디의 건축물들을 마치 여행 가이드처럼 설명하고 있는데, 카롤리가 24번지를 지나면서 '카사 비센스 → 구엘 공원 → 카사 밀라 → 성가족 성당'의 순서대로 설명하고 있어요.

4. ④

악마가 지었다는 소문 때문에 세상을 떠들썩하게 한 것은 '카사 밀라'예요.

설명하는 글   문제 ⑤~⑧

아주 먼 옛날인 약 150만 년~200만 년 전에 발명된 손도끼를 시작으로 사람들은 직접 만든 도구를 사용해 사냥도 하고 농사도 지을 수 있게 되었어요. 그런데 손도끼의 발명만큼이나 중요한 발견과 발명이 더 있었어요. 바로 '불'과 '바퀴'랍니다. 불의 발견과 바퀴의 발명이 없었다면 지금처럼 인류가 발전할 수 없었을 거예요. 불의 발견과 바퀴의 발명.

먼저 ㉠불에 대해 생각해 보세요. 불이 없던 시절 인간은 밤이 찾아오면 아무것도 볼 수 없었어요. 멀리서 들리는 맹수들의 소리를 두려워하며 동굴 속에서 날이 밝기만을 기다렸지요. 음식도 날것만을 먹었겠지요. 그러다가 아주 우연히 불을 만드는 법을 알게 되고, 다루는 법도 알게 된 거죠.
7-③

그 당시에는 바닥에 놓은 나무토막 위에 가느다랗고 둥그런 나무 막대를 대고 세게 비벼서 불을 만들었어요. 원시인들은 과학이나 수학과 같은 지식이 없으면서도 발견을 한 셈이지요. 기록에 따르면 약 4만 년 전의 네안데르탈인이 처음으로 불을 사용했다고 해요. 이후, 인류는 횃불을 만들기도 하고, 등잔을 만들기도 하며 불을 필요에 따라 자유롭게 쓸 수 있게 발전시켜 왔습니다. 불은 여러 가지 측면에서 과학이 발전하는 큰 계기가 되었지요. 불의 발명과 이로 인해 인류가 얻은 다양한 혜택.
7-④

불의 발견만큼이나 중요한 것이 바로 ㉡바퀴의 발명이에요. 동그란 바퀴가 지금 우리에게는 너무 당연한 것처럼 여겨지지만 바퀴는 인류의 발전을 가져온 엄청난 발명이었답니다. 바퀴가 없을 때는 무거운 물건을 사람들이 고스란히 짊어지고 옮겨야만 했어요. 시간도 많이 걸렸고 힘들기도 했지요. 바퀴가 없었다면 지금의 자전거, 자동차, 비행기라는 편리한 이동 수단도 존재하기 어려웠을 거예요.

바퀴를 누가 언제 발명했는지에 대해서는 알려져 있지 않아요. 하지만 기원전 4세기에 그려진 그림에 네 개의 바퀴가 달린 손수레가 있는 걸 보면 그전에 발명된 것이 분명해요. 바퀴의 발명으로 인해 인류의 삶은 획기적으로 바뀌었어요. 아마 바퀴만큼 우리 인류가 발전하는 데 도움을 준 발명품도 없을 거예요.
7-②   7-①
바퀴의 발명과 이로 인한 다양한 혜택.

핵심 요약에 체크해 보세요.

불의 발견과 바퀴의 발명이 [☐남성 / ✔인류]에게 미친 영향을 [☐주장하는 / ✔설명하는] 글입니다.

5. 불, 바퀴
이 글은 불의 발견과 바퀴의 발명에 대해 설명하고 있어요.

6. ④
이 글은 인류의 역사를 바꾸어 놓은 불과 바퀴에 대한 설명문이므로, 표제로는 '인류의 역사를 바꾸어 놓다'가, 부제로는 '불의 발견과 바퀴의 발명을 중심으로'가 알맞아요.

7. ④
3문단에서 원시인들은 과학이나 수학과 같은 지식이 없으면서도 불을 발견하였다고 했어요.

8. ③
이 글은 불의 발견과 바퀴의 발명으로 인해 인류가 오늘날과 같이 발전할 수 있게 되었음을 이야기하고 있어요.
①은 손도끼 및 도구, ②는 바퀴, ④는 불에 대한 내용이에요.

일기   문제 ❶~❷

ㅗ○○○년 ○월 ○일, 날씨 맑음

㉠학교 화단에서 봉숭아 씨를 땄다. 꽃이 피었을 때는 싱싱한 잎이 빽빽하게 붙어 있어서 꽃이 잎 속에 숨어 있는 것 같았는데 이제는 작고, 길쭉한 잎이 끝에만 몇 개 남아 있고, 줄기에는 잎과 꽃이 붙어 있던 자리에 열매만 달려 있다. 그게 씨앗 주머니이다.

씨앗 주머니 모양은 아래쪽이 둥글고 끝 쪽은 뾰족하게 목이 약간 가늘고 긴 병 모양이다. ㉡씨앗 주머니는 긴 자루 끝에 달려 있다. 씨앗을 딸 때 어떤 것은 손을 대니까 톡 하고 저절로 터지면서 속의 씨앗을 사방으로 튕겨 냈다. 씨앗을 튕겨 낸 씨앗 주머니는 주먹을 쥔 아기 손 모양이 되었다.

씨앗 주머니가 씨앗을 튕겨 내는 것이 재미있어서 잘 익은 것만 골라 땄다. 손가락으로 가볍게 누르니까, 톡 하고 터지면서 껍질이 도르르 말렸다. 껍질이 터질 때 손 안에 들어오는 ㉢씨앗이 손바닥을 간질이는 것만 같았다. 내가 하는 걸 보더니, 지영이도 따라 했다. ㉣씨앗이 살아 움직이는 것 같았다. 왜 그렇게 되는지 궁금했다.

핵심 요약에 체크해 보세요.

봉숭아를 관찰한 글쓴이의 [☐상상 / ☑경험]과 그에 대한 느낌을 담아 쓴 [☑일기 / ☐안내문]입니다.

1. ②

이 글은 학교 화단에서 봉숭아 씨를 딴 경험을 기록한 일기이므로 중심 화제는 봉숭아 씨예요.

2. ①

㉠은 봉숭아 씨를 딴 실제 경험이며, ㉡은 씨앗 주머니가 달려 있는 위치를 기록한 것이므로 역시 사실이에요. ㉢은 씨앗이 터졌을 때 손바닥을 간질이는 것 같다는 느낌을 쓴 것이며, ㉣은 씨앗이 나오는 것을 살아 움직이는 것처럼 느꼈다는 글쓴이의 생각을 적은 것이에요.

＊화단: 꽃을 심기 위해 흙을 높게 쌓아 꾸민 꽃밭.

설명하는 글   문제 ❸~❺

용돈은 여러 조각으로 쪼개어서 관리하는 게 중요해. 그래야 낭비 없이 내가 필요한 돈을 모을 수 있거든. 지금부터 용돈을 쪼개어 관리하는 조각에 대해서 설명해 줄게. 용돈을 조각으로 나누어 쓰는 것의 필요성.

기부 조각은 어려운 이웃을 위한 조각이야. 내가 원하는 만큼 일정한 액수를 정하는 게 좋아. 꿈 조각은 내 꿈을 이루기 위해서 모으는 조각이야. 예를 들어, 20살이 되는 날 여행을 간다거나, 좋은 악기를 사는 것 등을 위한 거지. 투자 조각은 미래에 내가 투자할 수 있는 종잣돈＊을 만드는 조각이야. 종잣돈은 부자가 되기 위해 꼭 필요하다는 거 명심해 줘. 가족 조각은 가족들을 위해 모으는 조각이야. 엄마, 아빠 생신이나 크리스마스 등에 정성 어린 선물을 마련할 수 있지. 가족끼리 더욱 아끼고 사랑하기 위해 모으는 조각이란다. 기부 조각, 꿈 조각, 투자 조각, 가족 조각에 대한 설명.

바로 조각은 내가 그달에 쓰려고 남기는 조각이야. 필요한 준비물도 사고 간식도 사 먹을 수 있지. 비상금 조각은 '바로 조각'이나 '가족 조각'이 부족할 때 꺼내어 쓸 수 있는 조각이란다. 즉, ㉠'나만의 은행'이라고 할 수 있지. 명심해야 할 것은 꺼내 쓴 만큼의 돈을 다시 채워 놓아야 한다는 거야. 그렇지 않으면 '나만의 은행'이 텅 비어 버릴 테니까. 바로 조각, 비상금 조각에 대한 설명.

핵심 요약에 체크해 보세요.

용돈을 낭비하지 않고 관리하는 방법으로 용돈 [☐기입장 쓰기 / ☑쪼개기]를 자세히 [☐주장하는 / ☑설명하는] 글입니다.

3. 조각, 낭비

글의 첫머리에서 용돈은 여러 조각으로 쪼개어서 관리하는 게 중요하며, 그래야 낭비 없이 내가 필요한 돈을 모을 수 있다고 했어요.

4. ④

비상금 조각은 '바로 조각'이나 '가족 조각'이 부족할 때 꺼내어 쓸 수 있는 조각으로 '나만의 은행'이라고 할 수 있다고 했어요.

5. ③

꿈 조각은 내 꿈으로 이루기 위해 모으는 것이에요. 이에 반해 기부 조각은 어려운 이웃을 돕기 위한 것이므로 나를 위해 필요한 용돈으로 볼 수 없어요.

＊종잣돈: 어떤 돈의 일부를 떼어 일정 기간 동안 모아 묵혀 둔 것으로, 더 나은 투자나 구매를 위해 밑천이 되는 돈.

＊명심하다: 잊지 않도록 마음에 깊이 새겨 두다.

옛이야기 문제 ❻~❿

조선을 세운 태조 이성계는 왕이 되려고 왕자들이 서로 해치는 일도 서슴지 않는 것을 보고, ⁷⁻①맏아들만 왕의 자리를 물려받을 수 있도록 했습니다. 하지만 형인 정종의 뒤를 이어 태조의 다섯째 아들인 방원이 왕이 되었는데, 그가 바로 태종입니다.

그 소식을 들은 ㉠태조는 매우 노여워하여 임금의 도장인 옥새를 가지고 함흥으로 가 버렸습니다. 이 옥새가 없으면 아무리 임금의 자리에 올랐다고 하더라도 진정한 임금으로 인정받을 수 없었습니다. 그래서 태종은 중요한 임무를 띤 심부름꾼인 차사를 함흥으로 보내 옥새를 받아오도록 했습니다.
옥새를 받아오게 하기 위해 함흥으로 차사를 보낸 태종.

함흥으로 들어서는 길목에 있던 두 사람이 요란한 말발굽 소리에 놀라 길 옆으로 비켜섰습니다.

"아이고, 먼지! 뭐가 바쁘다고 이 난리를 피우며 달려가누?"

한 사람이 옷에 묻은 흙먼지를 털어내며 투덜거렸습니다.

"보나마나 또 함흥차사지, 누구겠어? 저렇게 달려가 봐야 다시 되돌아올 길도 아닌데……. 쯧쯧."

염소수염을 한 사람이 곰방대*에 불을 [㉡] 말했습니다.

"다시 되돌아올 길이 아니라니?"

"소문 못 들었나? 새 임금님이 임금임을 증명하는* ⁷⁻②옥새를 가져오라고 태조가 계신 함흥으로 차사를 보냈는데, 태조께서 차사가 오는 족족 잡아 가두거나 죽여 버린다더군."

흙먼지를 털어내던 사람이 손길을 멈추고 다시 물었습니다.

"지금 임금님이 왕이 되려고 형제들과 싸우는 바람에 태조께서 크게 노하셨다던데, 그 때문에 차사들을 죽이는 모양이지?"

"서로 왕이 되려고 형제끼리 피바람을 일으키는데 아비 된 심정이 오죽하겠나? 심부름꾼만 불쌍하지."

담배를 피우던 사람이 목소리를 낮추어 말했습니다. 함흥에 차사가 가면 다시 되돌아 갈 수 없는 이유.

그 뒤로, 어떤 일로 심부름을 보냈는데 아무 소식 없이 돌아오지 않거나 늦게 오는 경우를 가리켜 ㉢'함흥차사'라고 하게 되었답니다. 함흥차사의 의미.

핵심 요약에 체크해 보세요.
아무 소식 없이 돌아오지 않거나 늦게 오는 경우를 가리키는 말인 [☐홍익인간 / ☑함흥차사]의 유래를 [☑알려 주는 / ☐광고하는] 이야기입니다.

6. 함흥차사, 소식

글의 마지막 부분에서 어떤 일로 심부름을 보냈는데, 아무 소식 없이 돌아오지 않거나 늦게 오는 경우를 가리켜 '함흥차사'라고 하게 되었다고 했어요.

7. ④

태종은 옥새를 되돌려주기 위한 것이 아니라, 옥새를 받아 오도록 하기 위해 함흥으로 차사를 보냈어요.

8. ①

이성계는 맏아들만 왕의 자리를 이을 수 있도록 했는데, 자신의 말을 어기고 다섯째 아들인 방원이 왕이 되어 매우 노여워했어요.

9. 붙이며

불을 붙일 때는 '붙이다'라고 써요. 그래서 여기서는 '붙이며'라고 쓰는 것이 올바른 표현이에요. '부치다'는 '편지를 부치다'의 경우처럼 쓰이는 낱말이에요.

10. ④

철수는 엄마의 심부름을 잊고 밤 늦도록 놀다가 늦게 돌아왔어요. 이것은 차사가 함흥에 갔다가 소식도 없이 돌아오지 않는 상황과 비슷해요.

* **곰방대**: 옛날에 담배를 피우는 데에 쓰는 짧은 담뱃대.
* **증명하다**: 진실인지 아닌지 증거를 들어서 밝히다.

어휘력 쑥쑥 테스트	01. 악상	02. 조성	03. 노출	04. 동참	05. 위용	06. 군주	07. 비통	08. 주옥
	09. ㉢	10. ㉠	11. ㉣	12. ㉤	13. ㉢	14. ㉣	15. ㉤	16. ㉠

설명하는 글 문제 ❶~❷

환자에게 전기 충격을 주어 멈추었던 심장을 다시 정상 리듬으로 돌아오게 하는 도구인 자동심장충격기의 사용법을 알아보겠습니다. 자동심장충격기의 개념과 사용법.

먼저 전원을 켜고 음성 안내에 따릅니다. 전원을 켜면 모든 단계에서 음성 안내가 나옵니다. 환자의 상체를 노출시킨 후 패드를 부착합니다.* 패드는 성인용과 8세 미만 소아용 두 가지로 구성되어 있습니다. 8세 이상의 어린이에게 소아용 패드를 부착하지 않게 주의합니다. 하나는 오른쪽 쇄골* 아래에 패드를 부착하고, 다른 하나는 왼쪽 가슴 아래 겨드랑이 부분에 부착합니다. 패드의 부착 위치가 그림으로 표시되어 있으므로 참고하도록 합니다. 패드 부착 위치.

패드에 연결된 선을 기계에 꽂으면 '심장 리듬 분석 중'이라는 메시지가 나옵니다. 심장 충격이 필요한 경우에는 '제세동이 필요합니다.'라는 메시지가 나오면서 에너지 충전이 시작됩니다. 만일 제세동이 필요하지 않은 경우에는 '환자의 상태를 확인하고, 심폐소생술을 계속 하십시오.'라는 메시지가 나옵니다.

충전이 다 되어 제세동 버튼이 깜빡이면 즉시 누릅니다. 전기 충격을 가할 때에는 감전의 위험이 있으므로 주변 사람들은 모두 환자로부터 떨어져야 합니다. 자동심장충격기의 사용 절차.

핵심 요약에 체크해 보세요.

자동심장충격기의 사용법을 사용 [☑순서 / ☐장소]에 따라 [☐주장하는 / ☑설명하는] 글입니다.

1. 심장

1문단에서 자동심장충격기는 '환자에게 전기 충격을 주어 멈추었던 심장을 다시 정상 리듬으로 돌아오게 하는 도구.'라고 했어요.

2. ④

자동심장충격기로 전기 충격을 가할 때에는 감전의 위험이 있으므로 주변 사람들은 환자로부터 떨어져야 한다고 했어요.

* 부착하다: 떨어지지 아니하게 붙다. 또는 붙이거나 달다.
* 쇄골: 가슴 윗부분에서 어깨에 걸쳐 거의 수평으로 되어 있는 뼈.

설명하는 글 문제 ❸~❹

사람들이 생활하는 곳에서는 다양하고 복잡한 일들이 발생합니다. 왜냐하면 사람들은 저마다 생각도 다르고 성격도 다르기 때문입니다. 이것을 '개성'이라고 하지요. 이렇게 사람들에게는 저마다 다른 개성이 있기 때문에 어떤 일을 결정할 때 다툼이 일어나기도 합니다. 여행지를 정할 때, 엄마는 바다로 가자고 하시고 아빠는 산으로 가자고 하셔서 다툼이 일어나는 것처럼 말입니다. 그런데 이렇게 다툼이 일어나는데도 사람들이 모여서 사는 이유는 뭘까요? 개성이 다양한 사람들이 모여 사는 이유.
4-① 개성의 의미.
4-④ 다툼이 일어나는 이유.

원시인들은 처음에는 농사짓는 방법을 몰라서 나무 열매를 따 먹거나, 사냥을 하면서 먹을거리를 찾아다니는 이동 생활을 했습니다. 그런데 혼자서 열매를 따 먹거나 사냥을 하는 것보다 여러 사람이 같이 할 때 훨씬 더 많은 먹을거리를 찾을 수 있고, 다른 동물들의 공격을 막아 내기도 쉽다는 것을 알게 되었습니다.
사람들이 모여 살 때 좋은 점.

이처럼 같은 무리끼리 이루는 집단 또는 공동생활을 하는 모든 형태의 인간 집단을 '사회'라고 합니다. 이렇게 사람들이 사회를 이루며 모여 사는 이유는, 혼자서는 할 수 없는 일도 함께 할 때는 쉽게 이루어 낼 수 있는 경우가 많기 때문이랍니다.
4-① 사회의 의미.
4-② 사람들이 사회를 이루며 모여 사는 이유.
사람들이 사회를 이루며 사는 이유.

핵심 요약에 체크해 보세요.

다양한 사람들이 모여 [☐학교 / ☑사회]를 이루며 살아가는 이유를 [☑설명하는 / ☐주장하는] 글입니다.

3. 사회

글의 마지막 부분에서 사람들이 사회를 이루며 모여 사는 이유는, 혼자서는 할 수 없는 일도 함께 할 때는 쉽게 이루어 낼 수 있는 경우가 많기 때문이라고 했어요.

4. ③

이 글에서는 사람들이 저마다 성격도 다르고 생각도 달라 어떤 일을 결정할 때 다툼이 일어난다고 설명하고 있지만, 사람마다 성격과 생각이 왜 다른지에 대해서는 이야기하고 있지 않아요.

옛이야기 문제 ❺～❾

7세기 말 통일신라 신문왕 때, 나라 안에 기이한* 소문이 떠돌았어요.

"동쪽 바닷가에 거북 모양으로 생긴 작은 산이 생겼대요."

"그 산에 낮에는 둘로 갈라지고, 밤에는 하나로 합쳐지는 신기한 대나무가 자란대요."

이 이야기는 신문왕에게도 전해졌어요. 신문왕은 점을 치는 사람을 불러들였어요.

"기이한 일이로다. 어찌 된 일인지 점을 쳐 보도록 해라."

얼마 뒤 점을 치는 사람이 왕에게 아뢰었지요.

"바나의 용이 되신 분무왕과 하늘의 신이 된 김유신 장군이 왕께 ㉠큰 선물을 내리려 하시니, 어서 바닷가로 가 보시옵소서." 기이한 소문을 듣고 점을 쳐 본 신문왕.

신문왕은 기뻐하며 신하들과 바닷가로 가서 산에 올랐어요. 그때 커다란 용이 나타나 검은 구슬의 띠를 왕에게 선물로 바쳤어요. 왕이 용에게 물었어요.

"이 산의 대나무가 둘로 갈라지기도 하고 하나로 합쳐지기도 하는 까닭이 무엇인가?"

"그것은 한쪽 손바닥을 치면 소리가 없고, 두 손을 마주치면 소리가 나는 것과 같은 이치*입니다. 이 대나무도 두 쪽이 서로 합쳐져야만 소리가 나니, 왕께서 소리로 천하를 다스릴 징조*입니다. 대왕께서 이 대나무를 가지고 대금을 만들어 불면 나라가 평화로워질 것입니다." 용에게 신기한 대나무에 대해 물음.

신문왕은 용의 대답에 크게 [㉡] 사람을 시켜 대나무를 베어 오게 했어요. 대나무를 베어 내자 갑자기 산과 용도 사라졌어요. 신문왕은 그 대나무로 피리를 만들었어요. 용의 말대로 대금을 불면 신기한 일들이 일어났어요. 백성들을 괴롭히는 몹쓸 병이 사라지고, 나라에 쳐들어온 적군들이 물러갔어요. 또 가뭄에는 비가 내리고 홍수 때는 비가 그쳤으며, 바다에서 바람이 잠잠해지고 파도가 가라앉았지요. 피리를 불면 나타나는 신기한 일들.

6–② 만파식적의 재료.
6–④ 만파식적을 불었을 때 일어나는 일들.
6–① 만파식적의 의미.

사람들은 이 신기한 악기를 '거센 파도를 잠재우는 대금.'이라는 뜻으로 '만파식적'이라고 불렀어요. '만파식적'은 오랫동안 나라의 소중한 보물로 여겨졌고, 어려운 일이 일어날 때마다 아름다운 소리를 들려주며 나라를 평안하게 만들었답니다. 만파식적의 의미.

* 기이하다.: 보통과는 다르게 유별나고 이상하다.
* 이치: 사물의 정당하고 당연한 조리.
* 징조: 어떤 일이 생기기 이전에 그 일에 대해서 미리 보이는 여러 가지 조짐.

핵심 요약에 체크해 보세요. 통일신라 때 아름다운 [□노래 / ✔소리]로 나라를 평화롭게 만든 [✔만파식적 / □가야금]의 이야기입니다.

---

5. ①

이 글은 오랫동안 아름다운 소리를 내며 나라를 평안하게 만든 '만파식적'에 대한 야야기입니다.

6. ③

이 글에서는 '거센 파도를 잠재우는 대금.'이라는 뜻이 있다고 만파식적의 의미를 말했고, 낮에는 둘로 갈라지고 밤에는 하나로 합쳐지는 신기한 대나무가 만파식적의 재료라고 했어요. 그리고 만파식적을 불었을 때 백성을 괴롭히는 몹쓸 병이 사라지는 등의 신기한 일을 이야기하고 있어요. 그렇지만 만파식적이 왜 사라졌는지는 이야기하지 않았어요.

7. ④

신문왕은 대나무를 옮겨 심으라고 한 것이 아니라, 대나무를 베어 오게 하고 이것으로 피리를 만들었어요.

8. ②

문무왕과 김유신 장군이 준 선물은 신기한 대나무인데 이것으로 피리를 만들어 불면 나라가 평화로워진다고 했으므로, ㉠은 나라를 평화롭게 다스릴 수 있게 하는 만파식적을 의미한다고 할 수 있어요.

9. ①

신문왕은 나라가 평화로워진다는 용의 대답에 매우 기뻐하며 신기한 대나무를 베어 오게 했을 거예요.

매체 자료　문제 ❶～❷

안녕하세요, 저는 반장 김주원입니다. 우리 학급 누리집 게시판에 건의 사항을 남겨 봅니다. 제가 이렇게 글을 쓰는 이유는 방과 후에 교실 청소를 안 하고 도망가는 친구들에 대해서 어떻게 해야 할지 서로 생각해 보기 위해서입니다. 매일 청소를 하는 친구들만 하게 되니 　⑦　이 쌓이고, 청소를 안 하는 친구들은 끝까지 안 하려고 도망가는 경우가 있어요. 어떻게 해야 할까요? 여러분의 의견을 듣고 싶습니다. 학급 누리집 게시판에 건의 사항을 씀.

댓글 3개 N | 등록 순 | 조회 수 25

ㄴ 이○○　20○○/07/19　19:40

맞아요. 고생하는 사람만 계속 고생하니, 청소를 안 하는 친구들은 이제부터는 벌로 두 배 더 청소를 했으면 좋겠어요.

ㄴ 배○○　20○○/07/19　19:50

뭐야, 청소하고 싶으면 혼자 하든가! 잘난 척 좀 하지마.

ㄴ 김○○　20○○/07/19　20:05

너나 두 배로 청소해. 건의 사항에 대한 댓글들.

핵심 요약에 체크해 보세요.

교실 [☑청소 문제 / ☐급식 문제]에 대한 서로의 [☐감상 / ☑의견]을 나누고 있는 매체 자료입니다.

1. ④

반장은 수업이 끝나고 교실 청소를 안 하고 도망가는 친구들에 대해 대책을 마련하기 위해 학급 누리집 게시판에 글을 썼어요.

2. ①

청소를 안 하고 도망가는 친구들 때문에 매일 청소를 하는 친구들은 불만이 쌓일 수밖에 없어요.

설명하는 글　문제 ❸～❹

우리가 먹는 강낭콩의 씨앗 속에는 무엇이 있을까요? 강낭콩의 가장 바깥쪽은 껍질로 둘러싸여 있어요. 우리 몸이 피부로 둘러싸여 있는 것과 마찬가지이지요. 껍질 안에는 싹눈으로 자라날 배아(배), 곧 씨눈이 있고 떡잎이 들어 있어요. 씨앗 속의 떡잎은 어린 식물이 스스로 양분을 만들 때까지 생명을 이어 가고 자라는 데 꼭 필요한 최소한의 영양분을 간직하고 있어요. 강낭콩 씨앗 속에 있는 배아와 떡잎.

⑦흔히 사람들은 콩을 '밭의 쇠고기'라고 해요. 그만큼 콩 속에는 단백질이 많다는 뜻이지요. 강낭콩에도 사람 몸에 꼭 필요한 단백질이 많이 들어 있어요. 또 강낭콩에는 단백질 외에도 탄수화물이 많이 있어요. 색깔도 붉은색, 자주색, 흰색, 얼룩무늬 등으로 다양해서 떡이나 빵을 만들 때도 많이 사용해요. 이 밖에도 사람 몸에 꼭 필요한 비타민 B를 포함하고 있지요. 이런 점을 보면 씨앗은 작지만 생명을 잉태하고 있는 신비롭고 고귀한 것이에요. 강낭콩 안에 들어 있는 영양소.

핵심 요약에 체크해 보세요.

작지만 생명을 잉태하고 있는 [☐뿌리 / ☑씨앗]의 구조와 영양분에 대해 강낭콩을 중심으로 [☐설득하는 / ☑설명하는] 글입니다.

3. ④

어린 식물이 자라는 데 꼭 필요한 최소한의 영양분은 씨눈이 아니라 떡잎에 들어 있어요.

4. ①

콩을 '밭의 쇠고기'라고 부르는 이유는 콩 속에 단백질이 많이 들어 있기 때문이라고 했어요.

※ **잉태하다**: 아이나 새끼를 배다.

설명하는 글   문제 ❺~❾

원시 시대의 사람들은 필요한 것들을 자연에서 스스로 구했어요. 그러다가 농사를 짓고 가축을 기르기 시작하면서 필요한 만큼 쓰고 남는 것이 생기게 되었어요. 저마다 쓰고 남은 것은 이웃과 서로 바꾸어 새로운 것을 얻었지요. 남는 물건의 발생.

시간이 지나자 필요한 물건을 찾으러 다니는 것이 불편해졌어요. 그래서 사람들은 귀한 물건을 돈처럼 사용하기 시작했어요. 오랜 옛날 중국에서는 조개껍데기나 옷감을, 아프리카에서는 소금이나 가축을 돈처럼 사용했어요. 물물 교환이 일어남.

얼마 뒤 단단한 금속이 발견되었어요. 사람들은 구하기 어려운 조개껍데기 대신 금속으로 조개껍데기 모양을 만들었어요. 또 물고기, 농기구, 작은 칼 등 귀한 물건의 모양도 만들어 돈으로 사용했지요. 금속으로 만든 돈은 오랫동안 보관할 수 있었고 쉽게 부서지지도 않았답니다. 금속으로 만든 돈의 사용.

우리나라에서는 놋쇠로 만든 엽전을 사용했어요. 엽전은 동글납작하게 생겼고 가운데에 네모난 구멍이 있었어요. 많은 돈이 필요할 때 네모난 구멍에 줄을 꿰면 쉽고 편리하게 가지고 다닐 수 있었어요. 우리나라 엽전의 특징.

오늘날에는 어떤 ㉠돈을 사용할까요? 금속으로 만든 동전과 종이로 만든 지폐를 함께 사용해요. 동전을 많이 가지고 다니면 무겁고 불편하기 때문에 여러 개의 동전과 값이 같은 지폐를 만들었지요. 천 원짜리 지폐 한 장은 백 원짜리 동전 열 개와 값이 같답니다. ㉡동전과 지폐에는 훌륭한 사람, 유명한 그림, 건축물, 동물, 식물 등이 새겨져 있어요. 오늘날 사용하는 돈의 형태.

다른 나라에서도 우리나라와 똑같은 돈을 사용할까요? 나라마다 돈에 새겨져 있는 그림, 색, 크기가 달라요. 또한 돈의 단위도 다르지요. 우리나라에서는 '원'이라는 단위를 사용하지만, 미국에서는 '달러', 일본에서는 '엔'이라는 단위를 사용한답니다. 다른 나라에 갈 때에는 우리나라의 돈을 그 나라의 돈으로 바꾸어 가야 해요. 나라마다 다른 돈.

요즘에는 지폐나 동전 대신 ㉢신용카드를 사용하기도 해요. 9-① 돈은 한번 잃어버리면 다시 찾기가 어렵지만 9-② 신용카드는 잃어버려도 다시 만들어 쓸 수 있어요. 또 세계 여러 나라에서 사용할 수도 있어요. 9-③ 신용카드 한 장만 있으면 돈을 가지고 다니지 않아도 필요한 물건을 살 수 있답니다. 신용카드의 특징.

핵심 요약에 체크해 보세요. [□금 / ☑돈]을 사용하게 된 이유와 옛날과 오늘날 돈의 형태를 비교하며 [☑설명하는 / □광고하는] 글입니다.

5. ①
이 글은 원시 시대부터 오늘날에 이르기까지 돈의 변화에 대해 설명하고 있어요.

6. ①, ②
이 글은 원시 시대부터 오늘날에 이르기까지 시간의 흐름에 따른 돈의 형태 변화를 설명하고 있어요. 그리고 6문단에서 우리나라는 원, 미국에서는 달러, 일본은 엔 등을 쓴다고 설명하면서 나라마다 달리 쓰이는 돈의 단위를 비교했어요.

7. ③
불편함을 해소하는 방향으로 새로운 형태의 돈이 만들어졌어요.

8. ①
동전은 돈의 한 종류예요. 돈이 더 넓은 의미를 갖고 있어요. 사과도 과일의 한 종류이지요. 남자와 여자는 동등한 의미 관계를 이루고 있어요.

9. ④
유명한 그림, 건축물, 동물, 식물이 새겨져 있는 것은 동전과 지폐에 해당되는 내용이에요.

일기   문제 ❶~❷

ㄴ○○○년 ○월 ○일, 날씨 맑음

"수아야, 오늘이 가족 봉사 활동 가기로 한 날이잖아. 얼른 일어나."

나는 다시 이불을 뒤집어썼지만 곧 엄마에게 빼앗기고 말았다. 우리 가족이 간 곳은 요양원이었다. 무엇을 해야 할지 몰라 두리번거리고 있을 때 안경을 쓴 할머니께서 나에게 오라고 손짓을 하셨다.

"여기 책 좀 읽어 줄래? 요즘은 눈이 침침해서 글씨가 잘 안 보이는구나."

할머니는 눈을 감고 책 읽는 내 목소리에 귀를 기울이셨다.

"할머니, 다음에 올 때 재미있는 책을 가지고 올게요." 나는 할머니와 약속을 했다.

일주일 뒤, 요양원에 도착하자마자 할머니에게 달려갔다. 할머니는 나를 기다렸다며 서랍에서 사탕이랑 과자를 꺼내 주셨다. 나는 사양했지만* 할머니께서는 내게 주려고 모으셨다며 호주머니에 사탕을 넣어 주셨다. 나는 가져간 책을 읽어 드렸다. 할머니는 내 이야기를 듣고 어린아이처럼 웃기도 하고 눈물을 글썽이기도 하셨다. 봉사 활동이 힘들어도 왜 계속하는지 이제 알 것 같다. 나를 기다리며 반가워하는 할머니 생각을 하면 일요일 아침이 기다려진다.   참된 의미의 봉사를 깨닫게 됨.

핵심 요약에 체크해 보세요.

[□체험 학습 / ✔봉사 활동]의 경험과 느낀 점을 솔직하게 쓴 [✔일기 / □편지글]입니다.

1. 봉사 활동

수아는 요양원에서 할머니께 책을 읽어 주는 봉사 활동에 참여하면서 사람들이 봉사 활동을 계속하는 이유를 깨닫고 일요일이 기다려진다고 했어요.

2. ③

수아가 봉사 활동을 가는 일요일을 기다리는 것은 사탕 때문이라기보다는 할머니가 즐거워하시는 모습을 보고 보람을 느꼈기 때문이에요. 따라서 할머니에게 책을 계속 읽어 드릴 거라고 추측할 수 있어요.

＊**사양하다:** 겸손하여 응하지 않거나 받지 않다.

주장하는 글   문제 ❸~❺

만화책을 흔히 나쁜 책으로 여기는 경향이 있지만, 나름대로 장점이 있다. 우선 재미있고 쉽다는 것이 가장 큰 장점이다. 심지어 요즘에는 어려운 학교 공부를 재미있게 만화로 만든 책들이 유행하고 있다. 그리고 만화책은 주로 선과 악의 대결에서 선이 승리하는 구조로 되어 있어, 교훈적인 성격을 갖는다. 또 만화책은 풍부한 상상력을 길러줄 뿐만 아니라, 책을 읽는 습관도 기를 수 있도록 돕는다.   만화책의 장점.

이러한 장점에 비해 단점도 있다. 우선 만화책은 헛된 생각이나 공상*을 담고 있는 경우가 많아 우리들로 하여금 현실 감각을 떨어지게 만든다. 쉬운 만화책만 접하다 보면, 어려운 책은 읽지 않으려는 성향을 갖게 된다. 이러한 흥미 위주의 독서 습관은 깊이 있는 생각을 할 수 있는 기회를 차단한다. 만화책의 흥미에 너무 빠지다 보면 시간을 낭비하게 되는 것도 문제이다.   만화책의 단점.

이제까지 만화책의 장단점에 대해 살펴보았다. 중요한 것은 만화책 자체가 좋고 나쁜 것이 아니라 그 안에 담긴 내용이 좋으면 우리에게 유익하고, 좋지 않으면 우리에게 해롭다는 것이다. 그러므로 우리는 좋은 내용의 만화책을 잘 골라 읽을 수 있도록 노력해야 한다.   좋은 내용의 만화책을 골라 읽을 것을 권유.

핵심 요약에 체크해 보세요.

만화책의 장점과 단점을 살펴보고 [□재미있는 / ✔좋은] 내용의 만화책을 골라 읽도록 노력해야 한다고 [✔주장하는 / □광고하는] 글입니다.

3. 만화책

이 글은 만화책에 대해 이야기하는 글이에요.

4. ①

이 글은 만화책이 장점과 단점을 모두 갖고 있으므로 좋은 내용의 만화책을 잘 골라 읽자고 주장하는 글이에요.

5. ①

1문단에서 만화책을 통해 책을 읽는 습관도 기를 수 있다고 했어요.

＊**공상:** 현실적이 아니거나 실현될 가망이 없는 것을 마음대로 상상함.

설명하는 글   문제 ❻~❾

화석이란 아주 옛날 지구 위에 살았던 생물의 유해나* 흔적 또는 배설물 등을 말합니다. 예를 들어 조개껍데기, 동물의 뼈나 발자국 또는 공룡의 배설물 등이 화석이 됩니다. 배설물 화석이라고 해서 냄새가 나고 더러운 것은 아니며 단지 단단하게 굳어진 돌멩이일 따름입니다. 화석의 개념.

그럼 화석은 어떻게 만들어질까요? 생물이 죽은 다음 물속에 가라앉아 진흙으로 덮여 썩지 않거나 화산재에 급하게 덮이면 화석이 됩니다. 생물이 아무리 안 썩는다고 하더라도 살은 대부분 썩기 때문에 ㉠생물의 살이나 내장 등은 화석으로 발견되기 힘듭니다.

생물체는 물속에 가라앉거나 화산재로 덮인 다음 원래의 성분이 바뀌어 돌이 됩니다. 물론 돌이 된 다음에도 부서지거나 지하수에 녹지 않아야 합니다. 따라서 화석으로 주로 발견되는 것은 생물의 몸에서 단단한 부분들입니다.

그러나 예외적으로 단단하지 않은 박쥐의 위장 내용물이 화석으로 나오는 경우도 있습니다. 늪 위를 날던 박쥐가 늪에서 뿜어져 나온 이산화탄소에 중독되어 늪 속에 떨어져 가라앉았기 때문인 것으로 추측됩니다. 화석이 만들어지는 조건과 과정.

그럼 화석은 일반적으로 어떤 바위에서 나올까요? 화석은 원칙적으로 모래가 쌓인 사암, 진흙이 굳은 셰일, 석회질이 굳어진 석회암 등 퇴적암*에서 나옵니다. 강원도에서 많이 나오는 고생대 화석은 주로 석회암과 셰일에서 나옵니다. 반면 남해안에서 많이 볼 수 있는 공룡 발자국 화석은 주로 셰일이나 가는 모래가 쌓인 사암에서 나옵니다.

화석은 마그마가 식은 화성암이나 열과 압력을 받은 변성암에서는 나오지 않습니다. 그러나 아주 예외적으로 용암에서 코뿔소 화석이나 말 발자국 화석이 나오는 경우도 있습니다. 이것은 코뿔소가 용암에 덮여 죽었거나 말이 덜 굳은 용암 위를 걸어가면서 남긴 흔적이 화석이 된 경우입니다. 화석이 나오는 바위.

* 유해: 무덤 속에서 나온 뼈.
* 퇴적암: 퇴적물이 쌓여 오랜 시간 동안 굳어져서 만들어진 암석.

6. ①, ③

5~6문단에서 화석은 사암, 셰일, 석회암 등에서 나온다고 했어요. 그리고 2~4문단에서 화석이 만들어지는 조건을 설명했어요. 그러나 화석과 돌멩이의 차이점, 화석이 만들어지는 시간은 이 글에 나오지 않았어요.

7. ④

이 글은 주요 단어인 화석을 풀어서 설명하였어요. 또 '화석은 어떻게 만들어질까요?'와 같이 질문하고 이에 답하는 방식으로 설명하였으며, 조개껍데기, 동물의 뼈나 발자국 등을 화석의 예로 들어 설명했어요. 하지만 경험을 떠올리며 이해하도록 돕는 내용은 찾을 수 없어요.

8. ②

살이나 내장 등은 썩어 없어지기 때문에 대부분 화석으로 발견되기가 힘들다고 했어요.

9. ④

자료의 사진은 남해안에 볼 수 있는 공룡 발자국 화석이므로 셰일이나 가는 모래가 쌓인 사암에서 나온 것일 거예요.

핵심 요약에 체크해 보세요.

화석의 개념과 화석이 [□사라지는 / ☑만들어지는] 조건, 화석이 발견되는 암석에는 어떠한 것이 있는지를 [☑설명하는 / □주장하는] 글입니다.

"일기의 다양한 형식"

알아두면 도움이 돼요!

독서, 텔레비전 프로그램, 영화, 연극, 비디오, 음악, 미술 작품 등을 감상하고 느낀 점이나 중심 이야기를 쓰는 감상 일기, 어떤 것을 관찰하거나 기르면서 일어난 일을 쓰는 관찰 일기, 그림을 그리는 그림 일기, 만화를 붙이거나 직접 그리는 만화 일기 등 일기는 다양한 형식으로 쓸 수 있다.

설명하는 글　　문제 ❶~❷

여러분은 사찰에 가 본 적이 있나요? 사찰 입구에 보면 사천왕이 서 있어요. 잔뜩 성난 인상에 탑을 들거나 칼이나 용을 잡고 있는, 힘이 무척 셀 것 같은 이들이지요. 이 험상궂은 사천왕은 본격적으로 사찰에 들어서기 전에 꼭 지나게 되어 있어요. 사찰 입구에 서 있는 사천왕.

2-① 사천왕은 하늘에 있는 4명의 왕을 뜻합니다. 이 4명의 사천왕은 각각 동서남북의 네 방위를 상징합니다. 불교에서 말하는 세계에서 가장 높은 산은 수미산인데, 2-③ 수미산 꼭대기에는 부처님이 있습니다. 사천왕은 수미산 중턱에서 부처님이 있는 2-② 공간을 지키고 있습니다.

2-④ 동쪽을 지키는 지국천왕은 왼손에 칼을 쥐고 있고요. 서쪽을 지키는 광목천왕은 삼지창과 탑을 들고 있어요. 남쪽을 지키는 증장천왕은 오른손에는 용을 움켜쥐고 왼손에는 용의 입에서 빼낸 여의주를 쥐고 있답니다. 마지막으로 북쪽을 지키는 다문천왕은 왼손에 늘 비파*를 들고 있답니다. 사천왕에 대한 설명.

마음속에 욕심이나 질투 같은 나쁜 생각을 갖고 있다면 사천왕이 못 들어가게 입구를 막아요. 부처님이 있는 세계에 나쁜 마음을 가진 사람이 함부로 올 수 없다는 것이죠. 그래서 우리가 사찰에 갈 때 나쁜 마음을 갖고 있는지 되돌아보게 합니다. 잘못을 되돌아보게 하는 사천왕.

핵심 요약에 체크해 보세요.

[□교회 / ☑사찰] 입구를 지키는 사천왕에 대해 [□주장하는 / ☑설명하는] 글입니다.

1. 사천왕

이 글은 사찰 입구에서 볼 수 있는 사천왕에 대해 설명하는 글이에요.

2. ①

사천왕은 하늘에 있는 4명의 왕이라는 뜻으로, 사천왕은 동서남북 네 방위를 상징한다고 했어요.

* **비파:** 동양 현악기의 하나. 몸체의 길이는 60~90 cm의 둥글고 긴 타원형이며, 자루는 곧고 짧다.

설명하는 글　　문제 ❸~❹

한글봇은 외국인들에게 한글의 원리를 쉽고 빠르게 전달해 주기 위해 고안된* 일종의 로봇이에요. 사람을 닮은 손과 발, 얼굴이 있는 로봇이 아니라, 블록과 비슷하게 생겼어요. 하지만 한글봇으로 한글 한 자를 만들면 그 글자를 소리로 표현할 줄 알아요. 한글봇의 개념과 특징.

예를 들어 한글봇의 'ㄱ'과 'ㅡ', 'ㆍ' 블록으로 '고' 자를 만들면 스피커에서 '고'라는 소리가 나와요. 그뿐만이 아니에요. 여기서 'ㅗ'로 조립된 블록을 180도로 회전시키면 '구'가 되는데, 이때는 '구'라는 소리가 나온답니다. 블록 안에 내장된 광센서가 각각의 블록에서 나오는 빛을 포착해* 어떤 글자인지 인식한 다음 블록의 스피커에서 해당 글자에 맞는 소리를 내는 원리랍니다. 정말 신기하죠? 생긴 것은 단순하지만 이와 같이 자음과 모음의 소리를 구별할 수 있어 로봇으로 불립니다. 한글봇의 작동 원리와 사용 방법.

한글봇을 본 외국인들은 단 3분이면 한글의 원리를 파악할 수 있었다고 합니다. 그리고 한글을 아직 모르는 어린이들이 한글봇을 갖고 놀다 보면, 저절로 한글을 배울 수 있고, 창의성이 높아질 수도 있답니다. 외국인들도 한글봇을 통해 한글을 쉽고 빠르게 배울 수 있었으면 좋겠네요. 한글봇의 장점.

핵심 요약에 체크해 보세요.

외국인들에게 [□한문 / ☑한글]의 원리를 쉽고 빠르게 전달해 주기 위해 만들어진 한글봇에 대해 [☑설명하는 / □주장하는] 글입니다.

3. ①

1문단에서 한글봇은 사람을 닮은 손과 발, 얼굴이 있는 로봇이 아니라고 했어요.

4. ③

2문단의 내용으로 볼 때, '먹'에서 'ㅓ'를 180도 회전하면 'ㅏ'가 되므로 '막'이라는 글자가 될 거예요.

* **고안되다:** 깊이 연구되어 새롭게 나오다.
* **포착하다:** 놓치지 않고 꼭 붙잡다.

설명하는 글   문제 ⑤~⑧

커피는 강우량이 많으면서 덥고 습한 열대성 기후에서 잘 자란다. 하지만 커피가 기온이 높은 지역에서만 재배되는 것은 아니다. 예를 들어 세계 생산량의 70%를 차지하는 '아라비카'는 열대 고지대에서도 생산할 수 있다. 그리고 커피의 원산지로 알려진 곳도 바로 에티오피아의 고원 지역이다. 커피 재배에 알맞은 기후와 원산지.

약 1000년 전 아프리카 에티오피아에서 어떤 목동이 염소들이 커피 열매를 먹는 것을 보고 그 열매를 씹어 보았는데 기분이 좋아지고 나른한 오후에도 졸리지 않았다. 커피에는 일반 차보다 5배가 넘는 카페인이 들어 있기 때문이다. 이렇게 커피는 아프리카에서 음료수나 식량이 되었고, 아라비아 사람들은 커피콩을 이용해 수프를 만들어 먹기도 했다. 식용으로 먹기 시작한 커피.

수백 년이 지난 후 유럽 상인들이 아프리카에 들어와 커피 맛을 보고 이것을 상품으로 개발해 유럽으로 팔면 큰돈을 벌 것이라고 생각했다. 그렇게 해서 커피는 유럽으로 들어왔고, 다시 아메리카와 동남아시아에까지 전파되었다. 흥미롭게도 오늘날에는 브라질과 콜롬비아, 아시아의 베트남, 인도네시아가 세계적인 커피 생산국이 되었다. 커피의 전파.

오늘날 커피는 석유 다음으로 무역액이 크다. 그런데 이상하게도 커피콩을 따는 아프리카, 아시아, 라틴아메리카의 노동자들은 가난을 면치 못하고 있다. 왜 그럴까? 대부분 경사가 심한 산악 지대의 커피 농장에서 아침부터 늦은 저녁까지 커피 열매를 따는 사람들이 받는 돈은 기업의 가공비, 광고비, 이윤 등에 비해 턱없이 부족하기 때문이다. 런던, 뉴욕 등의 선진국 카페에서는 커피값이 올라도 아프리카 노동자들의 임금은 오르지 않는 것이 현실이다. 커피 노동자들의 가난한 현실.

이런 불공정한 거래는 커피뿐만 아니라 대부분의 기업적 농업 작물에서 나타난다. 1989년 세계커피기구가 조직되었지만 아직 ㉠문제를 해결하지 못하고 있다. 오히려 1990년대 들어 커피 재배 면적이 다른 지역으로 확대되면서 커피콩의 가격이 급락하였을 때도 선진국의 기업들은 더 많은 돈을 벌었다. 커피 노동자들과 기업의 불공정 관계.

핵심 요약에 체크해 보세요. 식품으로서의 [☐ 녹차 / ✔ 커피]의 유래와 재배지 등을 살펴보고 관련 기업과 노동자들의 불공정한 관계에 대해 [☐ 광고하는 / ✔ 설명하는] 글입니다.

5. ①
이 글에서 맛에 따라 커피의 종류를 구분한 내용은 찾을 수 없어요.

6. ④
1문단에서 커피의 원산지는 에티오피아의 고원 지역이라고 했어요.

7. ②
세계커피기구에서 해결하려고 하는 문제는 4문단에 나오는 커피 노동자들의 가난한 현실이라고 할 수 있어요. 런던, 뉴욕에서는 커피 값이 올라도 노동자들의 임금은 오르지 않는다고 했어요.

8. ①
이 글에서는 커피 시장이 석유 다음으로 무역액이 클 정도로 성장하였지만, 정작 커피를 생산하는 노동자들은 가난한 현실을 벗어나지 못하는 상황을 문제로 지적하고 있어요. 따라서 이 글의 제목으로는 '슬픈 열매로 불리는 커피'가 가장 적절하지요.

"열대성 기후"

알아두면 도움이 돼요!

열대성 기후는 가장 추운 달의 평균 기온이 18℃ 이상으로, 일년 내내 덥고 비가 많이 내리는 지역을 말해요. 비가 오지 않는 기간인 건기와 비가 오는 기간인 우기가 뚜렷하게 구별되는 것도 특징이지요.

설명하는 글 문제 ❶∼❷

국가 상징이란 자신의 나라를 국제 사회에 알리기 위해, 알릴만한 내용을 그림·문자·도형 등으로 나타낸 공식적인 징표*를 말해요. 우리나라에는 국기, 국가, 국화, 국새, 나라 문장 등 5대 국가 상징물이 있어요. 우리나라의 5대 국가 상징물.

우리나라 국기는 태극기예요. 2-④ ○ 태극기는 1882년 박영효가 일본에 수신사*로 갈 때 처음 만들어졌고, 이듬해 고종은 태극기를 조선 국기로 공표했어요*. 1948년 대한민국 정부가 세워져 이듬해 지금과 같은 모양의 태극기가 정식 국기로 정해졌어요. 태극기 소개.

국가는 나라를 상징하는 노래인데, 각종 행사의 식전에 연주되거나 국가 원수에 대한 의례*로서 연주되지요. 우리나라 국가는 애국가예요. 2-③ ○ 1948년 대한민국 정부가 세워진 뒤 안익태가 작곡한 애국가가 정부의 공식 행사에 쓰이고 있어요. 애국가 소개.

2-① ✕ 우리나라 국화는 무궁화예요. 법으로 정해진 것은 아니지만, 오랜 세월 우리 민족과 함께 해 왔기 때문에 자연스럽게 우리나라 국화로 여겨져 왔어요. 특히 애국가에 '무궁화 삼천리 화려강산'이라는 구절이 있어 더욱 국민들의 사랑을 받고 있어요. 무궁화 소개.

국새는 나라 도장으로, 대통령이 행하는 중요한 문서에 사용되고 있어요. 또, 나라 문장은 우리나라의 마크예요. 2-② ○ 무궁화 속에 태극무늬를 넣은 나라 문장이 쓰이고 있어요. 국새와 나라 문장 소개.

 핵심 요약에 체크해 보세요. 우리나라 [□태극기 / ☑국가 상징물]의 종류와 쓰임새에 대해 [☑설명하는 / □광고하는] 글입니다.

1. 국기, 국가, 국화, 국새, 나라 문장

이 글은 우리나라의 5대 국가 상징물인 국기, 국가, 국화, 국새, 나라 문장에 대해 설명하는 글이에요.

2. ①

4문단에서 무궁화는 오랜 세월 우리 민족과 함께 해 왔기 때문에 자연스럽게 우리나라 국화로 여겨져 왔다고 했을 뿐, 무궁화를 정식 국화로 공표하였다는 내용은 찾을 수 없어요.

* **징표**: 어떤 것과 다름을 나타내 보이는 두드러진 점.
* **수신사**: 구한말 일본에 보내던 외교 사절.
* **공표하다**: 사실이나 일 따위를 여러 사람에게 공개하여 널리 알리다.
* **의례**: 형식을 갖춘 예의.

전기문 문제 ❸∼❺

옛날엔 유럽에서 인도로 갈 때에 배를 타고 동쪽으로 떠났습니다. 아프리카와 중동을 지나 인도에 도착했지요. 그래서 인도까지 가는 데에는 오랜 시간이 걸렸습니다. 이 무렵에 많은 과학자들은 지구는 둥그니까, 서쪽 바다를 지나면 언젠가 동쪽의 인도가 나올 거라고 주장했어요. 그러나 대부분의 사람들은 고개를 설레설레 저었습니다. 유럽 사람들에게 서쪽 바다는 가 본 적이 없는 무서운 세계였고, 아무도 용기를 내지 않았습니다. / 그 때 콜럼버스는 서쪽 바다로 항해를 떠나 인도에 가기로 결정했습니다. 아무도 가지 않은 무서운 서쪽 세계. 많은 사람들이 그의 얼굴을 다시 볼 수 없을 거라고 말했지만, 그는 반 년 만에 서쪽 바다를 건너는데 성공했습니다. 유럽은 서쪽 바다 너머에 있는 신대륙을 찾아내게 된 것입니다. / 시도해 보기도 전에 '안 된다', '못 한다'라고 생각했다면 콜럼버스는 새로운 항로를 발견할 수 없었을 겁니다. 신대륙을 발견한 콜럼버스. ㉠용감한 모험가는 남이 지나간 길보다, 아무도 가보지 않은 길을 찾아내는 데 더 큰 기쁨을 느낍니다. 우리는 완전히 새로운 곳으로 나아가는 데 필요한 용기를 배우게 됩니다. 용기는 모두에게 멋진 경험을 할 수 있는 기회를 줄 것입니다. 콜럼버스로부터 배울 수 있는 용기.

 핵심 요약에 체크해 보세요. 아무도 가지 않은 길로 항해하는 [☑모험 / □안정]을 택한 콜럼버스의 실제 이야기로부터 교훈을 얻을 수 있는 [□동화 / ☑전기문]입니다.

3. 용기

글의 마지막 부분에서 우리는 콜럼버스에게 새로운 곳으로 나아가는 용기를 배운다고 했어요.

4. ④

콜럼버스가 서쪽 바다로 항해를 시작하기 이전에 유럽에서 인도로 갈 때에는 아프리카와 중동을 지났다고 했어요.

5. 콜럼버스

남이 가보지 않은 길을 처음으로 찾아가는 용기가 있는 사람, 아무도 가지 않던 서쪽 바다로 항해한 사람은 콜럼버스입니다.

관찰 일기   문제 ⑥~⑨

어머니께서 방울토마토 다섯 그루를 사 오셨다. 나는 방울토마토가 자라나서 열매를 맺을 때까지의 과정을 관찰하기로 했다.

세 그루는 거실 밖에 있는 에어컨 설치 장소에 ㉠<u>같다 놓았다.</u> 그곳은 낮 동안 햇빛이 잘 드는 곳이다. 자리가 부족하여 두 그루는 안방 창문 쪽에 두었다. 그쪽은 햇빛이 들지 않는다. 〈방울토마토를 햇빛이 잘 드는 곳과 그렇지 않은 곳에 각각 둠.〉

처음에는 크기나 줄기의 굵기가 비슷했다. 그런데 1주일 후에는 조금 차이가 나기 시작했다. 에어컨을 ㉡<u>놓은</u> 자리에 있던 세 그루는 줄기가 짙은 녹색을 띠면서 조금 두꺼워졌지만 키는 그다지 크지 않았다. 한 3cm 정도만 자란 것 같았다. 하지만 안방 창문 쪽에 있던 두 그루는 몰라보게 키가 자랐다. 7cm 정도 자란 것 같았다. 반면 줄기의 굵기는 처음과 별 차이가 없었다. 줄기의 색깔은 에어컨 자리에 있는 것들보다 훨씬 ㉢<u>옅은</u> 녹색을 ㉣<u>띠었다.</u> 〈1주째 관찰 결과.〉

3주가 지나자, 에어컨 자리에 있던 세 그루에 하얀 꽃이 피었다. 키도 제법 많이 자랐고, 줄기의 굵기도 많이 굵어졌다. 잎도 무성하게 났고 색깔도 짙은 녹색을 유지하고 있었다. 그런데 안방 창문 쪽의 두 그루는 앞의 세 그루보다 훨씬 키가 컸지만, 줄기의 굵기는 그 반밖에 되지 않아 금방이라도 쓰러질 듯이 보였다. 또 아직까지 꽃이 피지 않았다. 꽃망울도 몇 개 되지 않았다. 〈3주째 관찰 결과.〉

4주째, 드디어 에어컨 자리에 있던 세 그루에 꽃이 지면서 방울토마토가 생겨났다. 안방 창문 쪽 것들은 이제 겨우 꽃이 몇 개 피어났는데, 꽃잎도 작고 시들시들했다. 〈4주째 관찰 결과.〉

5주째, 에어컨 쪽에 세 그루에서 방울토마토가 가게에서 파는 것만큼이나 커졌다. 열 개, 열한 개, 열세 개, 세 그루에 생겨난 방울토마토의 수는 모두 서른네 개나 되었다. 물론 아직 색깔은 파랬다. 하지만 안방 쪽 두 그루에서는 겨우 다섯 개만 열렸다. 그것도 매우 작았다. 〈5주째 관찰 결과.〉

다섯 그루 모두 같은 흙이었고, 영양제도 똑같이 주었다. 차이가 난 것은 햇빛뿐이었다. 햇빛이 식물의 성장에 이렇게 큰 영향을 준다는 점을 깨달았다. 내년에는 보다 세밀하게 관찰하여 더 자세하게 기록해야겠다. 〈깨달은 점.〉

 핵심 요약에 체크해 보세요.
방울토마토를 각각 다른 [□집 / ☑장소]에서 키우면서 그 차이점을 자세하게 기록하고 느낀 점을 쓴 [☑관찰 일기 / □기사문]입니다.

6. 햇빛

이 글의 맨 마지막 부분에서 '다섯 그루 모두 같은 흙이었고, 영양제도 똑같이 주었다. 차이가 난 것은 햇빛뿐이었다. 햇빛이 식물의 성장에 이렇게 큰 영향을 준다는 점을 깨달았다.'라고 말하고 있어요.

7. ④

이 글은 햇빛이 잘 드는 곳과 그렇지 않은 곳에서 키운 방울토마토의 생장 과정을 비교하여 작성하였어요.

8. ②

3주 후에 에어컨 자리의 세 그루는 하얀 꽃이 피고 키도 제법 많이 자랐다고 했어요.

9. ①

㉠의 '같다 놓았다.'는 '갖다 놓았다.'로 써야 해요. ㉡은 '일정한 곳에 기계나 장치, 구조물 따위를 설치한'의 뜻을 가진 '놓은'이 알맞아요.

어휘력 쑥쑥 테스트   01. 잉태   02. 평안   03. 파악   04. 인식   05. 무성   06. 건의
                        07. 징조   08. 징표

십자말 풀이   [가로 열쇠]   1. 기이하다   2. 고귀   3. 포착하다
               [세로 열쇠]   1. 하여금   2. 고안   3. 부착   4. 풍부하다

동화 문제 ❶~❷

우리 아빠예요. 우리 아빠는 걷지 못해요. 아빠가 어렸을 때부터 그랬대요. 아빤 나에게 미안하다는 말을 자주 해요. 다리가 불편한 우리 아빠.

봄이 왔어요. "아빠가 같이 자전거 못 타서 미안해."

"괜찮아요, 아빠. 나는 아빠랑 공원에서 예쁜 꽃을 보는 게 좋아요."

여름이 왔어요. "우리 같이 신나게 헤엄치고 놀 수 있으면 참 좋겠다."

"괜찮아요, 아빠. 나는 아빠랑 해변에서 모래성 만드는 게 좋아요."

비가 왔어요. "비 오는 날에는 밖에서 첨벙첨벙 빗물 놀이를 하고 싶진 않니?"

"아니요, 비 오는 날에는 아빠가 만들어 주는 코코아를 마시며 빗소리를 듣고 싶어요."

내가 아빠에게 또 말했어요. "내 친구들은 가끔 아빠와 함께 스키도 타고 바나나 보트도 탔다고 자랑해요. 그럼 나도 친구들에게 말해요. 나는 아빠가 멋진 요리사로 변신해서 좋고, 아빠랑 그림 그리는 건 언제나 신난다고요. 또 아빠랑 같이 있으면 새도 다람쥐도 모두 친구가 된다고요! 아빠는 늘 나에게 미안하다고 말하지만, 나는 아빠와 매일매일 함께할 수 있어서 정말 행복해요." 매일 아빠와 함께여서 행복함을 느끼는 나.

핵심 요약에 체크해 보세요.

다리가 불편한 [□엄마 / ☑아빠]와 매일 함께할 수 있어 행복해하는 나의 이야기를 담은 [□동시 / ☑동화]입니다.

---

1. ②

다리가 불편한 아빠는 활동적인 놀이를 나와 함께 하지 못해서 미안해하는 거예요.

2. 미안, 행복

걷지 못하는 아빠는 나와 자전거 타기, 헤엄치기, 빗물 놀이 등을 함께하지 못해 항상 미안해해요. 반면에 나는 다리가 불편한 아빠라도 항상 함께할 수 있어서 행복하다고 하지요.

설명하는 글 문제 ❸~❹

조선 시대에는 정확한 지도가 없었습니다.

"정확한 지도가 있다면 좋을 텐데……."

그래서 조선 시대의 김정호라는 사람이 두 발로 온 나라를 다니며 직접 지도를 만들었습니다. 그렇게 만들어진 지도가 바로 '대동여지도'입니다. 대동여지도에 대한 소개.

나라의 벼슬아치들은 지도는 나라에서 관리해야 하며 백성들이 품고 다니다 외적에게 빼앗기면 나라가 큰 피해를 입을 수도 있다고 생각했습니다. 하지만 김정호는 지도가 있어야 백성들이 더 잘 살 수 있을 거라고 확신했습니다. 또 외적이 쳐들어와도 정확한 지도가 있다면 유리한 위치에서 방어할 수 있을 것이라고 여겼습니다. 지도에 대한 김정호의 생각.

4-④
김정호는 전국 방방곡곡을 다니며 ㉠대동여지도를 만들었습니다. 대동여지도는 4-① 22첩의 목판으로 이루어져 있는데, 원본을 따라 그리지 않고 필요한 부분만 찍어서 4-③ 가져가면 되었기 때문에 내용이 달라질 일이 없었습니다. 백성들이 참 편리하게 사용했을 것입니다. 대동여지도의 특징.

---

3. 김정호, 지도

이 글의 중간 부분을 보면 김정호는 지도가 있어야 백성들이 더 잘 살 수 있고 외적이 쳐들어와도 정확한 지도가 있다면 유리한 위치에서 방어할 수 있을 것이라 생각하여 대동여지도를 만들었다고 했어요.

4. ③

대동여지도는 22첩의 목판으로 이루어져 있는데, 원본을 따라 그리지 않고 필요한 부분만 찍어서 가져가면 되었기 때문에 내용이 달라질 일이 없다고 했어요.

대동여지도를 만든 김정호는 끈기가 대단한 사람이었습니다. 대동여지도를 27년에 걸쳐 만든 것을 보아도 알 수 있습니다. 그리고 김정호는 학문을 익히는 일을 게을리하지 않았는데, 지도에 관한 모든 책을 읽고 연구할 정도였습니다. 이렇게 꼼꼼하고 끈기 있게 만든 대동여지도는 정말 정밀했는데[*], 오늘날의 지도와 비교해도 차이가 거의 없습니다. 매우 정밀한 대동여지도.

4-②

핵심 요약에 체크해 보세요.

조선 시대에 온 나라를 다니며 지도를 만든 [☐김정희 / ✓김정호]에 대해 [✓설명하는 / ☐주장하는] 글입니다.

* **정밀하다**: 빈틈이 없이 아주 자세하고 치밀함.

독서 감상문 문제 ⑤~⑧

나는 이 책을 읽고 이 나무처럼 아낌없이 주는 사랑이 있을까 생각해 보았다. 그리고 나는 부모님을 생각했다. 책을 한 장 한 장 넘기면서 부모님과 나무를 비교하고, 소년과 나를 비교해 보았다.

㉠소년은 매일 숲 속에서 나무와 행복한 나날을 보냈다. 하지만 시간이 흐르면서 소년은 나무를 잘 찾아오지 않았다. 그러던 어느 날, 소년은 청년이 되어 찾아왔다. 소년은 나무에게 돈을 벌게 해 달라고 말했다. ㉡나무는 자신의 열매를 따 가라고 했다. 나무는 행복했다. 세월이 흘러 소년은 아저씨가 되어 돌아왔다. 소년은 이번에는 집을 지을 수 있는 재료가 필요하다고 했다. 나무는 자신의 가지를 소년에게 주었다. 나무는 소년에게 베풀면서 행복을 느끼는 것 같았다. 부모님이 우리를 위하면서, 행복해하시는 것처럼 말이다.

6-①

6-②

다시 세월이 흘러 소년은 더 나이 든 아저씨가 되어 찾아오고, 나무는 그에게 자신의 기둥으로 배를 만들어 여행을 할 수 있도록 해 준다. ㉢소년은 이젠 머리가 하얀 할아버지가 되어 돌아왔다. 나무는 더 이상 소년에게 해 줄 것이 없어 미안한 마음이 들었다. 나무는 소년을 쉬게 해 줄 방법을 생각했다. 그리고 자신의 밑동을 죽 펴서 소년이 앉아 쉴 자리를 마련해 주었다. 편히 쉬는 소년을 보며 나무는 정말 행복했다. '아낌없이 주는 나무'의 줄거리.

6-④

나무는 소년에게 아무 것도 바라지 않고 무조건 주었다. 어떻게 그렇게 할 수 있었을까? 자기에게 조금도 친절하게 대해 주지도 않고 받기만 하는 소년이 좋았을까? 나중에 할아버지가 된 소년에게 나무가 밑동을 내미는 것을 보고, 제목 그대로 '아낌없이 주는 나무구나.'하고 생각했다. 그리고 ㉣이 나무의 마음은 우리 부모님의 사랑과 너무 똑같다고 생각했다.

난 부모님께 무엇을 해 드렸을까? 소년처럼 받기만 한 것은 아닐까? 그리고 고마움도 몰랐던 것은 아닐까? 나는 이 책을 읽으면서 많은 생각을 했고 반성도 했다. 앞으로는 부모님의 사랑을 감사하면서 살아야겠다. 책을 통해 부모님의 사랑에 고마움을 느낌.

핵심 요약에 체크해 보세요.

『아낌없이 주는 나무』라는 [☐전기문 / ✓책]을 읽고 줄거리와 자신이 느낀 점을 솔직하게 쓴 [✓독서 감상문 / ☐안내문]입니다.

---

5. 부모님, 나

글쓴이는 책을 한 장 한 장 넘기면서 '나무'와 '부모님'을 비교하고 '소년'과 '나'를 비교해 보았다고 했어요.

6. ③

나무는 열매, 가지, 기둥, 밑동을 소년에게 주었지만 뿌리를 주었다는 이야기는 나오지 않았어요.

7. ①

글쓴이는 소년에게 아낌없이 주는 나무의 마음이 부모님이 자식에게 아낌없이 주는 사랑과 같이 느껴진다고 했어요.

8. ④

아낌없이 주는 나무의 마음은 흡사 부모님이 자식에게 아무것도 바라지 않고 모든 것을 주는 것처럼 생각된다고 했어요. 이것은 책의 내용을 보고 글쓴이의 생각을 적은 감상에 해당됩니다. ㉠~㉢은 책의 사실적인 내용이지요.

설명하는 글   문제 ❶~❷

유럽에 위치한 나라 헝가리에는 코치라는 작은 도시가 있어요. 코치는 작은 도시였지만 도시 이름과 같은 코치라는 마차 때문에 유럽 전체에서 아주 유명했어요. 이 마차는 지붕이 있고 사방이 막혀 있었으며 바퀴가 네 개였어요. 안에는 두 개의 의자가 마주 보고 있어 네 사람이 탈 수 있었어요. 코치는 편하게 잘 만들어졌다고 명성*이 자자했어요. _{마차 덕분에 유명한 도시가 된 코치.}

코치는 처음에 한두 마리의 말이 끌던 마차였어요. 하지만 호화스러운 것을 좋아하는 귀족들은 많은 말들이 끄는 마차를 갖고 싶어 했어요. 코치는 점점 대여섯 마리의 말이 끄는 호화스러운 마차로 변했어요. _{호화스러운 마차로 변한 코치.}

하지만 말의 수가 늘다 보니, 그 말들을 다루는 것이 쉬운 일이 아니었어요. 코치를 잘 몰려면 솜씨 좋은 마부가 필요했지요. 말에 대해서 잘 알고 훈련을 잘 시키는 사람이 코치의 마부로 적합했어요. 그래서 사람들은 여러 마리의 말이 끄는 코치를 잘 다루는 마부 역시 코치라고 부르게 되었어요. _{마부를 가리키게 된 코치.}

이와 같이 '코치'는 작은 도시의 이름에서 출발해 마차 이름과 마부를 가리키는 말을 거쳐 지금은 운동하는 사람들에게 기술을 가르쳐 주는 사람을 가리키게 되었어요. _{오늘날의 코치의 의미.}

핵심 요약에 체크해 보세요.

헝가리의 [□수도 / ☑도시] 이름이었던 코치의 의미가 오늘날까지 어떻게 변화하였는지 그 과정을 [□주장하는 / ☑설명하는] 글입니다.

1. ④

이 글은 헝가리의 도시와 마차 이름인 '코치'라는 단어가, 마부를 가리키는 말을 거쳐 현재는 운동하는 사람들에게 기술을 가르쳐 주는 사람을 의미하는 단어로 변한 과정을 설명한 글입니다. 따라서 '코치라는 단어의 의미와 변화 과정'이라고 제목을 붙이면 적당할 거예요.

2. ②

'코치'는 처음에는 한두 마리의 말이 끌던 마차였어요.

* **명성**: 평판이 높아서 세상에 널리 알려진 이름.
* **자자하다**: 여러 사람의 입에 오르내려 떠들썩하다.

설명하는 글   문제 ❸~❺

농사는 매우 중요한 활동이지요. 사람들은 농사를 지어서 필요한 식량을 얻어요. 인류는 정착 생활을 시작한 신석기 시대부터 농사를 지었어요. 그전까지는 여기저기 옮겨 다니며 채집* 생활을 했어요. 이후 강가나 해안가에 움집을 짓고 살기 시작했고, 집 주변에 특정 식물이 자라는 것을 알게 되었어요. 작물을 직접 재배할 수 있다는 것을 깨달은 거죠. 이것이 '신석기 혁명'이라고 불리는 농사의 시작이에요. 처음에는 조, 수수, 피 등 밭작물을 재배했어요. 청동기 시대로 접어들면서 낮은 습지에서 벼농사를 짓게 돼요. 그러면서 먹을거리가 풍부해지고, 삶이 더욱 안정되었어요. _{농사가 시작된 과정.}

농사는 환경의 영향을 많이 받아요. 공장에서는 일정한 조건만 만들어 놓으면 1년 내내 똑같은 제품을 생산할 수 있어요. 하지만 농작물은 날씨와 환경 변화에 따라 수확물의 양과 질이 달라져요. 사람이 환경을 마음대로 조정할 수는 없어요. 날씨를 예측할 수는 있지만 바꿀 수는 없지요. 그래도 논과 밭을 건강하게 가꾸는 노력은 필요해요. _{환경에 영향을 받는 농사의 특징.}

핵심 요약에 체크해 보세요.

필요한 [□옷 / ☑식량]을 얻는 활동인 농사가 시작된 과정과 환경에 영향을 받는 농사의 특징을 [□주장하는 / ☑설명하는] 글입니다.

3. 농사

이 글은 식량을 얻기 위한 중요한 활동인 농사가 시작된 과정과 농사의 특징에 대해 설명한 글이에요.

4. ④

인류는 신석기 시대부터 농사를 지었는데, 신석기 시대 전까지는 여기저기 옮겨 다니며 채집 생활을 했다고 했어요.

5. ④

글쓴이는 농사가 환경의 영향을 많이 받지만, 그래도 논과 밭을 건강하게 가꾸는 노력은 필요하다고 했어요.

* **채집**: 자연 상태의 동식물이나 곤충, 광석 등을 널리 찾아서 모으거나 캐서 모음.

기행문   문제 ❻∼❾

나는 체험 학습으로 국립광주박물관에 갔다. 오전에는 먼저 '김대중컨벤션센터'에 들렀다. ㉠이곳에서는 박람회가 진행되어 한창 바쁜 모습이었다. ㉡김대중컨벤션센터는 세계 각국 사람들이 한 장소에 모여서 토론을 하는데, 무려 100명을 수용할 수 있다고 했다. 그리고 각 나라 말로 통역이 되어 참여하는 사람들이 자유롭게 토론할 수 있다고도 했다. 나중에 나도 ㉢이곳에서 세계 많은 나라 사람들과 토론해 보고 싶은 생각이 들었다. 김대중컨벤션센터에서의 경험과 느낌.

밖으로 나와서 월드컵 경기장으로 갔다. ㉣경기장을 한 바퀴 돌아보았는데, '꿈은★이루어진다'라는 문구가 있었다. 실제 여기에서 운동경기가 진행된다면 정말 재미있을 것 같다는 생각이 들었다. 월드컵 경기장에서의 경험과 느낌.

점심을 먹고 드디어 기대했던 국립광주박물관에 도착했다. 올라갈 때 계단의 폭이 넓게 되어 있어서 조금은 불편했다. 나는 우선 불교 미술실에 들어갔다. 불교 미술실이란 불교와 관련된 미술품들을 전시해 놓은 곳으로, 안내하는 분이 많은 것을 알려 주셔서 참으로 유익하였다.

다음을 청자 백자 박물관으로 갔다. 옛날 토기들은 청자와 백자로 구분하는데, 둘 다 아름답고 현대 과학으로도 못 만드는 것들이 많다는 것을 알게 되었다. 또한 청자나 백자에 무늬를 넣어서 화려하게 하는 기술이 뛰어나 옛날에도 오늘날 이상으로 미술이 발달했다고 생각했다.

그리고 옛날의 생활 모습을 재현한 전시실도 ⓐ관람하러 갔다. 농경문화와 관련된 유물을 둘러보던 중, 돌로 만든 낫을 보고 새삼 놀랐다. 옛날에도 쇠로 낫을 만든 줄 알았는데 당시에 그런 기술이 없었던 것이 분명했다. 사람들이 생활하는 모습을 실제 움직이는 모형으로 제작한 것을 보고 깜짝 놀랐고, 옛날에 있었던 화석들도 여러 점 보았는데 모두 신기했다. 국립광주박물관에서의 경험과 느낌.

저녁 무렵, 박물관 견학을 모두 마치고 집으로 돌아왔다. 체험 학습을 통해 몰랐던 것을 많이 알게 되었고, 지금 내가 배우고 있는 교과서에 나온 것들을 직접 보게 되어 흥미로웠다. 앞으로도 이런 기회가 많이 있었으면 좋겠다. 견학을 마치고 나서의 느낌.

6. ③

나는 체험 학습으로 먼저 김대중컨벤션센터에 들렀고, 다음으로 월드컵 경기장을 간 후 국립광주박물관으로 이동했어요.

7. ④

나는 청자 백자 박물관에서 청자와 백자에 무늬를 넣어서 화려하게 만든 기술을 보고 옛날에도 오늘날 이상으로 미술이 발달했다고 생각했어요.

8. ③

김대중컨벤션센터에서 100명 이상의 많은 사람들이 토론할 수 있다는 것을 듣고 글쓴이는 미래에 자신이 세계의 많은 사람들과 그 장소에서 토론해 보고 싶다고 생각했어요. 이는 객관적인 사실이 아닌 자신의 생각과 감상을 말하는 것이에요.

9. ②

'관람하다'는 연극, 영화, 운동 경기, 미술품 따위를 구경하는 것이므로 '구경하다'가 가장 비슷한 뜻이에요.

핵심 요약에 체크해 보세요. 국립광주박물관에 다녀온 [□상상 / ☑경험]을 위주로 보고 들은 사실, 느낀 점과 생각한 내용을 쓴 [☑기행문 / □광고문]입니다.

"기행문의 3요소 – 여정, 견문, 감상"

알아두면 도움이 돼요!

- 여정: 여행 과정이나 일정으로 여행한 날짜와 시간, 여행한 장소 등을 차례로 씁니다.
- 견문: 견(見)은 '보다', 문(聞)은 '듣다'라는 뜻이에요. 여행지에서 보고 들은 것을 말합니다.
- 감상: 마음속에서 일어나는 느낌이나 생각으로, 여행의 경험을 통해 느끼고 생각한 것을 말합니다.

일기 　문제 **❶**~**❷**

ㄴ○○○년 ○월 ○일, 날씨 맑음

수업을 마치고 하굣길에 아버지를 보았다. 아버지께서는 부지런히 거리를 청소하고 계셨다. 괜히 부끄러운 생각이 들었다. 그래서 아버지를 못 본 체하고 집으로 돌아왔다. ㉠집에 도착한 나는 이상하게도 마음이 무거웠다. 저녁이 되어 날이 어둑어둑해졌다. 　아버지를 못 본 체함.

"영희야, 아빠 왔다!" 하고 반갑게 부르시는 아버지의 목소리가 들려왔다. 아버지께서 일을 마치고 돌아오신 것이다. 아버지께서는 세수를 하시고 나서 이렇게 말씀하셨다.

"내가 이 아름다운 지구의 한 모퉁이를 깨끗이 청소했다고 생각하니, 마음이 참 상쾌하구나."

그 순간 나는 문득 선생님께서 하신 말씀이 생각났다.

"직업에는 귀천* 이 없다!"

오늘 낮에 한 나의 행동이 더욱 부끄러웠다. 아버지께 죄송한 마음이 들었다. 나는 오늘부터 아버지를 자랑스러워하기로 마음먹었다. 그리고 나도 아버지처럼 앞으로 무엇인가 보람 있는 일을 하는 사람이 되어야겠다. 　나의 생각과 행동에 대한 반성.

핵심 요약에 체크해 보세요. 　환경미화원으로 일하시는 [□어머니 / ✓아버지]를 보고 부끄러워한 자신을 반성하는 마음을 쓴 [□동화 / ✓일기]입니다.

1. 귀천

나는 일기를 쓰면서 선생님이 말씀하신 '직업에는 귀천이 없다는 것.'을 되새기며 아버지처럼 보람 있는 일을 하는 사람이 되어야겠다고 생각했어요.

2. ②

나는 집에 돌아오는 길에 청소를 하시는 아버지를 보았지만 아버지를 부끄럽게 생각해서 못 본 체했기 때문에 마음이 무거웠어요.

* 귀천: 신분이나 일 따위의 귀함과 천함.

설명하는 글 　문제 **❸**~**❹**

경주시 동쪽 토함산의 서쪽 기슭에는 아름다운 다보탑과 석가탑이 있는 불국사가 있습니다. 이 두 개의 탑을 만나려면 청운교와 백운교라는 두 돌계단을 오르고 자하문을 지나 대웅전 마당으로 들어가야 합니다. 신라 사람들은 돌계단을 오르면서 욕심부리고 성내는 마음을 버리고, 온 세상이 지혜와 사랑으로 가득하기를 희망했습니다. 　다보탑과 석가탑이 있는 불국사 소개.

토함산 동쪽 기슭에는 석굴암이 있습니다. 단단한 화강암을 다듬어 석굴 모양으로 쌓아 올려 동굴 비슷한 방을 만들었습니다. '땅'을 뜻하는 네모난 방에서 멋지고 세련된 조각상을 둘러보고, 복도를 따라 안으로 들어갑니다. 이윽고 '하늘과 우주'를 뜻하는 둥근 방에서 석가모니의 조각상과 마주합니다. 반쯤 감은 눈, 둥근 눈썹, 사랑이 넘치는 입, 부드럽게 흘러내리는 어깨와 팔과 손, 그리고 다리의 선……. 너무나 자연스러운 조각상은 따뜻한 체온과 심장의 고동 소리를 간직한 듯 생명력이 넘쳐 납니다. 　석굴암 소개.

불국사와 석굴암을 건축한 사람은 김대성입니다. 그는 세상에 태어나기 이전의 부모님을 위해 석굴암을 세웠고, 세상에 계신 부모님을 위해 불국사를 세웠다고 합니다. 불교에서는 사람이 죽으면 끝이 아니라, 또 다른 삶을 살게 된다고 믿습니다. 　불국사와 석굴암을 만든 김대성 소개.

3. ④

이 글은 경주 불국사와 석굴암, 그리고 이를 만든 김대성을 중심으로 그곳에 있는 유물들에 대해 설명하는 글이에요. 석굴을 만든 소재가 화강암이라는 것은 이 글에서 설명하고자 하는 중요한 핵심 화제는 아니에요.

4. ③

김대성은 세상에 태어나기 이전의 부모님을 위해 석굴암을 세웠다고 했어요.

핵심 요약에 체크해 보세요. 　경주에 있는 [□해인사 / ✓불국사]와 석굴암 그리고 그와 관련된 정보를 자세하게 [✓설명하는 / □주장하는] 글입니다.

설명하는 글　문제 ⑤~⑧

생활 속에서 겪게 되는 문제들을 해결하기 위한 회의는 가족회의, 학급 회의 등 그 종류가 다양합니다. 더 나아가서 자기 나라의 일을 논의하는 국가 정책 회의나 각 나라의 대표들이 모여 세계의 발전을 위해 토론을 하는 국제회의도 있습니다. *회의의 다양한 종류.*

그럼 나라의 일은 어디에서 회의를 할까요? 우선 국회에서 나라에 필요한 일들을 회의합니다. ㉠국회 회의를 이끄는 국회 의장을 중심으로 법을 정하고, 매년 나랏일에 돈을 얼마나 쓸 건지 예산도 정하고, 정부의 정책에 동의할 건지 논의하기도 합니다. 회의에 참여하는 사람들은 국회의원들입니다. 국민들이 뽑은 국회의원들이 국민을 대신해서 많은 일들의 표결을 진행합니다. 그래서 국민들은 국회에서 진행하는 일에 눈과 귀를 활짝 열고 관심을 가져야 합니다. *국회 회의에 대한 소개.*

나라 밖에서는 어떤 회의가 이루어질까요? 국제연합(UN)이라고 들어보았나요? 세계 여러 나라 대표들이 모여서 세계의 안전과 평화를 유지하기 위해서 회의를 하는 국제 평화 기구입니다. 다시는 끔찍한 세계 전쟁이 일어나지 않도록 하기 위해 제2차 세계 대전 이후에 결성된 기구입니다. *나라 밖의 회의에 대한 소개.*

이처럼 우리가 뽑은 대표들이 모여서 하는 국회 회의나 각 나라의 대표들이 모여서 하는 국제회의도 결국은 넓은 의미에서 우리 모두가 참여하는 회의인 셈입니다. 세상을 움직이고 있는 수많은 회의들이 우리의 힘으로 이루어지고 있는 것입니다. 여기에서 꼭 기억해야 할 것이 있습니다. 몇몇 사람의 의견만으로 문제를 해결하려고 하는 것은 아주 위험한 일이기 때문에 많은 사람들이 다양한 의견을 내는 활발한 회의가 이루어져야 합니다. 세상을 이끌어 가는 힘이 '다양성'에서 출발할 때 어려운 문제도 슬기롭게 해결할 수 있습니다. 지루하고 재미 없을 줄 알았던 회의가 참 멋진 일이라는 걸 이제 알겠지요? *회의에서 다양성의 중요성.*

앞으로 우리는 살면서 많은 회의들을 　㉡　 될 겁니다. 그때마다 듣고, 설득하고, 설명하는 과정을 잘 실행해 나갈 때 좀 더 멋진 어른으로 성장해 나갈 수 있을 것입니다. 친구들이나 누나와 의견이 혹 다르다면 다투기보다는 서로 의논하고 양보하며 해결해 나가는 걸 먼저 연습해 봅시다. 자연스럽게 회의의 과정이나 중요성을 깨달아 갈 수 있을 것입니다. *회의할 때의 올바른 자세.*

＊**논의:** 어떤 문제에 대하여 서로 의견을 말하며 토의함.
＊**예산:** 필요한 금액 따위를 미리 계산함.
＊**표결:** 투표를 하여 결정함.
＊**진행:** 어떤 일 따위를 처리하여 나감.
＊**결성:** 모임이나 단체 따위를 조직하여 이룸.

핵심 요약에 체크해 보세요.　생활 속에서 겪게 되는 문제들을 해결하기 위한 [☑회의 / ☐토론]의 종류와 그 중요성 등을 [☐광고하는 / ☑설명하는] 글입니다.

5. ①
이 글에서 생활 속에서 겪게 되는 문제들을 해결하기 위한 회의는 세상을 움직인다고 했어요. 따라서 이 글의 제목으로는 '세상을 움직이는 회의'가 가장 적절해요.

6. ④
2문단에서 국민들이 뽑은 국회 의원들이 국민을 대신해서 표결을 진행하기 때문에 국민들은 국회에서 진행하는 일에 눈과 귀를 활짝 열고 관심을 가져야 한다고 했어요.

7. 거치게
'걷히다'는 '흩어져 사라지다, 말끔히 없어진 상태가 되다.'라는 의미이고, '거치다'는 '어떤 과정이나 단계를 겪거나 밟다.'라는 의미이므로 '거치게'가 알맞아요.

8. ①
4문단에서 많은 사람들이 다양한 의견을 내는 활발한 회의가 이루어져 세상을 이끌어 가는 힘이 '다양성'에서 출발할 때, 어려운 문제도 슬기롭게 해결할 수 있다고 했어요.

영화 감상문   문제 ❶∼❷

- 날짜: ○월 ○○일   • 장소: 우리 동네 영화관   • 제목:『니모를 찾아서』

- 나오는 사람들(동물들): 니모, 말린, 도리, 길, 블롯, 피치, 거글, 크러쉬 등

-   ◯   : 아빠 물고기 '말린'의 아들 물고기 '니모'가 치과 의사에게 납치된다. 사랑스러운 아들 니모가 납치되자 아빠 말린은 너무 슬퍼한다. 한편 치과 병원 수족관에 갇힌 니모는 물고기들의 골목대장 '길'과 함께 탈출을 계획한다. 그러던 중 아빠가 친구들과 함께 자신을 구하기 위해 찾아오고 있다는 소식을 듣는다. 결국 수족관 속 동료의 도움으로 탈출하게 된 니모가 아빠 물고기 말린과 만나면서 영화는 끝을 맺는다.

-   ◯   : 밤에 조용한 바다 위에서 펠리컨들이 방귀를 뀌는 장면이 너무 웃겼다. 나도 물에서 방귀를 뀌어 봤는데 물방울이 뽀글뽀글 올라와서 재미있던 기억이 난다. 그리고 아빠 물고기 말린과 니모가 만나는 장면이 제일 감동적이었다.

-   ◯   : 말린이 니모를 찾아 나서는 것을 보면서, 우리 아빠가 생각났다. 부모님께서 나를 사랑하는 마음이 말린처럼 크다는 것을 깨달았기 때문이다. 나에게도 니모처럼 소중한 아빠가 있다는 사실이 좋았다.   _{영화를 본 나의 생각을 적음.}

핵심 요약에 체크해 보세요.   [□콘서트 / ☑영화]를 보고 나서 줄거리와 느낀 점 등을 쓴 [□광고문 / ☑영화 감상문]입니다.

1. ㉠ - ②, ㉡ - ①, ㉢ - ③

㉠에는 영화의 대략적인 줄거리를 썼어요. ㉡에는 영화에서 가장 재미있었던 장면과 감동적인 장면에 대해 썼어요. ㉢에는 영화를 보고 글쓴이가 느낀 점을 썼어요.

2. ④

니모는 아빠가 친구들과 함께 자신을 구하기 위해 찾아오고 있다는 소식을 들었다고 했어요.

설명하는 글   문제 ❸∼❺

아주 먼 옛날에는 장사하기가 정말 힘들었습니다. 팔 물건들을 수레에 싣거나 혹은 등짐을 지고 수개월을 걸어 다녀야 했습니다. 그러자 돈을 벌어도 걱정, 돈이 부족해도 걱정이었습니다. 그때 벌어 놓은 돈과 상품 등을 맡겨 둘 수 있는 집이 생겼습니다. 필요할 땐 돈도 빌릴 수 있었습니다. 대신, 돈을 빌린 대가로 나중에 갚을 때, 약간의 돈을 더 줘야 했습니다. 입소문이 빠르게 퍼져 장사꾼들이 여기저기에서 이 집을 찾아왔고, 이 집처럼 돈과 상품을 빌려 주는 곳이 한두 군데씩 늘어나기 시작했습니다. _{은행의 유래.}

지금으로부터 약 3,700년 전, 바빌로니아라는 나라에 '은행'이 처음 생겼습니다. _{4-①} 지금과 ㉠<u>유사한</u> 은행은 1694년 영국의 '잉글랜드 은행'이 문을 열면서부터 등장했습니다. _{최초의 은행의 역사.} _{4-③}

은행은 지역에 따라서 약간씩 성격이 다르기도 합니다. 농촌에서는 '농업 협동조합'이 생겨서 농민들을 도와주고, 어촌에서는 '수산업 협동조합'이 생겨서 어민들을 돕습니다. 요즘에는 우리나라에 외국 은행들이 들어와서 더 많은 손님을 끌어가려고 노력하고 있기도 합니다. 은행끼리도 경쟁을 하는 것입니다. _{오늘날 은행의 성격과 경쟁.} _{4-②} _{4-④}

핵심 요약에 체크해 보세요.   [□무역 / ☑은행]이 생겨난 이유와 오늘날 은행의 모습까지 이해하기 쉽게 [☑설명하는 / □주장하는] 글입니다.

3. 은행

이 글은 은행이 생겨난 이유와 오늘날의 은행의 모습에 대해 설명하는 글이에요.

4. ④

3문단 마지막 부분에서 우리나라에 들어온 외국 은행들은 더 많은 손님을 끌어가려고 노력한다고 했어요.

5. 비슷한

'유사한'은 '서로 비슷하다.'라는 뜻을 갖고 있어요.

설명하는 글   문제 ❻~❾

물은 온도에 따라 액체, 기체, 고체로 상태를 바꾸는 특별한 물질이에요. 물이 어떻게 상태를 바꾸는지 물 분자의 움직임을 상상하며 알아보기로 해요.
온도에 따라 상태가 바뀌는 물.
컵에 물이 들어 있어요. 물 분자들은 어느 정도 서로 끌어당기고 있어요. 물 분자 6-③ 의 한쪽은 양의 전기, 다른 한쪽은 음의 전기를 띠기 때문이에요. 6-② 다른 부호의 전기는 서로 끌어당기는 성질이 있거든요. 컵에서 물 분자는 자유롭게 움직이는데, 너무 멀리 떨어진다 싶으면 이내 전기력이 작용해서 물 분자를 끌어당겨요. 물 분자의 특징.

이제 컵의 물을 데우기 시작했어요. 물의 온도가 높아지면 물 분자들이 더욱 활발하게 움직여요. 또 더 먼 곳까지 움직일 수 있지요. 물의 온도가 높아지면 물 분자들의 간격이 넓어지기 때문에 물의 부피가 늘어나요. 하지만 물 분자 사이에 작용하는 끌어당기는 힘을 끊지는 못해요. 온도가 올라갔을 때 물 분자의 특징 변화.

다시 물을 더욱 높은 온도까지 데웠어요. 물 분자들은 이리저리 날뛰듯이 활발하게 움직여요. 그러다 100℃가 되면 놀라운 일이 생겨요. 물 분자들이 아주 힘차게 움직여서 물 분자 사이에 작용하는 전기력을 이기는 거예요. 결국 물 분자들은 서로 끌어당기던 힘을 떨쳐 버리고 멀리 달아나게 돼요. 이것을 물이 끓는다고 말하지요. 100℃ 이상이 되었을 때의 물 분자 변화.
6-④
물이 끓으면 물 분자는 하나씩 따로따로 돌아다니게 돼요. 물이라는 액체가 수증기라는 기체로 변한 거예요. 그런데 물이 꼭 ㉠끓어야 수증기로 변할 수 있는 건 아니에요. 100℃보다 낮은 온도에서도 수면의 물 분자들이 수증기가 되어 공중으로 날아가기도 해요. 이것을 '증발'이라고 부르지요. 빨래가 마르는 것은 젖은 옷의 물이 수증기가 되어 날아가는 현상이에요. 기체로 변한 물과 증발의 의미.

6. ②

2문단에서 다른 부호의 전기는 서로 끌어당기는 성질이 있다고 했어요.

7. ③

3문단에서 물의 온도가 높아지면 물 분자들의 간격이 넓어지기 때문에 물의 부피가 늘어난다고 했어요.

8. ④

철수와 만수 두 사람의 옷을 적셨던 물이 증발된 양보다 몸에 흡수된 양이 더 많았는지는 이 글의 내용으로는 알 수 없어요.

9. [끄러야]

'끓어야'는 먼저 받침이 'ㄹ'로 발음되지요. 또 'ㄹ'이 '어'와 결합하여 발음되어 [끄러야]로 읽게 됩니다.

핵심 요약에 체크해 보세요.

[□습도 / ☑온도]에 따라 상태가 바뀌는 물질인 물이 액체에서 수증기로 변하는 현상을 [□홍보하는 / ☑설명하는] 글입니다.

"설명문을 읽는 방법"

알아두면 도움이 돼요!

– 설명하고자 하는 대상이 무엇인지 생각합니다.
– 설명하고자 하는 내용이 무엇인지 생각합니다.
– 새로 알게 된 내용은 무엇인지 생각합니다.
– 설명하고자 하는 내용이 사실이고 정확한지 꼼꼼하게 살펴봅니다.

설명하는 글　　문제 ❶~❷

우리가 일상 생활에서 발생시키는 온실가스는 지구를 뜨겁게 하는데, 이를 '지구 온난화'라고 합니다. 지구 온난화는 빙하를 녹이는 등 우리가 살아가는 환경을 나쁘게 만듭니다. 2050년 무렵에는 북극의 얼음이 모두 녹아 없어질지도 모른다는 예측도 있습니다.

㉠북극의 얼음이 녹으면 그곳에 사는 동식물이 살 곳을 잃게 됩니다. 뿐만 아니라 지구 전체가 심각한 위기에 직면하게 됩니다. 북극의 얼음은 태양열을 반사하고, 극지방을 서늘하게 유지시키는* 등 기후를 조절하는* 데 중요한 역할을 하기도 합니다. 지구 온난화의 개념과 북극의 얼음의 중요성.

극지방의 얼음이 녹아내리면 지구 전체에 걸쳐 생태계 파괴 등 심각한 영향을 끼칠 수 있습니다. 먹는 물이 부족하게 되고, 농작물 생산량이 줄어들고, 말라리아와 같은 전염병이 퍼지게 됩니다.

또 바닷물의 양이 늘어나서 상당한 넓이의 육지가 물에 잠기게 됩니다. 2080년에는 해수면이 무려 70cm가 올라가서 한반도의 서해와 남해안의 많은 부분이 물에 잠기게 될 것이라고 합니다. 기후는 더욱 나빠져서 여름에는 무더위, 열대야, 폭우와 가뭄이 번갈아 이어지게 될 것입니다. 그러므로 우리는 온실가스를 줄이기 위해 많은 노력을 기울여야 우리가 사는 지구를 구할 수 있습니다. 지구 온난화의 영향과 온실가스를 줄이기 위한 노력의 필요성.

핵심 요약에 체크해 보세요.

[☑지구 온난화 / ☐미세 먼지]의 심각성을 알아보고 그 원인이 되는 온실가스를 줄이기 위해 노력해야 하는 이유를 [☐홍보하는 / ☑설명하는] 글입니다.

1. 지구 온난화, 온실가스

이 글은 지구 온난화의 원인이 되는 온실가스가 늘어나면 지구에 큰 피해를 주므로 이를 줄여야 하는 이유를 설명한 글이에요. 따라서 이 글의 가장 중요한 핵심어는 '지구 온난화'와 '온실가스'입니다.

2. ④

지구 온난화가 생겨 극지방의 얼음이 녹게 되면 먹는 물이 많아지는 것이 아니라 부족하게 된다고 했어요.

＊ **유지:** 어떤 상태를 지탱하여 나가거나 이어 감.
＊ **조절하다:** 균형이 맞게 바로잡다. 또는 적당하게 맞추어 나가다.

전기문　　문제 ❸~❹

오랫동안 유럽 선수들이 장악했던* 피겨 스케이팅 분야에서 신체적 불리함을 극복하고 세계를 깜짝 놀라게 한 동양인이 있어요. 바로 우리나라의 김연아 선수예요. 김연아는 14세 때부터 피겨 스케이팅 국가 대표 선수였어요. 7세 때 처음 피겨 스케이팅을 접한 이후 초등학교 때부터 줄곧 전국 체육 대회를 비롯해 국내 피겨 스케이팅 대회의 모든 상을 휩쓸었지요. 14세 이후에는 참가하는 국제 대회마다 상을 수상하며, 11번이나 세계 기록을 새로 세웠어요. 피겨 스케이팅에서 두각을 나타낸 김연아.

우리나라는 외국만큼 피겨 스케이팅을 연습할 수 있는 환경이 갖추어져 있지 않아요. 이처럼 열악한* 환경 속에서도 김연아가 국제 대회에서 좋은 성과*를 거둘 수 있었던 것은 오로지 그녀의 피나는 노력 때문이었어요. 계속 부상을 입으면서도 김연아는 완벽한 기술을 익히기 위해 하루 8시간 이상 고된 훈련을 견뎌 냈어요. 피나는 노력을 한 김연아.

김연아는 2010년 캐나다 밴쿠버 동계 올림픽에서 금메달을 따고, 2014년 러시아 소치 동계 올림픽에서 은메달을 수상한 후 선수 생활을 마감했어요. 올림픽에서 메달을 따고 은퇴한 김연아.

핵심 요약에 체크해 보세요.

우리나라의 피겨 스케이팅 선수인 [☐손연재 / ☑김연아] 선수의 이야기를 다룬 [☐동화 / ☑전기문]입니다.

3. ④

김연아는 14세부터 피겨 스케이팅 국가 대표 선수였어요.

4. ②

김연아는 동양인으로 차별을 받은 것이 아니라, 동양인으로서의 신체적인 불리함을 이겨 낸 것이에요.

＊ **장악하다:** 판세나 권력 따위를 완전히 휘어잡다.
＊ **열악하다:** 몹시 떨어지고 나쁘다.
＊ **성과:** 일이 이루어진 결과.

동화   문제 ❺~❾

    어느 마을에 지독한 구두쇠 영감이 살았습니다. 구두쇠 영감은 평생 돈을 모을 줄만 알았지 쓸 줄은 몰랐습니다. 구두쇠 영감은 자기가 평생 모은 돈을 도둑맞을까 걱정이 되어 아무도 몰래 숲 속의 어느 나무 밑에 돈을 묻어 두었습니다.

    구두쇠 영감은 하루에 한 번씩 자기가 돈을 묻어 둔 곳에 가서 땅을 파고 돈이 잘 있나 확인한 후에 다시 묻어 두곤 했습니다.

    어느 날 같은 마을에 사는 한 젊은이가 그 영감의 행동을 수상히 여겨 뒤를 ㉠밟았습니다. 그리고 구두쇠 영감을 몰래 지켜봤습니다.

    '저 영감이 그동안 모은 돈을 저기에 묻어 두었구나! 옳지, 잘 됐다.'

    젊은이는 영감이 사라지자 돈을 몽땅 꺼내고 자루 속에 돌멩이를 잔뜩 넣어 두었습니다. 다음 날, 구두쇠 영감은 변함없이 그곳에 가서 땅을 파고 자루를 꺼내 보았습니다. 구두쇠 영감은 돈 대신 돌멩이만 발견하고 바닥에 주저앉아 땅을 치며 울었습니다.

    그때, 지나가던 나그네 한 사람이 구두쇠 영감에게 다가가서 물었습니다.

    "참 딱하게 되었습니다. 그런데 그 돈은 무엇에 쓰실 작정이었는지요?"

    "쓰다니요? 어떻게 모은 돈인데 내가 그걸 쓴단 말입니까? 나는 돈을 쓸 마음이 없었어요. 오죽하면 내가 그 돈을 땅에다 묻어 두었겠소?"

    구두쇠 영감의 이야기를 들은 나그네는 껄껄 웃고 나서 말했습니다.

    "영감님이 이야기를 듣고 보니 그다지 슬퍼할 일이 아닌 것 같습니다."

    그러자 구두쇠 영감이   ㉡   소리쳤습니다.

    "슬퍼할 일이 아니라고? 평생 모은 돈을 도둑맞은 나에게 어떻게 그런 말을 할 수가 있소?"

    "조금 전에 영감님께서 그 돈을 쓰실 마음이 없었다고 하시지 않았나요? 어차피 어디엔가 쓸 돈이 아니고 들여다보기만 할 것이라면, 여기 묻혀 있는 게 금화든 돌멩이든 마찬가지 아니겠습니까? 그러니 다른 사람이 요긴하게 쓰는 것이 낫지 않을까요?"

    그러자 구두쇠 영감은 말문이 막힌 듯 눈만 껌벅였답니다.

5. 구두쇠 영감, 젊은이, 나그네

이 글에는 '구두쇠 영감', 돈을 훔쳐간 '젊은이', 지나가는 '나그네' 이렇게 세 사람이 등장합니다.

6. ②

구두쇠 영감은 평생 모은 돈을 잃어버리거나 도둑맞을까 하여 걱정이 많았어요.

7. ①

이 글에서 구두쇠 영감은 돈을 모을 줄만 알았지 쓸 줄은 모른다고 했어요. 앞으로도 구두쇠 영감이 가난한 사람을 도와줄지는 이 글을 통해 알 수 없어요.

8. ④

젊은이가 영감의 뒤를 밟은 것은 어떤 사람이 다른 사람의 뒤를 몰래 따라간다는 의미예요.

9. ③

구두쇠 영감은 돈을 잃어버리고 그것을 나그네에게 하소연한 것인데, 나그네는 슬퍼할 일이 아니라며 껄껄 웃고 있으므로 영감은 화를 내며 말하는 것이 알맞아요.

핵심 요약에 체크해 보세요.

    모은 [□보석 / ☑돈]을 땅에 묻을 줄만 알았지 쓸 줄을 모르는 구두쇠 영감의 이야기를 통해 우리에게 교훈을 주는 [☑동화 / □전기문]입니다.

어휘력 쑥쑥 테스트	01. 정착	02. 귀천	03. 결성	04. 유래	05. ㉡	06. ㉣	07. ㉠	08. ㉢
	09. ×	10. ×	11. ○	12. ○	13. ㉡	14. ㉣	15. ㉢	16. ㉠

우리는 성냥으로 불을 쉽게 켤 수 있습니다. 이처럼 불을 쉽게 만들 수 있는 방법을 발명한 사람은 누구일까요? 바로 영국의 외과 의사 출신인 존 워커라는 사람입니다. 존 워커에 대한 소개.

2-④
마음이 여리고 섬세했던 워커는 외과 의사 자격증을 땄지만 수술하는 것이 무서웠습니다. 그래서 의사 일을 그만두고 약국을 차렸습니다. 어릴 때부터 호기심이 많고 머리가 좋았던 워커는 약국을 하면서도 여러 가지 화학물이나 약품으로 실험을 하였습니다. 워커는 열심히 노력한 덕분에 어느새 유능한 약사로 알려졌습니다. 약사로 유명했던 워커.

그날도 워커는 새로운 약품을 실험하기 위해 연구를 하고 있었습니다. 그때 갑자기 실험실 한쪽에 놓여 있던 난로에서 불길이 솟기 시작했습니다. 워커는 황급히 난로 옆에 있던 물로 불을 껐습니다. 그리고 난로를 찬찬히 살펴보았습니다. 마침 난로 옆에 있던 천이 눈에 띄었습니다. 천은 거의 타 버려 조각만 조금 남아 있었습니다. 그 천은 워커가 손에 묻은 실험 용액을 닦았던 천이었습니다.

'이 천에 묻어 있던 약품에 열이 가해져 자연적으로 불이 붙은 걸까?'

궁금해진 워커는 그 천에 실험을 해 보기로 했습니다. 작은 천 조각에다 아까 손에 묻은 실험 용액을 발라 난롯가에 놓아두었습니다. 그러자 천에 곧 불이 붙었습니다.

"정말 대단한데! 이렇게 쉽게 불을 만들 수 있다니……." 워커의 실험.

그날 이후, 워커의 약국에 불이 일어나는 천이 있다는 소문을 듣고 많은 사람들이 모여 들었습니다. 워커는 더 쉽고 간편하게 불을 만들 수 있는 방법을 고민한 끝에 천 대신 나뭇가지 끝에 불이 잘 일어나도록 화학 약품을 발랐습니다. 성냥을 발명한 워커.

워커의 실험은 성공을 거두었습니다. 사람들은 앞다투어 쉽게 불을 만들어 내는 성냥을 사 갔습니다. 이에 워커는 약국을 정리하고 그 자리에 성냥 공장을 ㉠세웠습니다. 성냥은 만들기가 무섭게 팔렸고, 워커는 큰 부자가 되었습니다. 성냥 공장을 세워 큰 부자가 된 워커.

---

1. ③

이 글은 존 워커가 연구 중 우연히 쉽게 불을 만드는 방법을 알게 된 후, 성냥을 발명했다는 이야기입니다.

2. ①

'존 워커'는 성냥을 발명한 후 약국을 정리하고 그 자리에 성냥 공장을 세워 큰 부자가 되었다고 했습니다.

3. ②

'존 워커'는 외과 의사 자격증을 땄지만 자신의 성격에 맞지 않아 할 수 없이 의사 일을 그만두고, 약사 일을 하다가 우연한 기회를 통해 불을 쉽게 만들 수 있는 방법을 발명했어요. 그러므로 워커의 발명과 자격증은 관련이 없어요.

4. ③

㉠의 '세우다'는 '재료들을 쌓거나 맞추어 지면 위에 일정한 구조물로 만들다.'라는 의미로 쓰였으므로 ③이 알맞아요. ①은 '가던 길을 멈추고 곧게 서게 하다.'는 뜻이며, ②는 '고집을 내세우다.'는 뜻이고, ④는 '기계 따위를 멈추어 서게 하다.'는 뜻입니다.

핵심 요약에 체크해 보세요.

실험 중 우연히 쉽게 불을 만드는 방법을 알게 된 후 [☑성냥 / ☐전등]을 발명하게 된 약사 워커의 이야기를 쓴 [☐소설 / ☑전기문]입니다.

설명하는 글　문제 ❺~❼

어느 날, 다 빈치에게 조콘도란 사람이 아내를 데려와 초상화*를 그려 달라고 부탁했어요. 조콘도의 아내는 매우 아름다워 다 빈치의 관심을 끌었어요. 다 빈치는 그녀의 초상화를 그리기로 마음먹었어요. 조콘도 부인 역시 이름난 화가가 자기 초상화를 그린다는 사실이 기뻤어요. 부인은 하루 빨리 완성된 그림을 보고 싶었어요.

"선생님 언제쯤 그림이 완성되나요?"

"너무 조급하게 서두르지 마세요. 시간이 지나면 완성되겠지요."

하지만 시간이 지나도 그림은 쉽게 완성되지 않았어요. 어느덧 3년이 지났어요. 하루는 부인이 매우 진지한 얼굴로 물었어요.

"선생님, 그림을 완성하려면 아직 멀었나요? 얼마 후면 남편을 따라서 여행을 떠나게 되거든요. 그 전에 그림이 다 마무리되었으면 좋겠는데……."

"오래 걸립니까?"

"남편 말로는 세 달 정도 걸린답니다."

"그러면 여행을 다녀와서 다시 그리는 걸로 합시다."

㉠부인은 매우 안타까운 심정이었지만 어쩔 수 없었어요. 그리하여 그녀는 완성된 그림을 보지 못한 채 여행을 떠났어요. 작품 또한 끝내 완성하지 못했지요. 왜냐하면 여행 중에 그녀는 병을 얻어 세상을 떠나고 말았거든요. <small>모나리자 그림의 모델인 조콘도 부인 이야기.</small>

바로 이 작품이 얼굴에 눈썹이 없는, 영원히 미완성인 명화 ㉡「모나리자」입니다. 다빈치는 이 작품에서 '스푸마토'라는 새로운 기법을 만들어냈어요. 스푸마토란 붓질을 할 때 윤곽선을 뚜렷하게 그리지 않는 것이에요. 그래서 무언가 연기 속으로 사라지듯이 흐릿하게 표현하여 신비스런 느낌을 불러일으키는 것이지요. 이 기법은 보는 사람으로 하여금 깊은 인상과 은은한 여운*을 오래 남기는 효과가 있어요. <small>모나리자 그림에 나타나는 새로운 기법인 스푸마토.</small>

모나리자의 눈과 입 가장자리는 바로 이 기법으로 처리되어 있어요. 이 부분의 그림자 그늘을 한번 눈여겨보세요. 윤곽선이 매우 흐리면서도 부드럽지요? 모나리자의 알 듯 말 듯한 묘한 표정과 사람의 눈길을 사로잡는 마력*은 바로 이 때문이랍니다. <small>모나리자 그림의 마력.</small>

▲ 레오나르도 다빈치, 「모나리자」

* 초상화: 사람의 얼굴이나 모습을 그린 그림.
* 여운: 어떤 일이 끝나거나 현상이나 시기가 다한 뒤에 아직 가시지 않고 남아 있는 운치.
* 마력: 사람의 마음을 사로잡거나 현혹시키는 이상한 힘.

5. ②

「모나리자」가 영원한 미완성의 그림인 이유는 그림의 모델인 조콘도의 아내가 그림이 완성되기 전에 남편과 여행을 하던 중에 세상을 떠났기 때문입니다. 그래서 「모나리자」를 영원히 완성되지 않은 상태의 그림이라고 할 수 있습니다.

6. ③

조콘도 부인은 여행을 가기 전에 완성된 자신의 초상화를 보고 싶었지만 그림이 마무리되지 못해 완성된 그림을 볼 수 없어서 안타까워했습니다.

7. ④

「모나리자」는 눈과 입의 가장자리가 스푸마토 기법으로 처리되어 있다고 했어요. 코와 귀는 해당되지 않아요.

핵심 요약에 체크해 보세요.

레오나르도 다 빈치의 작품인 [□게르니카 / ✔모나리자]가 그려지게 된 이야기와 그 작품에 쓰인 새로운 기법을 [□주장하는 / ✔설명하는] 글입니다.

'나는 기쁨을 맛보기 위해, 진정한 자유의 의미를 알기 위해 밝게 빛나는 창공* 끝까지 날아오르는 갈매기 조나단 리빙스턴! 갈매기 조나단은 우리들 마음속에 간직한* 영원한 꿈과 자유를 상징한다.'

　책 표지에 이런 글이 있었다. 나는 이 말에 호기심을 갖고 책장을 넘겨 보았다. 처음에는 갈매기 조나단의 행동이 잘 이해가 되지 않았지만, 책을 다 읽고 난 후에는 조금이나마 이해할 수 있었다. 주인공 조나단은 먹고살기 위해 비행을 하는 다른 갈매기들과는 달리 더 높이 나는 일에 관심이 있었다. 하지만 하늘을 높이 나는 일이 조나단의 생각처럼 쉽지는 않았다. 그럼에도 조나단은 굴하지 않고 온 힘을 다해 훈련을 반복한 끝에 자유를 얻어 저 푸른 하늘로 훨훨 날아갔다. _{책을 읽게 된 동기와 간단한 줄거리 소개.}

　이 책은 오랜 전에 나온 것인데 지금도 많은 사람들이 읽고 있다고 한다. 나도 직접 읽어 보니 그럴 만도 하다는 생각이 들었다. 책의 내용이 신나고 재미있는 것은 아니지만 ㉠훌륭한 교훈을 주는 책이기 때문이다.

　내 꿈은 소설가이다. 나도 『갈매기의 꿈』처럼 멋진 글을 쓸 수 있을까? 국어 공부도 열심히 하고 글도 많이 써서 글쓰기에 자부심*을 갖고 있긴 했지만, 막상 이 글을 읽어 보니 내가 커서 이런 글을 쓸 수 있을까 하는 불안한 생각이 들었다. 또 이 책을 읽으면서 조나단에 비해 내가 한참 부족하다는 것을 깨달았다.

　나는 이 책을 읽고 결심한 것이 한 가지 있다. 쓰러져도 다시 일어나는 ┃ ㉡ ┃ 처럼 나도 내 꿈을 이루기 위해 열심히 노력해야겠다는 것이다. 그러다 보면 힘든 일도 많겠지만 그렇다고 포기하지는 않을 것이다. 조나단처럼 나도 나의 꿈이 이루어질 때까지 끈기 있게 노력하며 도전할 것이다. _{책을 읽은 나의 소감과 다짐.}

✳ **창공**: 푸른 하늘.
✳ **간직하다**: 잘 간수하여 보관하다.
✳ **자부심**: 자신의 가치나 능력을 믿고 당당히 여기는 마음.

핵심 요약에 체크해 보세요.　꿈을 향해 [□경쟁 / ✔도전]하는 조나단의 삶을 그린 소설 『갈매기의 꿈』을 읽고, 읽게 된 동기, 줄거리, 느낀 점 등을 적은 [✔독서 감상문 / □기사문]입니다.

1. ④

이 글에서는 내용을 육하원칙에 따라 자세히 전달하지는 않았어요. 육하원칙에 따라 쓰는 글은 신문 기사가 대표적입니다.

2. ④

이 글에서 글쓴이는 나의 꿈은 '갈매기의 꿈' 같은 훌륭한 글을 쓰는 소설가라고 하였습니다.

3. ③

갈매기 조나단은 창공 끝까지 날아오르기 위해 끝까지 끈기 있게 노력하여 도전하였어요. 따라서 '포기'는 이 글이 주는 교훈과는 거리가 있어요.

4. ①

㉡의 앞부분에 '쓰러져도 다시 일어나는'을 통해 이러한 속성을 갖고 있는 것은 '오뚝이'라고 짐작해볼 수 있지요. 이는 힘든 일이 많아도 포기하지 않겠다는 나의 다짐과도 유사하다고 볼 수 있어요.

설명하는 글　문제 ❺~❾

기후 조건은 사람들의 옷차림에 많은 영향을 미친다. 고대 이집트에서는 간단하게 천을 둘렀고, 중국에서는 솜을 누벼 입었다. 기후에 따라 옷차림이 발달한 나라를 더 알아보도록 하자. *옷차림에 영향을 주는 기후.*

베트남은 변덕스러운* 날씨를 가진 지역이다. 　ⓐ　 햇볕이 내리쬐다가도, 하늘에 구멍이 난 듯 비가 쏟아지기도 한다. 그래서 베트남 사람들은 뜨거운 별과 시시때때로* 내리는 비를 모두 막을 수 있는 '농'이라는 모자를 쓴다. 농은 베트남 사람들이 청동기 시대부터 쓴 모자로 원뿔 모양으로 생겼다. 아랫부분이 넓어서 얼굴뿐 아니라 목까지 햇볕을 막아 준다. 물이 잘 스며들지 않는 야자나무 잎으로 만들어서 비가 올 때는 우산처럼 쓸 수 있다. 더운 날에는 바람을 일으켜 부채로 쓰기도 한다. *베트남에서 쓰는 '농' 소개.*

러시아는 1년의 절반은 눈이 내릴 정도로 추운 지역이다. 추운 날씨로부터 몸을 보호하려면 머리를 감싸는 것이 무엇보다 중요하다. 갑자기 찬 공기를 쐬면 머리의 혈관이 오그라들면서 생명이 위험할 수도 있기 때문이다. 그래서 러시아 사람들은 동물의 털로 만든 모자인 ㉠'샤프카'를 쓰고 다닌다. *러시아의 샤프카 소개.*

러시아만큼 추운 북극 지방에는 이누이트 족이 사는데, 이누이트 족은 매서운 추위에 살아남기 위해 바다표범이나 순록의 가죽으로 만든 ㉡'아노락'을 입는다. 아노락의 안쪽은 털로 되어 있고, 머리를 덮는 모자가 달려 있어 매우 따뜻하다. 바깥쪽에는 가죽을 덧대어 눈이나 비에 젖지 않도록 만들었다. 아노락 덕분에 이누이트 족은 영하 40℃의 엄청난 추위 속에도 거뜬히 생활할 수 있게 되었다. *이누이트 족의 아노락 소개.*

* **변덕스럽다**: 자주 변하기를 잘하는 태도나 성질이 있다.
* **시시때때로**: 때에 따라 가끔.

핵심 요약에 체크해 보세요.

[☑기후 / ☐피부]와 상황에 맞게 발달한 여러 나라의 옷차림을 [☐주장하는 / ☑설명하는] 글입니다.

---

5. ④

이 글은 다양한 기후에 적응하기 위한 각 나라의 옷차림에 대해 설명한 글입니다.

6. ④

러시아는 1년의 절반은 눈이 내릴 정도로 추운 날씨라고 했어요.

7. ①

'이것'은 그림으로 보아 베트남의 '농'이라고 알 수 있어요. 베트남에서 '농'은 눈이 아니라 비를 막을 수 있어요.

8. ①

'이글이글'은 불이 활활 타서 불꽃이 피어오르는 모양을 나타내는 말로, 햇볕이 내리쬐는 것을 표현할 수 있는 말이에요.

9. ③

㉠과 ㉡은 모두 추위를 이겨 내기 위해 만든 것이에요.

'독서 감상문'의 특징

알아두면 도움이 돼요!

• **제목**: 글쓴이가 읽은 책의 감상과 관련지어 쓰거나 책 제목을 그대로 쓰기도 해요.
• **책을 읽게 된 동기**: 책을 처음 대했을 때의 느낌이나 그 책을 고르게 된 이유가 나타나 있어요.
• **책의 내용**: 글쓴이가 이 책을 읽고 인상적이거나 기억에 남는 내용이 나타나 있어요.
• **책을 읽은 감상**: 글쓴이의 생각이나 느낌으로 글을 마무리해요.

설명하는 글 문제 ❶~❺

우리가 이루고 있는 가족 형태는 크게 ㉠'확대가족'과 ㉡'핵가족'으로 구분할* 수 있습니다. 확대가족과 핵가족을 나누는 기준은 '세대'랍니다. 세대란 비슷한 나이에 같은 시대를 살았던 사람들로, 아빠와 엄마는 대개 같은 세대이지만 부모와 자녀는 세대가 다릅니다. <small>확대가족과 핵가족 구분의 기준이 되는 '세대'.</small>

확대가족은 3세대 이상이 모여 사는 가족으로 가족 구성원의 수가 많은 편입니다. 핵가족은 2세대가 함께 사는 가족으로, 부모 세대와 결혼을 하지 않은 자녀 세대가 한집에 살고 있습니다. <small>확대가족과 핵가족의 의미.</small>

옛날에는 확대가족을 이루고 사는 사람들이 지금보다 훨씬 많았습니다. 그때에는 주로 농사를 지었기 때문에 가족이 한집에서 북적거리며* 살거나 근처에 모여 살았습니다. 물론 모든 가족이 확대가족으로 생활한 것은 아닙니다. 옛날에도 부모와 자녀만 사는 핵가족이 있었답니다.

옛날 부모들은 자녀를 많이 낳으려고 했습니다. 농사를 지으려면 일손이 많이 필요했거든요. 옛날에는 사람들이 일일이 손으로 농사를 지었기 때문에 집안에 일할 사람이 많을수록 농사 짓기가 훨씬 ⓐ수월했답니다. 또한 자녀가 많은 것을 무엇보다 큰 재산이자 복으로 여겨서 자랑거리로 삼기도 했습니다. <small>확대가족을 이루고 산 이유.</small>

이러한 가족의 형태에 변화가 생긴 것은 1960~1970년대의 일입니다. 우리나라는 이 무렵부터 농업 사회에서 공업 사회로 빠르게 바뀌면서 많은 사람들이 농사를 짓지 않고 도시로 나가 직장을 구해 생활하기 시작했습니다. 또한 도시로 나가 살면서도 직장 때문에 이동을 해야 하는 일이 잦아짐에 따라 가족의 형태가 바뀌기도 했습니다. 이전처럼 많은 가족들이 근처에 모여 살거나 한집에 살기가 어렵게 되었고, 자녀도 많이 낳지 않게 되었던 것입니다. <small>핵가족으로의 변화.</small>

확대가족과 핵가족을 두고 어떤 것이 좋고 어떤 것이 나쁘다고 판가름할 수는 없습니다. 가족이란 구조나 형태보다는 서로 배려하고 아끼고 사랑하는 마음이 가장 중요하기 때문입니다. <small>가족 간 배려하고 사랑하는 마음의 중요성.</small>

* **구분하다:** 일정한 기준에 의하여 구별해서 나누다.
* **북적거리다:** 어수선하게 들끓다.

핵심 요약에 체크해 보세요.

가족의 형태가 [☐지역 / ☑시대]에 따라 확대가족에서 핵가족으로 변하게 되었음을 [☑설명하는 / ☐주장하는] 글입니다.

---

1. ④

농업 사회에서 공업 사회로 변화함에 따라 가족의 형태가 확대가족에서 핵가족으로 변화했다는 것이 이 글의 중심 내용입니다. '확대가족에서 핵가족으로의 가족 형태의 변화'가 이 글의 제목으로 가장 알맞아요.

2. ①

세대란 비슷한 나이에 같은 시대를 살았던 사람들을 의미하므로 엄마와 자녀는 서로 다른 세대입니다.

3. ③

3문단에서 모든 가족이 확대가족으로 생활한 것은 아니고, 옛날에도 부모와 자녀만 사는 핵가족이 있었다고 했어요.

4. ③

주원이네는 동생이 생기기 전에는 2세대가 모여 사는 핵가족이었지만 이후에는 할머니, 할아버지와 함께 사는 확대가족이 되었어요.

5. 쉬웠습니다

'수월하다'는 '까다롭거나 어렵지 않아 하기가 쉽다.'라는 뜻이에요.

설명하는 글   문제 ⑥~⑨

컴퓨터 게임이나 휴대 전화 등에 중독된 것을 '사이버 중독'이라고 합니다. 요즘은 어릴 때부터 컴퓨터나 휴대 전화를 쓰는 데다가, 공부나 친구 관계가 힘들어 사이버 중독에 빠지는 친구들이 많이 있습니다. 사이버 중독에 대해 알아보고, 예방법도 알아보겠습니다. 사이버 중독의 의미.

먼저 사이버 중독이라고 하면 흔히 게임 중독만 생각하기 쉽습니다. 하지만 상대방을 가까이에 두고도 메신저를 보내는 행위, 페이스북 같은 SNS에 끊임없이 자신의 소식과 사진을 남기는 행위 등 사이버 중독은 그 종류나 형태가 다양합니다. 혹시 자신이 이런 사이버 중독은 아닌지 주의해서 보기 바랍니다. 사이버 중독의 종류.

사이버 중독에 빠지면 휴대 전화를 사용하거나 컴퓨터 게임을 하는 시간이 늘어나면서 자연스레 혼자 있는 것에 익숙해집니다. 심한 경우에는 학교에 가지 않는 것은 물론, 먹는 것과 잠 자는 일도 소홀히 하게 됩니다. 혹 여러분은 휴대 전화나 컴퓨터와 잠시만 떨어져 있어도 ⓐ안절부절못하거나, 휴대 전화의 배터리 용량이 줄어들면 불안해 지나요? 그렇다면 사이버 중독의 초기 증상일 수 있으니 조심해야 합니다. 사이버 중독의 증상.

사이버 중독을 고치지 못하면 실제로 몸과 마음에 병이 생기게 됩니다. 오랫동안 컴퓨터와 휴대 전화를 쓰다 보면 허리와 목이 휘고, 손목이 망가집니다. 또 자극적인 게임을 오래 하면 현실에 잘 적응하지* 못하고, 사람들과 지내는 법을 배우지 못해 사회생활을 하기가 힘들어지기도 합니다. 사이버 중독이 지속되면 나타나는 일.

그러면 ㉠사이버 중독에 빠지지 않으려면 어떻게 해야 할까요? 요즘은 휴대 전화나 컴퓨터를 전혀 사용하지 않고 살기는 힘듭니다. 따라서 사이버 중독에 빠지지 않으려면 스스로 조절하는* 능력을 키워야 합니다. 식사할 때, 잠자리에 들 때, 공부할 때에는 휴대 전화와 컴퓨터를 꺼 두거나 휴대 전화와 컴퓨터를 사용하는 시간을 따로 정해 둡니다. 또 부모님과 함께 사용 규칙을 만들어 보는 것도 좋은 방법입니다. 만약 혼자서 조절하기 힘들다면, 휴대 전화의 사용 시간을 조절할 수 있는 앱의 도움을 받는 것도 좋습니다. 사이버 중독의 해결 방법.

7-②
7-①
7-③
7-④

핵심 요약에 체크해 보세요. [☑사이버 중독 / ☐인터넷 글쓰기]의 개념과 종류, 증세와 예방법에 대해 알기 쉽고 자세하게 [☑설명하는 / ☐광고하는] 글입니다.

---

6. ④
이 글에 사이버 중독을 고치기 어려운 이유는 드러나 있지 않아요.

7. ②
이 글에서 요즘은 휴대 전화나 컴퓨터를 전혀 사용하지 않고 살기는 어렵다고 했어요.

8. ④
영수는 게임 시간 줄이기, 운동 등을 통해 건강을 회복했다고 했으므로, 이러한 것들이 사이버 중독을 극복하는 데 도움이 된 것이에요. 이 글에서는 병원 치료에 대한 내용이 없어요.

9. ②
'안절부절못하다'는 '마음이 불안하고 초조하여 어찌할 바를 모르다.'라는 뜻을 갖고 있어요.

＊ SNS: 온라인상에서 불특정 타인들과의 관계망을 구축하고 정보 관리를 도와주는 서비스.
＊ 적응하다: 맞추어 잘 어울리다.
＊ 조절하다: 적절한 수준으로 맞추다.

컴퓨터가 처음 보급되기[*] 시작했을 때 많은 사람들은 이제 종이의 사용이 점점 줄어들 것이라고 예상했습니다. 그러나 그 예상과는 반대로 종이의 소비량은 오히려 더 늘고 있습니다. 왜냐하면 모니터로 보는 것보다는 종이에 인쇄하여 보는 것이 더 익숙하기 때문입니다. 소비량이 늘고 있는 종이.

종이는 정보를 전달하는 매체[*]로, 물건을 포장하는 재료로, 기타 여러 가지 용도로 쓰입니다. 종이가 가볍고, 값싸고, 비교적 질기고, 위생적이기 때문입니다. 이와 같이 종이는 많은 장점이 있어 우리는 계속 종이를 새롭게 만들어 사용할 것입니다. 종이의 쓰임과 장점.

요즘 새롭게 개발되고 있는 종이 중에는 최첨단 과학 기술로 만들어지는 것들이 있습니다. 그중 몇 가지를 예로 들어 보겠습니다. 첫째는 밝을 때 빛을 저장해 두었다가 어두울 때 스스로 빛을 내는 축광지입니다. 둘째는 종이에 인쇄되거나 쓴 내용이 복사가 안 되는 종이입니다. 셋째는 기록한 지 한 시간 뒤에는 자동으로 그 내용이 없어져서 극비[*] 문서로 사용되는 종이입니다. 이런 종이들은 공상 과학 영화에서나 볼 수 있었던 것들이지요. 최첨단 과학 기술로 만들어진 종이의 예.

주변에서 볼 수 있는 첨단 종이로는 온도에 따라 색깔이 변하는 온도 감응[*] 종이, 과일의 신선도는 유지하고 벌레나 세균은 생기지 않도록 하는 포장지가 있습니다. 신용 카드 영수증처럼 앞 장에 글씨를 쓰면 뒷장까지 글씨가 적히도록 하는 종이도 있습니다. 이런 특수 기능 종이들은 이미 우리 주위에서도 많이 사용되고 있답니다. 우리 주변에서 쓰이고 있는 최첨단 종이.

더욱 놀라운 것은, 전자 신호를 이용해 원격[*]으로 스스로 인쇄를 하고, 지면의 인쇄 내용을 완전히 바꿀 수 있는 전자 종이도 개발되었습니다. 이 기술이 상용화되면[*], 전자 종이로 된 신문 한 장만으로 매일 아침 새로운 기사들을 받아서 즉석에서 인쇄해서 보고, 다음 날도 똑같은 신문에 새로운 내용을 받아서 볼 수 있을 것입니다. 전자 종이 소개.

핵심 요약에 체크해 보세요. [□컴퓨터 / ✔종이]의 장점과 새롭게 개발된 다양한 종이에 대해 [✔설명하는 / □주장하는] 글입니다.

1. ①

1문단에서 컴퓨터가 종이를 대신할 것으로 여겼지만, 그 예상과는 반대로 종이 소비량은 오히려 더 늘었다고 했어요.

2. ①

3문단에서 축광지는 밝을 때 빛을 저장해 두었다가 어두울 때 스스로 빛을 낸다고 했는데, 소윤이가 산 색종이는 밤에 빛나는 야광 기능이 있으므로 축광지라고 추측할 수 있어요.

3. ③

종이에 쓴 글씨를 지우개로 지울 수 있는 원리를 알아보는 것은 이 글이 중심 내용인 최첨단 종이와 관련이 없는 내용이에요.

＊**보급되다:** 널리 펴서 많은 사람들에게 골고루 미치게 되어 누리게 되다.
＊**매체:** 어떤 소식이나 사실을 널리 전달하는 물체나 수단.
＊**극비:** 절대 알려져서는 안 되는 중요한 일.
＊**감응:** 전기나 자기를 띤 물체의 영향으로 다른 물체가 전기나 자기를 띠게 됨.
＊**원격:** 시간적, 공간적으로 멀리 떨어져 있음.
＊**상용화되다:** 물품 따위가 일상적으로 쓰이게 되다.

기행문 문제 ❹~❽

엄마, 아빠와 시흥 갯골 생태 공원에 갔다. 갯벌에 들어가는 것이 아니라 갯골을 구경하는 거였다. 도착하자마자 밥을 먹고 염전으로 갔다. 아빠가 "염전은 소금을 만드는 밭이야."라고 했다.

엄마와 염전 가운데에 있는 길을 걷다가 염전 물을 만져 보았다. 손이 닿은 곳에 방귀를 뀐 것처럼 거품이 생겼다. 염전이라 그런지 짠 비린내가 났다. 염전을 나와서 염전 운동장으로 갔다. 염전 운동장은 공놀이를 할 수 있게 만들었는데, 하얀 소금이 바닥에 엄청 깔려 있었다. 나는 바닥의 소금을 찍어 맛을 보았다. 갑자기 짠 맛이 파도처럼 밀려왔다. 염전 운동장에서의 나의 견문과 감상.

염전 운동장을 나와서 자전거 타는 사람들을 따라가 보니 소금 창고가 있었다. 소금 창고는 모두 네 개였다. 소금 창고 틈 사이로 안을 들여다 보니 전시회를 열려고 하는지, 사진들이 벽에 걸려 있었다.

소금 창고를 보고 그냥 앞에 난 길로 쭉 가다 보니 '갯벌 생태 학습장'이 있었다. 진정한 갯벌은 바로 그곳이었다. 어떤 아주머니가 "여기 엄청 큰 게가 있다!"라고 해서 가 보았다. 나는 신기해서 농게를 뚫어져라 쳐다보았다. 그런데 농게는 내 시선을 불편해하며 금방 구멍 속으로 숨어버렸다. 엄마가 갯벌을 가리키면서 "저건 퉁퉁마디고, 저건 칠면초야."라고 했다. 퉁퉁마디는 초록색이었고, 칠면초는 빨간색이었다.

그 다음에는 '흔들 전망대'에 갔다. 흔들 전망대는 스프링처럼 생겨서 올라갈 때 어지러웠다. 하지만 나는 빨리 전망대로 가고 싶어서 무작정 뛰었다. 전망대에 오르니 굉장히 멀리 보였다. 우리가 갔다 왔던 갯벌도 보이고 염전도 보였다. 망원경으로 자세히 보려고 했는데, 조절이 잘 안 되어서 잔디만 보였다.

아빠는 갯벌 색깔이 ㉠맑은 색은 아니지만 갯벌에는 영양분도 많고 갯벌이 사람들에게 많은 도움을 준다고 했다. 그리고 보지는 못했지만 이 갯벌에는 많은 직박구리, 학도요와 같은 다양한 종류의 새가 산다고 했다. 다음에는 새도 꼭 보았으면 좋겠다. 갯벌 생태 학습장과 흔들 전망대에서의 나의 견문과 감상.

핵심 요약에 체크해 보세요.

부모님과 함께 [✔갯골 공원 / ☐호수 공원]에 간 경험과 아빠에게 들은 것, 나의 느낌 등을 적은 [☐설명문 / ✔기행문]입니다.

4. ③

글쓴이가 염전 운동장에서 아빠와 공놀이를 했는지는 이 글에 나타나 있지 않아요.

5. ③

이 글에서 글쓴이는 가장 먼저 염전을 가고 이후 염전 운동장, 소금창고를 지나 갯벌 생태 학습장에 도착하였어요. 마지막으로 흔들전망대에 올라갔어요.

6. ③

글쓴이는 농게를 보았고, 엄마가 갯벌에 있는 퉁퉁마디와 칠면초를 가리켜 보게 되었어요. 직박구리와 학도요는 직접 보지를 못해 다음에 보았으면 좋겠다고 했어요.

7. ④

글쓴이는 흔들 전망대에서 망원경으로 갯벌과 염전을 보려고 했지만 조절이 안 되어서 잔디만 보았어요.

8. 말근

'맑은'에서 '맑'은 겹받침이고 뒤에 오는 말이 'ㅡ'로 시작하는 모음이므로, ㄹ은 받침으로 발음하고 ㄱ은 'ㅡ'와 결합되어 발음이 되므로 '말근'으로 소리가 나지요.

설명하는 글　문제 ❶~❹

오늘 수업에는 그리스의 철학자* 소크라테스 선생님을 모셨습니다. 모두 인사하세요. 너무 검소하셔서* 옷이 너무 낡았지요? 소크라테스에 대한 소개.

"안녕하세요, 옛날 그리스에서 온 소크라테스입니다. 보통은 수업을 할 때 선생님들이 설명을 하시지요? 하지만 저는 학생을 가르치는 방법이 　⑤　. 설명을 하는 게 아니라, 학생들에게 계속 질문을 해요."

"왜요? 이상해요! 공부는 가르치는 것이 아니에요?"

"저는 누구나 무엇이 옳고, 무엇이 잘못되었는지를 처음부터 알고 있다고 생각해요. 그래서 계속 질문을 하다 보면, 상대방이 답을 스스로 깨닫게 되지요. 이것이 바로 ⑥'소크라테스의 대화법'입니다. 이 방법은 오늘날에도 사용되고 있어요. 제가 한번 여러분에게 '대화법'을 사용해 볼게요. 여러분 중에서 누가 어떤 주장을 한번 말해 보세요."

"제가 해 보겠습니다. 저는 나쁜 짓을 하는 것이 다른 사람에게 나쁜 짓을 당하는 것보다 낫다고 생각해요."

"이 말이 맞는 말인지 확인해 볼까요? 대화법으로 질문하겠어요. 내가 나쁜 짓을 하는 것이 다른 사람에게 나쁜 짓을 당하는 것보다는 위험하지 않지요?"

"네, 맞아요."

"그렇다면, 나쁜 짓을 하는 것은 나쁜 짓을 당하는 것보다 남들이 보기에 부끄러운 행동인가요?"

"네, 그것도 맞아요."

"내가 도둑질을 하는 것은 도둑질을 당하는 것보다 창피한 행동이니까요. 그렇다면, 부끄럽고 창피한 행동은 나에게 더 해롭지 않습니까?"

"그렇지요. 맞는 말씀입니다!"

"그래요. 남들이 보기에 창피할 만한 행동은 자신에게 해로운 일이니까요. 자, 결론이 나왔어요. 나쁜 짓을 하는 것은 나쁜 짓을 당하는 것보다 위험합니다. 처음 여러분이 주장했던, 나쁜 짓을 하는 것이 다른 사람에게 나쁜 짓을 당하는 것보다 낫다고 한 말은 틀린 말이에요. 이처럼 여러분은 처음부터 여러분의 생각이 잘못돼 있다는 것을 알고 있습니다. 이렇듯 질문과 대답을 계속 하다 보면, 모든 인간이 진리*를 깨달을 수 있어요." 소크라테스의 대화법 소개

핵심 요약에 체크해 보세요.

철학자 [✔소크라테스 / ☐아리스토텔레스]에 대한 소개와 그의 대화법을 구체적인 예를 통해 [✔설명하는 / ☐광고하는] 글입니다.

---

1. ④

소크라테스는 학생들에게 수업을 할 때, 계속 설명을 하는 것이 아니라 계속 질문을 한다고 했어요.

2. ①

⑤에는 보통의 선생님과는 구분되는 소크라테스의 수업 방식에 대한 설명이므로, '서로 같지 아니하다'의 의미인 '다릅니다'가 알맞아요.

3. ④

소크라테스는 인간은 누구나 무엇이 옳고, 무엇이 잘못되었는지를 처음부터 알고 있어서 계속 질문을 하다 보면, 상대방이 답을 스스로 깨닫게 될 수 있다고 했어요.

4. ①

글의 마지막 부분에서 결론으로 '나쁜 짓을 하는 것이 다른 사람에게 나쁜 짓을 당하는 것보다 위험합니다.'라고 했어요.

＊ **철학자**: 인간이 살아가는 데 있어 중요한 인생관 등을 탐구하는 학자.

＊ **검소하다**: 낭비하거나 사치하지 않고 수수하다.

＊ **진리**: 참된 이치. 또는 우주의 근원적 원리.

동화　문제 ⑤~⑧

옛날에 우리나라 옆에 있는 큰 나라가 우리나라를 업신여기며*⊙얼토당토않은 걸 가져오라 했는데, 기다란 바람막이 병풍하고 커다란 항아리를 가지고 오라는 거야. 병풍은 저희 나라 땅을 다 둘러치면 딱 맞을 만큼 기다랗게 만들고, 항아리는 두만강 물을 다 퍼 담으면 꽉 찰 만큼 커다랗게 만들어 가지고 오라는 거야. 세상에, 그런 엄청난 걸 어떻게 만들어? 이웃 나라의 말도 안 되는 요구.

이 때문에 나라에서는 난리가 났어. 임금과 신하들이 모여서 궁리를 하느라고 야단법석이 난 거야. 이 때 성 밖에 부모도 없이 남의 집 머슴 사는 아이가 소문을 듣고서는 임금 사는 대궐을 떡 하니 찾아갔네.

"임금님, 그 일이라면 아무 염려 마시고 저한테 맡겨 주십시오. 저에게 자 한 개하고 사발* 한 개만 주십시오." 머슴아이가 임금을 찾아가 자신이 해결하겠다고 함.

아이는 그걸 들고 이웃 나라로 갔어. 이웃 나라 임금은 아이를 단박에 얕잡아 보고 마구 야단을 치는 거야.

"우리나라 땅을 둘러칠 바람막이 병풍하고 두만강 물을 퍼 담을 항아리를 만들어 가지고 오랬더니, 조그만 아이놈이 겁도 없이 그 따위 것을 들고 왔느냐?"

그래도 이 아이는 눈썹 하나 까딱 안 하고 태연하게* 받아넘겼어.

"병풍이랑 항아리를 만들려면 먼저 해 주셔야 할 일이 있습니다."

"그게 뭐냐?"

"이 자로 이 나라 땅 둘레가 몇 자나 되는지 재어 주십시오. 그래야 그만한 병풍을 만들 것 아닙니까? 또, 이 사발로 두만강 물을 퍼서 몇 사발이나 되는지 알아봐 주십시오. 그래야 그만한 항아리를 만들 것 아닙니까?"

그러니까 뭐 더 할 말이 있나? 어찌 그렇게 할 수 있겠어? 도저히 못 하겠으니까 그만 나가떨어졌지.

"아이고, 됐다. 병풍이고 항아리고 다 필요 없으니 그냥 돌아가거라."

이렇게 해서 이 아이가 그 어려운 일을 보기 좋게 풀어내고 무사히 돌아왔다는 거야. 돌아와서 아이는 병도 없고 탈도 없이 오래오래 잘 살았더란다. 이웃 나라에 가서 지혜롭게 일을 해결한 머슴아이.

* **업신여기다**: 교만한 마음으로 남을 낮추어 보거나 하찮게 여기다.
* **난리**: 전쟁이나 분쟁 따위로 세상이 어지러워진 상태.
* **궁리**: 마음속으로 이리저리 따져 깊이 생각함. 또는 그 생각.
* **사발**: 사기로 된 국그릇이나 밥그릇.
* **태연하다**: 놀라거나 두려워해야 할 상황에서도 태도나 기색이 아무렇지도 않은 듯이 예사롭다.

5. ①

머슴아이는 가져간 자로 나라 땅 둘레가 몇 자나 되는지 재어 달라는 것과 가져간 사발로 두만강 물을 퍼서 몇 사발이나 되는지 알아봐 달라고 요구했습니다. 이웃 나라 임금은 이를 듣고 어찌할 수 없어 나가떨어졌다고 했어요.

6. ②

머슴아이는 우리나라를 업신여기는 이웃 나라의 버릇을 고쳐 주기 위해 이웃 나라가 우리나라에 요구했던 것처럼 말도 안 되는 요구를 똑같이 했는데, 이는 잘못된 행동이 아니고 오히려 지혜롭고 용기있는 행동이에요.

7. ④

'얼토당토않다'는 '도무지 이치에 맞지 않다.'의 의미이므로, 이와 바꿔 쓰기에 알맞은 낱말은 '터무니없다', '허황하다', '엉뚱하다'예요. '당연하다'는 '이치로 보아 마땅히 그러하다.'라는 의미예요.

8. ①

이 글의 머슴아이가 재치 있고 당당하게 문제를 해결한 것을 보고 '지혜와 용기'라는 교훈을 얻을 수 있어요.

핵심 요약에 체크해 보세요. 이웃 나라의 말도 안 되는 요구를 [☑머슴아이 / ☐신하]가 지혜롭게 해결했다는 [☑동화 / ☐설명문]입니다.

어휘력 쑥쑥 테스트

01. ⓛ	02. ㄹ	03. ㄱ	04. ⓒ	05. 창공	06. 황급히
07. 변덕	08. 마력	09. 원격	10. 감응	11. 극비	12. 난리
13. ⓒ	14. ㄹ	15. ㄱ	16. ⓛ	17. 여운	

[**숨마 어린이**®]는
중·고교 상위권 선호도 1위 브랜드 **숨마쿰라우데**®가 만든
초등학생들을 위한 혁신적인 **초등 브랜드**입니다!

초등국어 독해왕 시리즈 (수준별 1~6단계)

"초등국어 독해왕" 시리즈는
교사·학부모님들의 의견을 적극 반영하였습니다.

의견 1 **다양한 종류의 글을 읽히고 싶어요.** 설명문, 논설문, 전기문, 동화, 동시, 생활문, 기행문 등 다양한 장르의 글과 인문, 사회, 과학, 예술 등 다양한 제재의 글이 모여 있는 책이 있으면 좋겠어요.

의견 2 **평소 책을 좋아하지 않는 아이도 쉽고 재미있게 글 읽기 훈련**을 할 수 있는 책이 있으면 좋겠어요.

의견 3 **글 읽기를 20~30분 짧게 집중해서 하고 잘 이해했는지를 점검**할 수 있는 문제집이 있으면 좋겠어요.

의견 4 **글 읽기에서 어떤 부분이 부족한지**, 또 어떤 종류의 글 읽기를 좋아하고 싫어하는지 판단할 수 있었으면 좋겠어요.

의견 5 **글 읽기의 핵심인 글 전체의 주제나 요지 파악, 제목 찾기** 등을 쉬운 단계부터 차근차근 훈련이 가능한 책이 필요해요.

의견 6 **혼자 집에서 조금씩 꾸준하게 공부할 수 있도록 학습 계획(스케줄)을 쉽게 짤 수 있는 교재**가 있으면 좋겠어요.

의견 7 **아이를 지도하기에 편하게 해설이 자세한 독해 연습서**가 있으면 좋겠어요.

이룸이앤비로 통하는
HOT LINE

CALL
02) 424 - 2410

FAX
070) 4275 - 5512

INTERNET
www.erumenb.com

E-MAIL
webmaster@erumenb.com

이룸이앤비의 특별한 중등 국어교재 시리즈

숨마 주니어® 중학국어 어휘력 시리즈

중학교 국어 실력을 완성시키는 **국어 어휘 기본서** (전3권)

- 중학국어 **어휘력 ❶**
- 중학국어 **어휘력 ❷**
- 중학국어 **어휘력 ❸**

숨마 주니어® 중학국어 비문학 독해 연습 시리즈

모든 공부의 기본! 글 읽기 능력을 향상시키는
국어 비문학 독해 기본서 (전3권)

- 중학국어 **비문학 독해 연습 ❶**
- 중학국어 **비문학 독해 연습 ❷**
- 중학국어 **비문학 독해 연습 ❸**

숨마 주니어® 중학국어 문법 연습 시리즈

중학국어 **주요 교과서 종합!**
중학생이 꼭 알아야 할 **필수 문법서** (전2권)

- 중학국어 **문법 연습 1** 기본
- 중학국어 **문법 연습 2** 심화

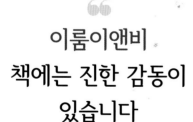

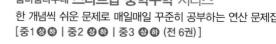